侯卫东官场笔记

逐层讲透村、镇、县、市、省官场现状的自传体小说

小桥老树 著

凤凰出版传媒集团
凤 凰 出 版 社

图书在版编目（CIP）数据

侯卫东官场笔记 / 小桥老树著 . -- 南京：凤凰出版社，2010.4

ISBN 978-7-80729-745-1

Ⅰ．①侯… Ⅱ．①小… Ⅲ．①长篇小说－中国－当代 Ⅳ．① I247.5

中国版本图书馆 CIP 数据核字 (2010) 第 066734 号

书 名 侯卫东官场笔记

作　　者 小桥老树
责任编辑 陈　欣
特约编辑 程　峰
封面设计 读客图书
出版发行 凤凰出版传媒集团　凤凰出版社
出　　品 凤凰出版传媒集团　北京凤凰天下文化发展有限公司
集团网址 凤凰出版传媒网　http://www.ppm.cn
印　　刷 北京嘉业印刷厂

开　　本 680mm x 990mm 1/16
印　　张 20.75
字　　数 329 千
版　　次 2010 年 6 月第 1 版　2010 年 6 月第 1 次印刷
标准书号 ISBN 978-7-80729-745-1
定　　价 29.80 元

如有印装质量问题，请致电 021-33608311

本书主要人物关系表

省级干部

（省委书记）朱建国　（省长）钱国亮

（副省长）秦路　（副省长）吴永忠　（省政协主席）马云栋

市级干部

（市委书记）周昌全　（市长）刘兵　（市人大主任）高志远

（常务副市长）郑儒林　（副市长）步海云　（副市长）高榕

（市秘书长）黄子堤　（市政法委书记）洪昂　（市纪委书记）济道林

县级干部

（县委书记）祝焱　（县长）马有财　（市组织部副部长）粟明俊

（县委副书记）赵林　（副县长）李冰　（副县长）高林　（副县长）李劲

（市园林局副局长）谢婉芬　（县委副书记）高小楠　（常务副县长）李太忠

科级干部

（镇委书记）谷云峰　（县计委主任）杨大全　（民政局局长）张庆东

（镇委书记）赵永胜　（交通局局长）曾昭强　（组织部副部长）肖兵

（镇长）秦飞跃　（副镇长）粟明　（副镇长）晁杰　（交通局副局长）朱兵

（民政局副局长）许彬　（商委副主任）钱宁　（县副检察长）柏宁

基层公务员

（主人公）侯卫东　唐树刚　刘坤　张小佳　任林渡　杨柳

秦小红　刘维　习昭勇　田秀影　杨凤　高建　郭兰　苟林

欧阳林　杨腾　晏春生　黄正兵　盛奎　龙琳　付江　唐小伟

村干部

（村支书）秦大江　（村支书）贺合全　（村支书）唐桂元

（村委会主任）江上山　（村委会主任）曾宪刚　（村委会主任）孙虎

目录

侯卫东知道查户口时间正式开始，只要能查户口，也就说明还有希望，老老实实地道：“今年益杨县从大学毕业生中招了一批学生充实到乡镇去，锻炼几年就进县机关。我想这是一个机会，就参加了益杨县的考试，考了第二名，具体分到哪里还不清楚。”

“经党委研究，决定让你到青林山去。青林镇政府在青林山上有一个工作组，负责独石村、尖山村、望日村三个村的工作。安顿好以后，再给你分配具体的工作。”

侯卫东没有农村生活的经验，对赵永胜的安排有些茫然。

秦大江红肿着眼睛走了出来，接口道：“前几年上青林乡还想着修路，现在看来更没有希望了。”

侯卫东心中一动，“我是青林工作组副组长，若是能组织起来把路修好，说不定能引起领导的重视。”就道：“秦书记，俗话说，无路不富。上青林的发展太慢了，和80年代初没有什么区别，我看症结就在这公路上。”

赵永胜弹了弹烟灰，一字一顿地道：“修路是好事，年轻人有想法也是好事。但是，这么大的事情，工作组应该先给党委政府汇报，党委政府同意以后，你们才能去开这个会。”他严肃地道：“你们工作组不按规矩办事，把村里的干部聚集起来，这是在逼着镇党委表态，明白吗？”

侯卫东吃了一惊，道：“检察院找我有什么事情？”

“他们没有说，只是找到派出所，让我们带路，听口气似乎是找你调查情况，估计是县里的哪一位官员东窗事发了。张辉带着他们上来，一个小时就要到，你在山上开着石场，躲是躲不掉的，还是要想好处理办法。”

秦钢又叮嘱道：“我给你打这个电话，是违背纪律的，你要保密，把手机放好。”

祝焱不动声色地道：“对青林镇问题的处置方案有意见，常委会上应该提出来，你的具体意见是什么？”

柳明杨坐得笔直，道：“我认为应该严肃处理侯卫东，否则以后选举将后患无穷。”

“我看了关于侯卫东的材料，这个年轻同志以普通干部身份促成了上青林公路的修建，很了不起。既然他没有贿选等违法行为，我认为要给他一个机会，让他在工作中得到锻炼，是驴子是马，拉出来遛遛就知道了。”

第一章
公务员考试全市第二名

疯狂之夜

1993年6月30日，沙州学院里充满了毕业前的离愁别绪。

学院男生宿舍和女生宿舍相对而立，中间的两个排球场和三个篮球场就成为楚河汉界。女生宿舍背后是实验楼，男生宿舍背后是一座无名小山。小山上树木和杂草颇为密集，自然成为学生们谈情说爱的圣地。

和室友吃过离别前最后的晚餐，侯卫东顺着小道上了山，来到了固定约会的草丛。等了半个小时左右，女朋友张小佳仍然没有露面。他暗自焦急，不停地看着手表。

小道上不时有姿势很亲密的情侣经过，这愈发让他心急。终于，小道上传来了熟悉的脚步声。等到小佳走进了草丛，侯卫东将她拦腰抱住，恶狠狠地亲了亲脸颊，道："时间这么宝贵，你怎么能迟到？"

"我是女孩子，天然有迟到的权利。"

小佳仰头迎接着侯卫东暴风骤雨般的亲吻。等到侯卫东亲够了，她才解释道："段英一直在哭，我费了好大的劲才把她劝住。"

段英是小佳的室友，毕业分配到益杨县绢纺厂，其男友分到湖北省的一家国有企业，两地相隔数千里。当分配结果出来以后，段英就意识到分手不可避免。可是当真分离之时，所谓潇洒如瓷器一般不堪一击。

侯卫东庆幸地道：“幸好益杨和沙州只有三个小时车程，否则我们也要面临考验。”

沙州是岭西省的地级市，下辖有益杨、吴海、临江、成津四个县。四个县分别位于沙州市的东西南北，呈众星捧月之势将沙州市围在中心。益杨县在四个县中经济条件最好，而且县城里有一所大学——沙州学院，名气比其他三个县大得多。

小佳使劲地在侯卫东胳膊上掐了一下，怒道：“如果超过三小时的路程，我们是不是也要分手？”

侯卫东急忙讨饶：“我不是这个意思，哎，轻点，我道歉，道歉还不行吗？”

哄了一阵，小佳这才高兴起来，依偎在侯卫东怀里。

为了今天晚上的约会，小佳特意穿了一套橘色套裙。在夜色中，衣服什么颜色并不重要，最重要的是款式。这种上下两件的套裙是约会的最佳服装，所谓最佳，必须满足两个条件，既方便情人抚摸，又能在遇到紧急情况时迅速复原。

小佳浑身无力地靠在侯卫东怀里，任由一双贪婪的大手在身上游走。明天是离校的日子，此时她心乱如麻，紧紧抱着男朋友。

侯卫东嗅了嗅小佳的发丝，轻声道：“我胀得难受。”

小佳早有思想准备，低声道：“今天，我给你。”

三年来，侯卫东一直在等着这一刻。他变魔术一样地取出床单，这是冬天的床上用品，离校以后，旧床单也就无用。他准备用旧床单来开辟一个新时代。

小佳没有想到侯卫东连床单都带来了，浑身烫得厉害，嗔道：“你挖了一个坑，就等着我跳下来，我现在不愿意了。”话虽然如此说，她手脚却没有停下来，帮着铺床单。等到床单弄好以后，两人疯狂地搂抱在一起。

谈了三年恋爱，两人除了没有完成真正的性爱以外，其他所有事情都做过了。经过一阵抚摸，两人气喘吁吁地躺在了床单之上。

小佳仰望着繁星，担心地道：“会不会怀上孩子？”

侯卫东得意地从一旁衣服里取过一个小盒子，道：“小佳，你看这是什么？”

小佳惊讶地道：“避孕套。”

“正是，我买的十块钱那种。”十块钱，对于1993年的学生来说，是一笔不大不小的开支。为了彰显，侯卫东特意说出了价格。

顺利地脱下了小佳的白色小内裤，侯卫东却被避孕套的外包装难住了。避孕套的外包装出奇的结实。他如热锅上的蚂蚁一样，与外包装斗争了半天，也没有能够撕开。

对于即将到来的成长经历，小佳心情很是平静。相恋三年，走到这一步是水到渠成。看到侯卫东狼狈的样子，她拿过避孕套，沿着外包装的四角摸了过去，找到了预留的开口处，轻轻一撕就将套子取了出来。

侯卫东道：“我不会用，你帮我戴上。”

“你不会用，我更不会用。”

“套上去肯定就行了，那一天学院放科普电影，你没有认真看吧？”

小佳“扑哧”笑了起来，道：“那天你们都说没有认真看，其实个个看得口水直流。”说话间，她还是脸红心跳地试了好一会儿，这才笨手笨脚地给侯卫东戴上。

避孕套戴好之际，侯卫东已经到了要喷发的边缘。身下的小佳紧闭着眼，一副任君采摘的模样。这是他意淫过无数次的场景，可是当梦想成真之时，他惊奇地发现自己不知从何下手。

事到临头，小佳反而放开了，伸出手，引导他前进。

将要进入幸福的港湾，侯卫东突然喷发了。他没有想到盼望已久的第一次就这样结束了，很是沮丧，在心底狂吼道：“难道这就是传说中的早泄？”

小佳对于性事也是懵懵懂懂，见侯卫东费劲弄了一会儿，还没进入身体就一泻千里，长舒了一口气，心里又微微失望。她是善解人意的女孩子，温柔地用双手环着侯卫东结实的后背，以示安慰。

太阳早已消逝在了天边，天空挂满了繁星。

从小山往下看去，沙州学院的灯光倒映在湖水中，波光粼粼，很美。

“明天真的要跟我回家吗？”小佳想着父母的怒容，有些不寒而栗。

侯卫东握紧了小佳的手，神情很是坚定：“丑媳妇总要见公婆，我必须要面对你的父母。”

两人握紧双手，互相给予对方力量。

离校前夜，缓慢吹动的热风让人异常烦躁。树林深处不知名的虫子在孜孜不倦地鸣叫，湖水中晃动的灯光构成了一幅让人难以忘却的画面。

晚上11点，各楼的灯同时熄灭。

守在排球场外的副院长济道林看了看手表，对保卫处胡处长道："你的人准备好没有？记住，这是非常时刻，要以教育为主，不要轻易发生冲突。实在闹得厉害的学生，记下名字，明天扣发毕业证。"

胡处长知道离别之夜有许多毕业生将疯狂发泄，这是考验保卫处工作能力的时候。为此他提出了特别保卫方案，动员了各系有威望的老师，组成了许多小组，分散到各楼层中，以此来控制事态。

排球场东面的法政系和传媒系男生楼最先发难。一只水瓶不知从哪个窗口扔了出来，在地面上发出了"砰"的一声。水瓶的破裂声是一声信号，法政系和传媒系的男毕业生们早就做好了充分准备，开始了离别之夜的狂欢。

509寝室，蒋大力手里拿着一个胶桶，听到水瓶爆开的声音，如吃了兴奋剂一般，朝窗外一阵猛砸。刘坤也跟着将饭盒扔了下去。

保卫处胡处长尖利的声音在楼底下响起，"谁扔的，不想要毕业证了？"胡处长这种威胁每年都要重复，其苍白和无奈早就被同学们摸得一清二楚。回应他的是所有窗口飞出来的各式杂物。很快，排球场另一侧的女生楼也开始响应。女生们的尖锐喊叫声如轰炸珍珠港的日本飞机，将沙州学院的天空刺得千疮百孔。

骚乱持续了几分钟，窗口扔出的杂物渐渐少了。老师们开始在各个房间里穿来穿去，苦口婆心地做着工作，不时地将香烟发给熟悉的同学。

第一波次的狂欢结束了。

蒋大力意犹未尽，等到守在宿舍的民法老师一走，对侯卫东道："东瓜，发什么呆，你的桶还没有扔出去。"

侯卫东不想让人瞧出情绪上的异常，笑道："等老师们走了，我来当发起人。"

个子矮小的陈树鬼点子最多，他溜出了寝室，一会儿就提了两个水瓶过来。进了门就一阵大笑，道："胖子攒了两个水瓶，准备等一会儿再扔，我把它偷了过来。"

教师们在楼里待了半个多小时，看着同学们安静了下来，陆续离开了学生楼。

胡处长站在济道林身边，道："济院长，你早些休息吧，看来今天晚上没有什么大事了。"

济道林摇摇头，道：“再等等。”

济道林不走，所有老师也就不好离开，都在排球场等着。

侯卫东伸出头，借着路灯，见到楼下一片狼藉，全是砸碎的破桶烂瓶子。他抓起自己用了四年的饭盒，使劲地朝窗外扔去。蒋大力见侯卫东动手，跳起来，抓起陈树偷来的水瓶，就朝窗外扔去。陈树个子虽小，却是一个不肯吃亏的角色，骂道：“蒋光头，给我留一个。”

第二波次的狂欢又被点燃了。

隔壁传来了胖子杀猪一样的吼声：“他妈的，谁把我的水瓶偷了！”

当“叮当”之声终于停了下来，济道林紧绷的脸松了下来，抬手看了看表，不动声色地道：“12点15分结束，和去年差不多，老师们可以回家休息了。”

第二天早上，509寝室的侯卫东、刘坤、蒋大力等人各自沉默地收拾起自己的东西。当出门之际，蒋大力仰天大笑，道：“深圳，我来了，我征服。”

侯卫东藏着心事，没有如此豪情，对刘坤道：“我们两人还得在益杨见面。”

刘坤理了理西服和一丝不苟的头发，道：“你一定要到家里来找我，县委家属院，不来我要生气。”

大家提着各自物品出了男生楼，踩着乱七八糟的碎片，来到了排球场。排球场外停了许多大车，上面标着到东阳、沙州等城市的名字。

“哥们，走好”、“常回家看看”、“一路平安”等各式标语挂在了树上，随风飘动，哗哗直响。学院广播室里放起了郑智化的《水手》：“苦涩的沙吹痛脸庞的感觉，像父亲的责骂母亲的哭泣永远难忘记……”当离校的第一辆汽车发动，或高或矮、或尖利或低沉的哭声便从车内车外响起，如草丛中的蚱蜢被脚步突然惊动，“扑腾腾”飞了起来。

当客车开出学院大门，车上的同学就都沉默了。从此以后，大家就不是沙州学院的学生了，再也没有系主任用恨铁不成钢的目光追随着成双结对的情侣。而学院退休老院长那一句“只许排排走，不准手牵手”的名言，更是随着缓缓移动的客车而永远地留在了沙州学院里。

尴尬的上门女婿

三个小时以后，客车进入了沙州市区。

经过了一座大桥，小佳指着大河对面的厂区道：“我爸爸、妈妈就在这个厂里，沙州十强企业。”

一大片厂区在阳光下闪闪发光，很气派。

从客车站出来，两人随着熙熙攘攘的人群在街道上走了十来分钟。再钻进了一个小巷道，约莫走了二三百米。小佳停住脚步，用手朝前指了指，道：“前面灰楼就是我家。”

侯卫东忐忑地问道：“你爸妈真的很厉害吗？若是他们不让我进门怎么办？”

“我先上楼，看他们态度。”小佳背着一个小包上了楼，将侯卫东一个人丢在了楼下。

厂区的家属楼，所有住户都在一个单位上班，彼此十分熟悉。见到一个陌生人提着箱子站在门道口，经过的人都打量了侯卫东一番。

过了一会儿，小佳从楼道上走了下来，脸上是要哭的表情，道：“他们让你上去。”

“态度如何？”

“不好，他们听说你分在益杨，坚决反对。”

侯卫东心猛地提了起来，嘴唇干燥得厉害，道：“无论如何我都要上去。”

防盗门虚掩着，电视里，付笛声颇有些气势地唱道：“众人划桨哟，开啊开大船！”

一对中年男女面无表情地坐在沙发上。侯卫东进屋放下箱子以后，恭敬地做起了自我介绍：“张叔叔，陈阿姨，你们好，我叫侯卫东，是小佳的同学。”

80年代国营工厂的家属楼，都属于小巧玲珑的类型。屋子小，两面皆有窗，采光和通风相当不错。而此时屋内空气却如凝结一般，压抑得让人喘不过气来。

中年夫妻抱着手，严肃地坐在沙发上。没有拒绝侯卫东进屋，却也没有给他好脸色看。侯卫东做完自我介绍以后，夫妻俩仍然不发一语，让他尴尬地站在客厅里。

侯卫东虽然没有传说中的王者之气，也没有让女孩子一见就变花痴的魅力，可是他毕竟是沙州学院法政系的风云人物，是小佳眼里最优秀的男孩子。如今看着情郎被父母晾了起来，小佳很是心痛，扯了扯侯卫东衣角，道："你坐。"

对于女儿小佳的行为，父母视若不见。

等到侯卫东坐下之后，小佳递了一杯水过来。喝了一口凉水，侯卫东快要燃起来的心肺舒服了许多。他从裤子口袋里取过红塔山，抽了一支出来，递给坐在沙发上的小佳爸爸，道："张叔，抽烟。"

张远征是资深烟民，他靠在沙发上，瞟了一下香烟牌子，见是红塔山，心道："这小子抽的烟，比我的还要好，这些学生大手大脚花家长的钱，真是不懂事。"他扭头看了一眼妻子陈庆蓉，见陈庆蓉盯着电视，没有反对，也没有赞成。再看了看女儿殷切的目光，便接过了侯卫东递上来的红塔山。

侯卫东早就有了准备，取过一次性打火机。1993年，一次性火机还没有普及，这种一次性火机是高中同学从广东带过来的。他"啪"的一声打燃火，恭敬地递到了张远征面前。

张远征点了火，暗道："这个男孩子从相貌到谈吐都还不错，没有想象中那么糟糕。只可惜他分到益杨县，冲着这一点，他就不可能成为乘龙快婿。"

小佳是独女，分配到沙州建委所属的园林所。园林所虽然是一个关乎花草的事业单位，但是效益还不错。干上几年，还有机会调到建委机关去，这是夫妻俩给小佳规划的生活蓝图。张远征夫妻俩为了小佳的分配已经充分调动了所有的社会关系，身心疲惫，实在没有能力再办一个从益杨到沙州的调动。

陈庆蓉突然站起身来，她走到窗边，重手重脚地打开了一扇窗户，弄得声音震天，道："抽、抽、抽，咳得要吐血了，还要抽，迟早要抽死你。"她把窗户打开以后，又坐回到沙发中，对着张远征道："不准在屋里抽烟，要抽到屋外去抽。"

陈庆蓉不过四十来岁，岁月已经在脸上留下了深深的印迹，却也让她变得精明强干。

她不能接受女儿嫁给益杨人，是缘于自己的经历。年轻之时，陈庆蓉和张远征曾经两地分居十二年。这十二年的分居生活，给这对夫妻留下了难以磨灭的痛苦记忆。他们两人以自己的人生阅历作为判断女婿的依据。他们要保护还没有经历过社会磨炼的女儿，免得女儿因为选择错误，留下永远不能弥补的伤痛。

小佳长相极似陈庆蓉，是活脱脱的年轻版陈庆蓉。不同之处是性格，陈庆蓉性格刚强，言语咄咄逼人。小佳的性格则多了一分温柔，但是从骨子里，她也是倔强而敏感。

此时，小佳见到父母对侯卫东冷言冷语，眼泪在眼眶里转了几转，道："爸爸、妈妈，今天中午吃什么？我去理菜。"她站起来，对侯卫东道："我们一起去理菜。"

等到侯卫东起身之时，陈庆蓉站起来，道："你们坐着，稀罕你们理菜！"她径直走到厨房，"砰"地将厨房门关上。此时，厨房里飘出来一阵鸡汤的香味，知道女儿要回家，陈庆蓉专门请了假，早早地从菜市场买了一只土鸡，用小火煨得香气扑鼻。此时，看到飘着香味的罐子，她就气不打一处来，啪地将火关掉，站在厨房里，抹起了眼泪。

过了一会儿，张远征也进了厨房，看着妻子泪汪汪，他气鼓鼓地道："小佳太不懂事了，不提前说一声，就把人带回来了。"又劝道："人都来了，吃过午饭，好好跟他谈一谈，这个小伙子看上去还是不错的。"

陈庆蓉不满地道："给你递了一支烟，立场就变了。若是解放前，你一定是叛徒。想起两地分居的十来年，我就害怕，绝不能让女儿走我们的老路。"

在客厅里，小佳悄悄拉着侯卫东的手，道："对不起了。"

来沙州这一路上，侯卫东做过充分的思想准备。看到小佳内疚的样子，他轻声安慰道："这已经比想象中好得太多了，我能够理解他们。"

过了一阵，张远征端着一个大盆子进来，盆子里飘出了阵阵诱人的香味。侯卫东坐了三个小时的车，肚子早唱开了空城计。这香味飘来，顿时将他的馋虫也勾了出来。等到张远征转身又进了厨房，他连忙将口水咽回肚里。

张远征又端出来一盘炸得焦脆的小鱼。这是从大河里捕上来的小鱼，炸焦以后，香味扑鼻，是小佳的最爱。小佳知道这是父母特意为自己准备的，不禁有些心虚，没有刚回家时的理直气壮。

陈庆蓉从厨房走出来，将手中一盆红烧鱼重重地放在餐桌上，拿起饭碗，开始不停地吃了起来。张远征随即也从厨房走了出来，使劲地拉了拉桌子，然后一屁股坐了下去。

侯卫东坐在沙发上，过去吃也不对，不过去也不对，小佳进厨房拿出来两个碗，道："过来吃饭。"

陈庆蓉几口就把饭吃完了，把碗往桌上一顿，走到客厅。张远征也把碗一顿，紧跟着陈庆蓉的步伐，也走到了客厅。

小佳趁着父母到客厅之际，飞快地给侯卫东夹了一根饱满的鸡腿。

鸡腿皮子发出诱人的金黄色，还有几滴浓汤从光滑的皮子上滑落。不过鸡腿的香味终究抵不过满屋的尴尬气氛，侯卫东勉强将美味鸡腿送进了肚皮。什么叫做味同嚼蜡，他现在有了最真切的感受。

在小佳开始收拾碗筷的时候，陈庆蓉站起身来，走到饭桌前，严肃地对侯卫东道："你到里屋来，我有话给你说。"

到了最后摊牌的时间，小佳心中"咚咚"地狂跳起来。陈庆蓉面无表情地对小佳道："你去洗碗，不要过来。"

跟着陈庆蓉走进里屋的时候，侯卫东深吸了一口气，"该来的终究要来，人死卵朝天，怕个屌。"

陈庆蓉坐在了里屋，她背对着窗户，这样脸上表情就更加灰暗。里屋不大，侯卫东根本没有选择的余地，只能坐在了陈庆蓉的对面。强烈的阳光透过窗帘，射在侯卫东身上，他下意识地将椅子往后挪了挪，躲避了那一束强光。

陈庆蓉声音有些沙，问道："毕业了，你分到哪里？"其实小佳进屋之时，已将几个关键问题给她讲了。只是这种问话，有时就要明知故问。

侯卫东知道查户口时间正式开始，只要能查户口，也就说明还有希望，老老实实地道："今年益杨县从大学毕业生中招了一批学生充实到乡镇去，锻炼几年就进县机关。我想这是一个机会，就参加了益杨县的考试，考了第二名，具体分到哪里还不清楚。"

陈庆蓉心道："就算国家干部，但在益杨县的乡镇里，有屁作用！"

"你父母是做什么的？"

"我爸爸在吴海县公安局工作，妈妈是小学教师，还有一个哥哥，在吴海县公安局工作。"

对于侯卫东的家庭条件，陈庆蓉还是比较满意。如今企业转制、破产的越来越多，铁饭碗已经被打破了。她的一位朋友全家人都在锁厂工作，锁厂破产以后，现在连生活都成了问题。想到这些事，陈庆蓉看着侯卫东的目光柔和了一些，随后又想到益杨县到沙州市三个多小时的路程，她将心中的一丝温情隐藏了起来，面部表情如核桃一般坚硬。

“小佳在沙州园林所上班，而你在益杨工作，以后肯定要两地分居。现在沙州的户口控制得很严，我和小佳爸爸都在企业工作，没有能力帮你办调动。你爸爸是公安局的，应该有些关系，有没有把握把你调到沙州？”

侯卫东直言道：“我爸爸是东阳镇派出所的，快要退休了，他没有能力把我调到沙州。”

陈庆蓉脸色阴了下来，道：“你们年轻人的事，我们也不想多管。我们只有一个女儿，想她留在身边，这个我相信你能够理解。”

“我理解。”

“我和小佳爸爸两地分居多年，小佳小时候只能放在婆婆爷爷身边，好不容易才团圆。我们不希望小佳也过两地分居的日子，不会同意小佳离开沙州。你是大学生，希望能够体谅做父母的难处。”

“阿姨的意思，就是不同意我们在一起？！”

陈庆蓉见侯卫东有些痛苦的表情，委婉地道：“我们对你本人没有意见，也尊重你们两人的感情。但是你们现在已经离开了学校，是成年人了，必须考虑现实问题。”

侯卫东低头不语。

陈庆蓉加重了语气，道：“如果你真喜欢小佳，就要让她幸福。我希望你有男子汉的责任心，快刀斩乱麻，与小佳分手，给她幸福。”

这种情况，侯卫东早就料到了。当话真的挑明之时，心、肝、肺就如被一只大手捏碎，他半天都说不出话来。过了一会儿才道：“现在我心很乱，不能马上答复，请陈阿姨给我一点时间。”

陈庆蓉正在和侯卫东摊牌之时，张远征坐在沙发上，点起一根烟，慢慢地吸着。满怀心事的小佳已将客厅收拾干净，坐在电视机前，随手拿起遥控器，不停地换台。

“不要换了，就看篮球比赛，遥控器给我。”

按照两人临时分工，陈庆蓉对阵侯卫东，张远征负责做女儿小佳的思想工作。结果篮球比赛开始以后，张远征立刻被吸引住了。他虽然五十岁了，可是对篮球比赛有着惊人的迷恋，每逢关键比赛，他还要换班在家里看比赛。此时他兴致盎然地看起了比赛，将教育女儿的重任丢在了脑后。

里屋，陈庆蓉已把态度表明，而侯卫东却不肯正面回答，她心中微愠，道："侯卫东，我是说实在话，也是对大家好，你好好想一想。"走出客厅，看到张远征正兴高采烈地看着篮球比赛，无名火"腾"就升了起来。

"看，看，一天就知道看！有了篮球比赛，家都可以不要了，你去跟篮球过一辈子！"

小佳见母亲脸色不对，又看了看有些沮丧的侯卫东，心知事情肯定崩了，眼泪顺着脸颊就流了出来。

客厅原本就狭窄，四个人全都站在客厅里，原本就拥挤的空间被填得更满。窗外烈日当空，地表被晒得极烫，热空气不断地从地面升起，形成了一股股热风，在一幢幢大楼前游荡。

侯卫东后背被汗水打湿了，额头上全是黄豆大小的汗珠。他站在门口望着小佳，心中纵有千百种滋味，却一句也说不出来。

张远征正在兴头上，电视却被关了，顿时心如一百只猫在抓。可是看妻子面色不善，又想起当前家中的大问题，不敢多言，便气鼓鼓地取了一支烟，准备到阳台上抽。陈庆蓉在一旁冷若冰霜地道："你，到哪里去？！"张远征就坐了回去。

小佳知道母亲陈庆蓉脾气火爆，见她对父亲如此态度，心跳得厉害。她担心一句话不慎，惹恼了母亲，侯卫东就会被赶出家门。

侯卫东经过短暂而激烈的思想斗争，也下定了决心，道："陈阿姨，我有几句话要说。

"陈阿姨、张叔叔，虽然你们不同意我和小佳继续交往，我不怪你们，因为你们是全心全意为了小佳，这点我能理解。"

小佳脸色骤变，腿一软，差点坐到地上。她就用手撑着沙发，脸色苍白地听着侯卫东做着最后的陈述。就如三年前的一次跨系演讲会，她看着法政系一位壮实男生做最后的陈述。正是那一次精彩的最后陈述，侯卫东的影子留在了她的心中。这一次最后陈述，不知能否打动两位家长，出现挽狂澜于既倒的奇迹，小佳心中完全无数。

此时，侯卫东的思维变得格外地清醒，道："我和小佳感情很好，即使阿姨和叔叔坚决反对，我也不会放弃。凭着我和小佳共同努力，我们一定能有好的前途，这一点请你们相信。”

小佳顺手从桌上取过一张纸巾，擦掉泪水和即将流出来的鼻涕。

陈庆蓉并不松口，道：“我相信你有好的发展前途，可是益杨和沙州的差距不是一个人能弥补的。我们是过来人，看问题很现实。”

侯卫东明白，这种争执解决不了问题，他挺了挺胸口，道：“今天给你们添麻烦了，我就告辞了。”小佳没有想到事情会演变成这样，她顾不得父母在身边，拉着侯卫东的胳膊，一句话也说不出来。

见着女儿的模样，陈庆蓉心软了一下，可是很快又强硬如初，对张远征道：“你陪着到车站去，买一张车票。”

侯卫东礼貌地摇了摇头，道：“谢谢阿姨，不用了。”此时，小佳的倔脾气上来了，她昂着头道：“我要和侯卫东一起走。”

张远征在一旁瞪着眼睛道：“你敢走，走了就不准回来！”

侯卫东冷静地道：“阿姨，我和小佳说两句话，可以吗？”

陈庆蓉故意冷着脸，点点头道：“你们到里屋去谈吧。”等到侯卫东和小佳走到了里屋，张远征轻声道：“这个小伙子看起来还不错。”陈庆蓉瞟了一眼里屋，见两人将门关了，就道：“他比小佳要成熟，家庭条件也不错。若是在沙州上班，我肯定不会反对，还要举双手赞成。”

张远征忍不住还是把烟抽了起来，陈庆蓉坐在沙发上，道：“你还是少抽点，天天在咳嗽。”张远征见妻子反对得不厉害，就使劲地吸了两口。

陈庆蓉皱了皱眉头，又道：“小佳表面温顺，脾气倔起来十头牛都拉不回来，只怕不会轻易分手。这几天我们要把小佳看紧一些，免得她有过激行为。你不要说过激的话，免得年轻人莽撞。”

张远征在厂里天天跟机器打交道，对机器的熟悉程度远远高于对人性的了解，平时在家里也不太管事。他不在乎地道：“没有这么严重，我们不准他们来往，沙州和益杨隔得这么远，过几天自然淡了。”

陈庆蓉在丈夫面前，强硬的姿态终于松了下来，道：“只怕未必，侯卫东这人很硬，小佳性子也倔，要让他们彻底断开，还要费不少工夫。老头子，这次你不要当甩手掌柜，要帮着我多做小佳工作。”

侯卫东进了里屋，用背抵住房门，紧紧抱住了小佳。两人口舌相依，抵死缠绵，更因为小佳父母就在门外，侯卫东即将回益杨，这抵死的缠绵更显得刺激。

“你别走。”小佳眼中带着些企盼。

“你妈都下了逐客令，我脸皮再厚，也不好意思留在这里。”侯卫东见小佳一脸幽怨，内心有些刺痛，宽慰地道：“我们两人都要坚持住，困难是暂时的，面包总是会有的。”

小佳毅然抬起头，看着侯卫东神情中透着坚决，道：“我跟你到益杨去。”

侯卫东抱着小佳，摇头道：“若是你跟着我走，关系就彻底弄僵了，反而没有退路。现在先把大家的情绪缓下来，再从长计议。”

小佳眼中有一种豁出去的神情，在侯卫东耳边：“你发誓，无论什么情况，都不离开我。”

“我发誓，我们永远在一起。”

小佳眼神中闪过一丝神采，道：“我要让你永远都忘不了我。”她慢慢地跪了下来，一只手拉开了侯卫东裤子拉链。侯卫东吃了一惊，道：“小佳，干什么？”“我要让你永远忘不了我。”小佳的手已从拉链处探了进去。

小佳这个动作实在大胆，侯卫东万万没有想到她在这种情况下会有这样的举动，全身僵硬着，轻声道：“小佳，小佳。”

在沙州学院的小山上，侯卫东好几次想诱导小佳进行类似的行为。可是小佳害羞，每次在最后关头躲闪了。此情此景，让侯卫东热血上涌，他望着小佳纤细而洁白的脖颈，暗暗在心中发誓：若是辜负了小佳，五雷轰顶，永世不得超生。

陈庆蓉见两人进了小屋许久都不出来，怕两人出意外，走到门口，道：“小佳，快一点，再晚就没有回益杨的车了。”

听到陈庆蓉的声音，侯卫东心中一急，道：“小佳，不行，他们在外面，起来吧。”话虽如此，他却无力抗拒小佳如野火般的激情，扭过身，轻轻地把门栓推进栓孔里。

陈庆蓉见里屋没有声音，道：“小佳，快点！”说这话时，声音已有些严厉了。

随着一阵颤抖，侯卫东使劲地捏住了小佳的肩膀，所有的野性和精华都喷涌而出。

等小佳收拾好，侯卫东坚定地道：“小佳，我们不能放弃，你等着我，我一定要想办法来到沙州。”小佳对侯卫东充满了信心，狠狠地点了点头，道：“这里收信不方便，还是按着老地方给我寄信。记住，两天给我写一封信，必须写，不许偷懒。”

两人出了门，侯卫东心中只有坚强，没有悲伤，脸上甚至带着些微笑。

走在大街上，赤裸裸的阳光从云层俯冲而下，将大地笼罩。汗水将侯卫东的前胸后背全都打湿了，似乎刚从水里捞出来一样。

客车缓缓开出沙州汽车站，侯卫东紧紧盯着窗外，幻想着小佳的身影突然出现在街道上，向着自己微笑，朝自己挥手。结果很失望，街上人来人往，却不见小佳熟悉的身影。“相见时难别亦难，东风无力百花残”，当沙州市完全消失在一片阳光中，一句熟悉的诗句，从心底深处跳将出来。

侯卫东只觉心中空荡荡无处着力。

原本想借宿

客车行走于大道上，渐渐地，沙州市的痕迹淡了，不时出现益杨县的标语。

下了客车，踏上了益杨熟悉的大街。侯卫东忽然发现，从沙州学院毕业以后，他在益杨就失去了立身之地。在学院之时，侯卫东和其他同学经常嘲笑沙州学院。可是离开了沙州学院给予的小床和课桌，他才发现益杨县竟然没有自己的立足之地。

这是一个城市最现实和最无情的地方，也是每个人都需要一个家的原因。金窝银窝，不如自己的狗窝，千百年的古训朴实而深刻。

侯卫东在街道上茫然走了一会儿。四年时间，侯卫东陪着小佳将益杨大街小巷逛得十分熟悉，这里许多地方都能牵出他对小佳的回忆。以前常嘲笑小佳对逛街的痴迷，如今小佳远在沙州，就算想陪她逛街也不可得。

益杨大街上，很多商场都在放着同一首歌：“午夜的收音机轻轻传来一首歌，那是你我都已熟悉的旋律……所有的爱情只能有一个结果，我深深知道那绝对不是我……”这首歌，侯卫东也听过很多遍，当时觉得平常。可是今天，他仿佛被点了穴道一般，静静地站在一个不引人注意的角落，充满忧伤地听着童安格温柔成熟的歌声。

很久，他才从歌声中清醒过来。

在益杨，最熟的人算是同一寝室住了四年的刘坤。在寝室里，侯卫东和蒋大力时常厮混在一起，关系最铁。与刘坤的关系相对就要差一些，不过两人亦没有冲突，关系还行。

刘坤是寝室里的独行客，生活得很自我。每天早上第一件事就是拿着梳子慢慢地梳理头发；每天晚上熄灯以后，男生寝室通常都要讲一些黄色话题，这个时候，他发言最为积极，常常语出惊人。

班上有一个女孩，长得实在有些丑。俗话说丑人多怪，这个女孩性格也格外古怪。一天晚上夜谈时间，刘坤突发感叹："她长得这么丑，脾气又怪，肯定嫁不出去，下面长期无人使用，说不定会生锈。"

此语一出，生锈成了对丑女的代称。比如在公共场合看见一个女孩长得不怎么样，法政系的男生会说："这个女孩子长得很生锈。"延伸出来，看到漂亮女生，就会一齐感叹："真是光滑。"

刘坤是沙州学院"生锈"与"光滑"文化的创造者。可是这位口中英雄，在交女朋友上却总是阴差阳错。每到周五，他把头发梳成周润发式大背头，到学院的三个舞厅晃来晃去。晃了四年，毕业之时还是光棍一条。

分手时，大家互相留了家庭住址，侯卫东很轻易地找到了县政府家属院。院内绿树成荫，里面的住户全是益杨县党政机关干部，俗称为"二县府"。守门的大爷听说是找六幢的刘坤家，态度立刻好了起来，道："刘部长家就顺着这条道走，六幢一单元五号，好找得很。"

开门的是一位二十多岁的女子，她长相并不是特别漂亮。最大的特点是"白"，皮肤洁白而细腻，极有光泽，凭空给她增添了许多韵味。女子挺有礼貌地问道："你找谁？"这女子相貌与刘坤有八分相似，特别是皮肤和刘坤如出一辙。只是这等皮肤长在女子脸上，可以称为妩媚，而长在男子脸上，稍不留意，便被称为小白脸。

侯卫东知道刘坤有一个姐姐在银行上班，眼前这个女子肯定是刘坤的姐姐，彬彬有礼地道："刘姐，你好，我是刘坤的同学侯卫东。"

那女子正是刘坤的姐姐刘莉，她听说过侯卫东的名字，便对着屋内喊了一声："刘坤，侯卫东找你。"

屋内响起了一阵踢踏的拖鞋声，刘坤从里屋走了出来。他在家里穿了一件短衬衫，头发似乎还有些摩丝，显得又光又亮。他惊奇地道："侯卫东，你今天不是到沙州去了？"

侯卫东不想将他的狼狈事告诉刘坤，道："我明天想到人事局去一趟，看分配方案定下来没有。"

刘坤站在门口，道："应该没有这么快，听说要7月中旬才有结果。你不是要去见小佳的爸爸妈妈吗？是不是他们不同意你们的事情？"

"工作没有落实，哪里有心情去谈这些事情？"

1993年7月1日，对于侯卫东来说是一个难以忘记的日子。上门相亲被拒，从沙州市到益杨县走了一个来回，整整坐了六个多小时的汽车，让他脸上竟有了淡淡的风沙之色。

对于刘坤来说，7月1日是舒适的一天。他坐着小车从沙州学院出来，中午被爸爸的同事请去吃了一顿大餐。晚上一家人又出去吃了一顿，庆祝他从沙州学院毕业。

两相比较，刘坤显得颇为滋润。

进大学之初，由于父亲是益杨县委常委、宣传部长，刘坤到校时有着很强的优越感。不久以后，他的优越感就被侯卫东的光芒所粉碎。侯卫东在学院拿过四次一等奖学金；是院、系两级学生会干部；是为数极少的学生党员；还将生物系系花张小佳追求到手。这些辉煌使刘坤的心情黯淡了四年。

大学毕业以后，刘坤的优越感再一次回来了。

刘莉在屋内道："你们两人怎么在门口站着说话，进来坐。"

刘莉家是三室一厅，客厅还兼饭厅的功能，足足有三十个平方。侯卫东见识过小佳客厅里的狭窄，见到这个大大的客厅，暗道："沙州有什么了不起，一家人还不是那样挤在一起！"

"喝茶，这是青林镇茶场送来的好茶，五十块钱一两。"刘坤递给了侯卫东一个白色细瓷茶杯，便坐回沙发上。他把电视打开，随意地"叭叭"按着遥控，有一句无一句与侯卫东聊着天。

侯卫东内心深处觉得刘坤不如自己优秀，他们两人的交往中，侯卫东心理上隐隐占着优势。今天刘坤不冷不热的表现，让他觉得很是别扭。

电视是一些很无聊的广告，不痛不痒，不咸不淡。

刘莉从冰箱里拿出一块西瓜，切成巴掌大的薄片，插了一些牙签，对侯卫东友好地道：“请吃西瓜。”

刘坤道：“这是金滩镇送过来的，新二号瓜，味道很不错的。”

侯卫东不愿意在刘坤面前显得太拘束。他用牙签穿了一片，对刘莉道：“谢谢刘姐。”

“不要太客气了。”刘莉抢过刘坤手中的遥控板，按了几下，电视里就传出了《新白娘子传奇》的主题歌：“千年等一回……”她优雅地跷着二郎腿，小腿跟着电视里的歌声轻轻地抖着。看了一会儿电视，随口问侯卫东：“你分到哪里？”

益杨党政干部考试有十个名额，结果有三百多应届毕业生参加考试。侯卫东考了第二名，成绩相当不错。他尽量平淡地道：“我参加了益杨党政干部考试，明天准备到人事局报到。”

刘莉很熟悉这次县里党政干部考试，听到侯卫东考上了，有些意外地看了刘坤一眼，“侯卫东考上了，怎么没有听到你说过？”

刘坤没有回答，专心地啃西瓜。

刘莉言犹未尽，道：“一个班的同学，侯卫东考入前十名，你才考一百六十名，真不知道你在学院学了些啥子！”

刘坤刚才在装深沉，这一下再也忍不住了，不高兴地道：“我不想到乡镇去工作，成天跟农民打交道，又脏又臭。”

刘莉反驳道：“爸爸在乡镇干了十多年，什么时候闻到过他身上的臭味？当年全家在乡镇的时候，你天天在山坡上跑，和农村小孩一样。现在进了城就忘了本，看不起乡镇了？

“这次党政考试前十名，已经进入了组织部的梯队，多少人都想进入。刘坤你不要说大话，明明没有考好，还要找客观原因，以后工作了，要脚踏实地的，好好向侯卫东学习。”

刘莉属于伶牙俐齿的女孩，和弟弟争论起来，就如机关枪一样响个不停。两人又争了几句，刘坤渐渐红了脸，如斗鸡一样，眼看着就要发作了。

姐弟俩的争执，让侯卫东很是尴尬。

这时，传来了门锁的响声，走进来一对中年夫妇。中年男子架着一副金丝眼镜，身穿白短袖，不胖不瘦，脸色黝黑，很是干练。而中年女子皮肤很白，头发烫成大波浪，这是益杨当前最流行的发式。

刘坤的爸爸是县委宣传部长刘军，他为人挺谦和，见屋里有客人，一边换鞋子，一边问道："你是刘坤的同学？"

侯卫东连忙道："刘叔叔，你好，我是刘坤的同学侯卫东。"

刘莉嘴快，道："侯卫东也参加了党政选拔考试，考得不错，进入了前十名。"

刘军脸色沉了下来，指着刘坤道："你搞什么名堂，才考一百六十名，真是给我丢脸！"

刘坤脸色极为难看，道："爸，我好歹也考上了大学，怎么给你丢脸了？柳叔叔的儿子还不如我，当了几年兵，还不是灰溜溜地回来了！"

刘莉接口道："当兵又怎样了，我看着顺眼。"柳明杨是县委常委、组织部长。他的儿子柳江涛和刘莉一班，成绩一般，高中毕业就参军入伍，退伍后分到了县建委。两人如今已确立了恋爱关系。刘坤话锋直指柳江涛，刘莉自然不同意。

刘军又问："你考了多少名？"

"第二名。"

"嗯，不错。"

刘坤妈妈换了鞋子，走到客厅。她保养得极好，徐娘半老，风韵犹存。她用牙签挑起一片西瓜，自顾自地吃了两块，才对刘军道："让你早点回来，就知道喝酒，看嘛，白娘子都演半集了。"

刘军继续亲切地和侯卫东谈话："你到哪个镇落实没有？乡镇很艰苦，要有心理准备，特别是青林、吴滩等镇，距离远，交通不便，工作任务很重。"

侯卫东对乡镇生活根本没有概念，道："参加考试时就明确了要到乡镇锻炼，既然下乡镇，条件肯定就没有城里好。"

刘坤妈妈不以为然地道："小坤没有考上，也是一件好事，分到了乡镇，也不知何年何月能调回。若是分到青林和吴滩，进益城要坐两三个小时，到时哭都来不及。"她说这话时，充满了居高临下之态，没有考虑到侯卫东的感受。

"话不能这样说，乡镇锻炼人，县上的领导哪一位没有在乡镇当过一把手？"刘军鼓励道："侯卫东到了镇上要好好干，组织上对你们这一批干部寄予了厚望。这也是沙州历史上第一次公开选拔后备干部，以前没有，以后也难说，要珍惜这个机会。"

"到了乡镇，能否回来说不定，我家小坤不稀罕。"刘坤妈妈极为护短，听说侯卫东考了全县第二名，她心中没来由就有些不满，句句话都说给侯卫东听。

刘坤妈妈毫不留情面的话，就如鞭子抽在侯卫东脸上。

坐了一会儿，侯卫东起身告辞。他刚刚从学院毕业，还没有住旅馆的习惯，找到刘坤，其实是想在他家住一晚上。可是见到刘坤家人之后，便打消了住在刘坤家的想法，决定去住旅馆。

刘坤穿着一双拖鞋送到了“二县府”大院。

到了院门口，刘坤停了下来，道：“毕业以后，就不能像以前那样天天见面了。今晚就住在我这里，我们哥俩好好聊聊。”

侯卫东道：“我哥出差到益杨来办案子，约好了等一会儿见面。我们以后都在益杨工作，不愁没有机会见面。你回去吧，改天再聊。”

“如果真的有事，我就不留你了。分配结果出来以后，跟我联系。”刘坤突然神秘地道，“给你说一个事，这事情你要保密，不要给任何人说。我的工作已经落实了，分在县政府办公室。以后你到了乡镇，有什么需要我帮忙的，尽管给我说。”

路灯透过树叶，一些斑点落在了刘坤的脸上，一团黑，一团亮。侯卫东忽然对刘坤产生了一种陌生感。离开了学校，刘坤身上多出来说不清道不明的优越感。这个优越感在学院之时深藏在内心深处，条件一旦成熟，不知不觉就溜了出来。

走出了“二县府”大院，侯卫东一直没有回头，等拐了一个弯，他才飞快地回过头去。二县府已经隐入黑夜之中，就如一个黑沉沉的怪兽。

侯卫东坐车到了沙州学院招待所，睡在熟悉的环境，他躁动不安的心才渐渐平静了下来。

当夜，无梦。

初识机关作风

益杨县人事局在县政府三楼。在沙州学院读书之时，侯卫东哪里瞧得起小小的县政府。可是真的走到了县政府大院，四方形的灰色建筑、红色的国徽、飘扬的红旗，让他心里一点底气都没有，口也有些发干。

“人死卵朝天，都是人，我怕什么！”给自己打了气，侯卫东抬头挺胸朝县政府走去。走到门卫处，他眼都没有朝那边望一下。守门的保卫有三个，都是三十多岁的样子，他们没有理睬侯卫东。跟在侯卫东身后不远是两位穿着老旧、神情犹豫的中年人。他们刚走到门口，一位门卫便走了出来，用严厉的声音道：“你们找谁？先在这里登记。”

侯卫东回头看了一眼，两位中年人已经乖乖地站在保卫室的门口，如同等着受审的犯人。到了三楼人事局，侯卫东看着一排办公室，显得有些迷惑。他观察了一会儿，来到写着“办公室”的房间，走了进去。

局办公室有两张桌子，一张桌子后面坐着一位年轻人。从气质来看，侯卫东估计他也是这两年的毕业生。另一张桌子后面坐着一位四十多岁的女同志，挺认真地看着报纸。

几个办事的都集中在年轻人桌子前，年轻人一边问话一边在纸上写着什么。侯卫东见年轻人一时完不成，来到了女同志的桌前，问道：“同志，问一个事。”那个女同志头都没有抬，仍然盯着报纸。

“毕业生分配的事情，请问找哪位同志？”侯卫东又问了一句。那位女同志把报纸翻过来又看了一下，这才抬起头，用手指了指年轻人，道：“你问他，这事我不知道。”

侯卫东碰了一鼻子灰，来到年轻人面前等着。过了一会儿，才轮到了他，他道：“你好，我想问问毕业生分配的事。”那个年轻人端起茶杯喝了一口，扭头指了指那位女同志，道：“我手里有事，你去问姜主席。”

被称为姜主席的女子脸色有些潮红，想来正是更年期，听到年轻人把事情推给了自己，不耐烦地道：“我只管接收文件，来人来访是由你负责。我是要退休的人了，你何必把事情推给我。”她把报纸朝桌上一扔，气冲冲地出去了。

社会上总把麻木、呆板、傲慢的脸称为衙门脸，侯卫东也常常听到这种传言。以前他还不以为然，认为这说法有些夸张。此时人事局办公室里的情形，生动地给他演示了什么叫做“门难进、脸难看、话难听、事难办”。

他在心中暗道：“热情、周到、廉洁是干部的基本素质。以后我当了官，一定要改变这种情况。”理想终归是理想，现实是，侯卫东必须要在益杨县人事局把手续办完。

年轻人将眼镜取下来，用绒布细心地擦了擦，看着姜主席的位置，含沙射影地道：“有些人，屁大的事情都不会做，成天只会闹待遇、涨工资、抢房子，这大锅饭早就应该砸了。”发完牢骚，他扭头向门外看了一眼，问侯卫东，“你有什么事情？”

“我是沙州学院今年毕业的，通过了益杨党政干部选拔考试。想问问，什么时候报到？”

年轻人态度稍好了一些：“原来是这事，这件事情你到隔壁综合干部科，找朱科长。”

一句话的工夫，让侯卫东等了近半个小时。他火气腾腾直往上冒，可是却没有办法发泄出来，因为从严格意义上来说，对方并没有错误。

来到了综合干部科，这里人更多。侯卫东等了一个小时，才看到有一张桌子空了出来，上前道：“同志，你好，我是沙州学院的毕业生，通过了益杨党政干部选拔考试，请问什么时候报到？”

递上了相关证明，秃顶的中年人仔细看了看，又从抽屉里抽出一张表，看了看，道：“侯卫东，考得不错嘛。”侯卫东见朱科长态度和蔼，不禁生出几分好感：“科长毕竟是科长，水平比办事员高，态度也好。”

朱科长慢条斯理地道：“你们的分配方案还没有最后确定。7月15日，你再来一趟。”

“谢谢朱科长。”侯卫东见中年人说话和气，又得到了还算满意的回答，也就忘记了刚才的不愉快。出了益杨县人事局，便坐车回到了家乡吴海县。

7月15日眨眼就到，侯卫东一大早就坐客车赶到了益杨县。有了上一次的经验，侯卫东轻车熟路地找到脑袋有些光秃秃的人事局朱科长。

朱科长从办公桌里拿出来一本册子看了一会儿，道：“分配方案还没有定下来，你7月25日来报到。”这一段时间，恰逢大学毕业生安置以及乡村教师民转公的问题，他忙得头昏脑涨，完全忘记了曾经让侯卫东7月15日来报到。

侯卫东想起上一次的经历，看了一眼朱科长桌上的电话，小心翼翼地道："朱科长，我家住在吴海县，来一趟不方便。能否给我一个电话号码？"

朱科长接电话也接怕了，闻言不耐烦地道："给你说了25号，你到时来就行了。图方便，到吴海去工作，用不着到益杨来！"说完，他低着头去看报表，不再理睬侯卫东。

人在屋檐下，怎能不低头。侯卫东强忍着气，灰溜溜地走出了人事局大门。走到了一楼，恰好见到刘坤提着公文包走了过来。他穿着短袖衬衣，头发梳得一丝不苟，比在学院时成熟许多。看到侯卫东，刘坤在楼道口停了下来，道："侯卫东，你分到哪里？"

"分配方案还没有定下来，让我25号再来。"

刘坤取下腰上的BP机，看了看时间，道："我在府办综合科上班了，综合科真不是人干的事，事情成堆。这BP机是科里给我配的，方便联络，科里的人，一人一个，每个两千多元钱。"他说得平常，可是语气中的炫耀却是铁门板也挡不住。

"你在这里等一会儿，我帮你去问问朱科长。"刘坤看着侯卫东灰头灰脑的神情，心中快意无限，主动帮忙。

"恰同学少年，风华正茂；书生意气，挥斥方遒。"这句诗将少年人的心态刻画得淋漓尽致。侯卫东在学院时也曾经豪情万丈，可是当他站在县政府看着行色匆匆的官员们，往日的自信不知不觉中坍塌了一角。侯卫东站在底楼如影子一般，没有人瞧他一眼。他索性背对墙，假装在看墙上的宣传照片。

门外响起了几声长长的喇叭声。县府大院来往的车辆很少长鸣喇叭，即使要鸣也只是短短数声，这几声长长的喇叭声预示着不同寻常的车辆进了县府大院。侯卫东好奇地回过了头。

一辆黑色轿车开进了政府大院，在大楼门口稳稳地停了下来。前门飞快地下来一人，提着一个黑色提包，拉开后车门，恭敬地等着车里的人下来。

车上下来一位四十多岁的中年人，身体微微发福，皮鞋油亮，很有气度地走了过来。好几个干部模样的人停了下来，靠在墙边，面带微笑，身体微微弯曲，恭敬地道："马县长好。"

等到侯卫东想起此人正是益杨县县长马有财，马有财的身影已经消失在楼道口。侯卫东真切地感到县长真是一个大人物，而挥斥方遒的同学们才是真正的少不更事。低头看着满是泥垢和灰尘的皮鞋，自惭形秽之情油然而生，他突然觉得心中发虚："在县长面前，大学毕业生多如牛毛，我又算什么？"

过了几分钟，刘坤下了楼，道："我去问了朱科长，他说分管组织人事的赵林副书记出差去了，分配方案定不下来。"听到朱科长没有说谎，侯卫东心气稍平，问道："不知赵书记什么时候回来？"

刘坤摇头道："赵林副书记是县委的，我在政府综合科上班，对赵书记的行程不清楚，抽空去问问周秘书。"他又取出BP机看了一眼，"我手头有事情，等一会儿要陪李县长去接待临江县的客人，就不请你到办公室坐了。改天我们同学抽时间好好聊一聊。"

偶遇两个女人

离开了县政府大院，侯卫东不想在益杨县城里停留。他到车站买好了回吴海的车票，然后顺着街道来到以前与小佳常去的刀削面馆。

刚在面馆坐下，听见脆生生的一个女声招呼："侯卫东。"侯卫东回头，意外地见到了小佳的室友段英。段英是小佳一个寝室的好友。在学院之时，他们经常一起玩，互相很熟悉。

小面馆不过五张桌子，此时正是午餐时间，每张桌子都有流着汗水的人，一片"呼哧呼哧"的声音如被惊起的鸥鹭。

段英仍然沉浸在失恋的情绪之中，对小佳的爱情自然就很关注，道："7月1日那天，你跟着小佳到了沙州，她的父母同意你们吗？"

侯卫东苦笑道："遇到坚决反对，我们两人正式转入了地下活动。"

"以前听师兄师姐们说，毕业是爱情的坟墓，我不相信，现在落在自己身上，终于相信了。"

"但是我不服输，我更相信事在人为。"侯卫东一边吃着面，一边用坚定的语气给自己打气。段英叹息一声。

吃完面，出门之时，段英看着毒辣的太阳，道："你是下午2点的车，现在才12点30分。时间还早，太阳这么毒，你到我屋里坐一会儿。"

“你屋里？”据侯卫东了解，绢纺厂里的女工都是住厂区里的集体宿舍，只有厂级领导和主要的中层干部才有资格住进县城里修的家属院。听到段英说她的屋子，很有些奇怪。

段英解释道：“我有一个表姐以前在益杨工作，现在调到沙州去了。她有一个小房间，就在前面那幢楼，借给我暂住。”又道，“我在绢纺厂技术室上班，平时没有什么事情，今天轮到了我休息。”

沙州地区气候适宜桑树生长，吴海、益杨、临江、成津等几个县都将蚕桑产业作为支柱产业。每个县都建有绢纺厂或是丝厂，效益都还不错。侯卫东的二姐侯小英就在吴海县丝厂做财务，姐夫在厂里跑销售。

来到绢纺厂的小屋，段英首先将屋角电风扇打开。电风扇是老旧的座扇，上面有不少锈迹。她弯腰开电扇的瞬间，丰满的乳房在侯卫东眼前闪了一下。侯卫东连忙将目光移开，打量着房间。这是一室一厅的旧房子，墙壁已有些灰色，贴了几幅《新白娘子传奇》的剧照。还有一些女孩子喜欢的饰物，加上墙上花花绿绿的衣服，顿时给人一种女孩子闺房的温馨感觉。

段英倒了一杯果汁，道：“我才搬过来，条件差些。明年争取买一个冰箱，到时就可以喝冰冻果汁了。”

“我什么时候能在益杨有一间房子，就心满意足了。这一段时间让我感觉如流浪儿一样。”侯卫东慢慢地喝了一口果汁，果汁酸酸甜甜，十分好喝。

“你进了政府机关还有希望，厂里是死水微澜，看不到一点希望！”

“绢纺厂的效益还不错，你不太满意？”

“我的父母是临江县陶瓷厂的工人。这几年效益不好，厂子倒闭了。我才上班，估计也很快要加入破产大军。”段英神情一片落寞，进了里屋换了一身薄丝衫。这种薄丝衫是居家时常穿的衣服，也是丝厂、绢纺厂的福利，侯小英在家里也穿这种薄丝衫。

“我也感到压力很大，到了乡镇以后，如果短期之内不能调进县城，事情就很麻烦。而到了县城以后，能否调到沙州更是未知数！”

“你能力这么强，肯定很快就能在益杨县打出一片天地。到时找机会调到沙州去，他们就没有反对意见了。”在段英心目中，侯卫东根本不可能调到沙州去，她所说的都是安慰他的假话。

侯卫东告辞之时，段英用袋子装了几个苹果，道：“车要开好几个小时，装几个苹果在车上吃。”

进厨房的时候，阳光直射在段英身上，射透了薄丝衣，将其玲珑的身材几乎是赤裸裸地暴露在侯卫东眼前。侯卫东浑身鲜血猛地往上涌，下身不受控制地昂然而起。他将水果袋放在了腿前挡住蒙古包，狼狈地出了段英的小家。

7月25号，侯卫东在11点到了益杨县人事局，谁知朱科长开会去了。无奈之下，他来到附近邮局，坐在邮局的长椅上给小佳写了一封信。这一封信他整整写了一个小时，满满十二页，讲了到人事局报到的遭遇，尽述相思之苦。

下午2点钟，侯卫东再到人事局。综合干部科没有开门，他站在外面等了10多分钟。一位中年人走了过来，见到汗流满面的侯卫东，停了下来问道：“你来办事吗？”

侯卫东看此人很有官气，道：“我到人事局报到。”

中年男子推开了综合干部科的大门，隔着一道门，里面是清凉世界，外面烈日炙人。六七个工作人员坐在一起吹牛，办公室被称为姜主席的中年妇女正哈哈笑着，他们见中年男子进了门，同时闭了嘴。

朱科长站起来道：“赵书记，请坐。”

中年男子道：“县里财政紧张，除了县领导以外就只有组织部和人事局配有空调。这是县委对我们组织人事部门的厚爱。以后空调开起的时候，不准把门彻底关死，办事群众在外面等得满头大汗，你们关起门享受，传出去丢了人事局的脸面。”

朱科长解释道：“赵书记，我们在讨论民办教师转公的事情。”

赵林语重心长地道：“你们是窗口部门，注意这些细节问题，否则会影响政府形象。”

等到赵林离开，朱科长舒了一口气，问道：“你是赵书记的熟人？”侯卫东原本想否认，可是看着办公室几人的神情，灵机一动，含含糊糊地应了一声。

朱科长热情地问了侯卫东情况，道：“这批公招生分配方案已经下来了，全部下乡镇，我看看你是哪个乡镇。”他翻到了一张表，找到侯卫东的名字，惊异地道：“青林镇？”他拍了拍侯卫东的肩膀，道：“青林镇是益杨最远的乡镇，每天只有一班客车，去一趟要三个小时。只要赵书记同意，完全可以想办法帮你调到近一点的乡镇。”

侯卫东心道："我哪里认识这个赵书记。"口里道："反正都是乡镇，都差不多，艰苦的乡镇更加锻炼人。"

朱科长拿了一张表，道："你填一下表格。"然后吩咐道："小李，帮着侯卫东跑下手续。"

人熟确实好办事，在综合干部科小李的帮助下，不到半个小时，走了四个部门，侯卫东轻易地就办完了所有手续。

侯卫东递给小李一支烟，点上火道："李科长，谢谢了。"

小李长着一口被烟和茶共同作用的黑牙，道："我只是小办事员，哪里是什么科长。手续齐了，你可以到青林镇去报到。"说完，他压低声音，一副老朋友的神情，道："如果赵书记能送你下去，或是让组织部派个副部长送你下去，以后在青林镇日子就好过。"

侯卫东感激地道："谢谢李科长了。"对于小李的提醒，他并没有往心里去。

离开了人事局，侯卫东到粮站办了粮油手续。此时还不到下午3点钟，他陷入了两难境地：手续上说明五日内报到有效，但是到青林镇听说要三个小时。今天赶过去，已是晚上6点多钟，青林镇已经下班了；可是若坐车回吴海县，往返起来实在费力。

侯卫东坐车到了沙州学院招待所，登记了住房，然后在房内睡了一个好觉。黄昏，他才到校园小食店去吃晚饭。

学院已经放假，少数留在学院的学生在院内逛荡。走在校园里，景物依旧，侯卫东却失去了学生时代的感觉。在熟悉的小食店要了回锅肉和炒白菜，外加两碗白饭。里面有几位学生在喝酒，喝到兴奋处，一人道："院后门开了一个小舞厅，环境不错，我们去跳舞。"几个学生都响应着。

吃完饭，侯卫东又到校园的湖堤岸上转了一圈。兴致索然之下，突然想起了小食店学生的话。出后门，他很快就找到了那个舞厅。

舞厅门票三元，设施比学院舞厅好得多。舞池不大，顶上挂着好几个旋转灯头。六个乐手正在卖力地演奏着，来自乐队的音乐与录音机音乐确实大相径庭，现场感和穿透感不可同日而语。

舞厅里面至少有一半都是留校学生，多数有固定舞伴。侯卫东只是为了混时间，他点燃红塔山，站在黑暗处慢慢地抽着，音乐响动，烟头忽明忽暗。

几曲之后，侯卫东的目光被角落里的一位长头发女子吸引。长发女子挺漂亮，拒绝了好几位男士的邀请。等到又一曲音乐响起，他神差鬼使地走到她身边。那女子抬头看了一眼邀请人，稍稍犹豫，还是站了起来。

两人随着音乐翩翩起舞，居然配合得天衣无缝。

侯卫东在高中练过田径，身体协调性很好，曾被系里推荐，接受了音乐系舞蹈老师的培训，代表法政系参加过学院的交谊舞比赛。经过培训以后，侯卫东反而很少跳舞。跳舞是一种享受，遇上笨拙的舞伴纯粹是受折磨。

见白衣女子跳得不错，侯卫东加大了难度，随着节奏在场中灵活穿梭，两人见缝插针，全场飞旋。一曲终，他赞了对方一句："你跳得真好。"那女子脸上有些汗珠，礼貌地道："是你带得好。"

两人都没有坐回位子，挺有默契地等着下首舞曲响起。

当下一曲音乐响起的时候，侯卫东将长发女子带入了舞池。这一曲仍是快节奏，两人旋转起来，竟如配合很久的舞伴。侯卫东由衷地赞道："你是和我配合得最好的舞伴，跳起来行云流水，是真正的享受。"

那女孩子很有教养地道："你跳得很绅士。"

长发女子有一米六五左右，不过二十出头，五官精致，鼻头稍稍有些翘，一头飘飘长发，是一位漂亮而又气质不俗的美女。

第三曲是一曲慢舞，前台响起了"午夜的收音机轻轻传来一首歌，那是你我都已熟悉的旋律……所有的爱情只能有一个结果，我深深知道那绝对不是我"的伤感歌声。

侯卫东和长发女子轻轻滑进了舞池，刚到舞池中央，灯光暗了下来。一个低沉的男低音道："现在是柔情10分钟，请先生们女士们尽情地沉浸在音乐和舞蹈之中。"话音刚落，灯光竟然大部分熄掉，只在进门处有一盏昏暗的顶灯。

伸手不见五指，这舞也就没有办法跳了。随着忧伤的歌声，侯卫东带着长发女子轻轻地摇动着。歌厅里的男歌手，声音颇有磁性，一首情歌，带着一股淡淡的忧伤直入心肺，搅得侯卫东痛楚无比。

就这样摇啊摇，忽然被人一撞，两人身体贴在了一起。虽然很快就分开，侯卫东还是感受到温润身体传来的热量。他人年轻，身体反应很灵敏，轻微刺激就有了反应。他将屁股往上翘了翘，尽量与女子保持距离，这样可以避免让滚烫直挺的下身碰到长发女子。那位长发女子很有教养，气质不俗，若是让那处抵住了女子，这是对她的亵渎。

第二首情歌是《水中花》，“凄风冷雨中多少繁华如梦……我看见水中的花朵，强要留住一抹红。”随着歌声，两人停止了移动，站在舞池中间，身体随着音乐轻轻地摇啊摇。

再一首歌曲响起，同样是熟悉的旋律和歌词：“爱一个人可以爱多久……你的谎言像颗泪水……花瓣雨飘落在我身后。”

随着歌声，长发女子将额头依在了侯卫东的肩上。这位女子的气味与小佳相比区别很大，若用花来比较，小佳是茉莉花，而这长发女子就是一朵玫瑰。香型不一样，同样很迷人。

她的眼泪已将侯卫东的肩膀全部打湿。侯卫东知道这位长发女子肯定遇到了伤心事情，而这个年龄最大的可能性便是失恋。他对失意人有天然的好感，本来想说两句安慰的话，可是此时无声胜有声，说话会破坏了气氛。两人默默地相拥，共同沉醉于轻曼的音乐之中。

柔情10分钟结束之后，灯光依次地亮了起来。虽然依然昏暗，可是比刚才亮了许多。两人站在原地分开，长发女子脸上犹有泪痕，她迅速扭过头，用手背揩了揩泪水。侯卫东站在一旁，用眼角余光瞟见了她这个动作，只是装作不知，就这样站着。

音乐再响时，侯卫东又发出邀请，谁知长发女子低声道：“谢谢你了。”说完，转身就朝舞厅外走去。

侯卫东身体一动不动，如被孙悟空的定身法定住，目光追随着在人群中显得孤寂的长发女子。长发女子走到门口时，顶灯将她的身影显现出来。她回过头来看了一眼，似乎是寻找着什么。这时顶灯上的一道亮光闪过，侯卫东眼睛一花，等到他再次凝神之时，长发女子已经不知所踪。

长发女子离开了，侯卫东也就失去了继续跳舞的兴趣。他在蠕动的人群中穿梭着，离开了舞厅。

外面的世界和舞厅相比就是现实的世界。舞厅没有散场，几个做冷饮的摊点，冷清清没有一个顾客。摊主都是附近居民，有气无力地守着这个摊子。看到侯卫东出来，都充满希望地看着他。

从后门进入了学院，虽然是一墙之隔，却是两个完全不同的世界。学院的植被蔚然已成，茂盛而充满生机，在这燥热的夏季夜晚快速地生长着。林间有相恋的情人偎在一起，这些选择留下来的情人，都有着各种各样的原因。侯卫东默默地想道："毕业以后的事情真是说不清，趁着能够在一起，就应该好好地爱一场。以后回想起青春的日子，也就有个念想。"

到了一处大树前，侯卫东又想到了曾经和小佳一起流连于此的情景，他不禁暗自询问自己："我是花心萝卜吗，为什么今夜面对着这个长发女子，会怦然心动？"

侯卫东扪心自问，他无时无刻不想着小佳，而且思念随着离别时间的增强而愈发浓重，但这情绪并不妨碍他与这个女子相拥在一起。小佳常说："男人的心可以分为几块，送给不同的人。而女人的心却是实实在在密密实实的一个整体，给了一个人，就很难容得下其他人。"

侯卫东疑惑地想：难道小佳所说都是真的？

在招待所不远处，开着一个小书店。这是学院为了照顾那些没有工作的教师家属，特许在校园内开的商店。侯卫东十分熟悉这些小店，他一眼瞧见了自己常去的小书店里，依然如往常一般飘着灯光。

进了书店，老板娘不在，一个不认识的女孩子守在店里。看到有人进来，她也不招呼，自顾自地拿着一本书看得津津有味。

侯卫东在书店里翻看了一会儿，又进来一人，在文学哲学类书柜前停了下来。他不经意转过头，发现此人居然是副院长济道林。

"济院长，您好。"

济道林身穿一件质地极佳的真丝短袖，他看了一眼侯卫东，有些奇怪地问道："侯卫东，怎么在这里？在哪里工作？"

侯卫东没有想到济道林能一口叫出自己的名字，不禁受宠若惊，简要地说了近况。

"青林镇，这个镇我去过，很艰苦，你要有思想准备。"济道林紧接着又道，"看问题要一分为二，最艰苦的地方往往有着特殊的机遇。只要用心把握，用心体会，一定会有收获。"

他从书柜里抽出了一本书，道："你是到乡镇去工作，这本路遥的《平凡的世界》，很适合你阅读，我送给你作为礼物。"

意外地收到了济道林的礼物，侯卫东心情很是激动。他将济道林送出了书店，拿着《平凡的世界》，回到了招待所。

翻阅了几章，谁知一下就读了进去。直到凌晨2点，他才合上了书。

第二章
发配青林山当“田坎干部”

青林山的酒规矩

这一夜，侯卫东梦见小佳，还梦见了那个神秘的长发白衣女子，甚至还有段英的片段在脑中闪现。他最终在梦中选择了小佳，两人不顾一切地抱在了一起。醒来之时，短裤已湿了一片。居然梦遗了！

自从和小佳好了以后，他就与梦遗说拜拜了。今天偶遇的神秘长发女子，居然引来了久违的梦遗，这让侯卫东很是感慨。他从裤包里找出手纸，将内裤上带着椰子味的人生精华揩干净。内裤前面有一块硬邦邦的极不舒服，可是身边只有一条内裤，尽管不舒服，也只好凑合着穿了。

到了车站，找到开往青林镇的客车，侯卫东暗吸一口气。这辆车是整个益杨汽车站最脏的一辆车，而且是先上车再买票。

车上堆满了各种货物，过道上放着好几个竹筐。竹筐旁边有两台小农机，机油黑腻腻的发亮。侯卫东小心地避让着，还是将衣服弄脏了。发车之时，车上挤满了人和货物。

走了一个小时，乘客的衣服越来越烂，越来越脏。满车都是带着粗话的谈笑声，还有十几只鸭子在车窗外“呱呱”地叫着。

又走了一段，路越来越烂，一个坑接着一个坑，大坑套着小坑。客车如在舞厅跳舞一样，东摇西晃，侯卫东的衣服已经与竹筐和机械进行了无数次亲密接触。

三个小时以后，终于到了一个破破烂烂的小镇。站在小镇中间，一眼可以将小镇尽收眼底。虽然知道乡镇条件差，侯卫东心里还是有掩饰不住的失望。为了稳定情绪，他取出最后一支红塔山，站在街道上抽了起来。

一辆黑色桑塔纳开了过来，侯卫东没有想到这个小镇还有桑塔纳，赶快避到了一边。迎风而起的灰尘将他包得严严实实，如洗了一次灰尘桑拿。他摸了摸脸，只觉触手处全是沙尘，用手使劲搓了搓脸颊，一会儿工夫就搓出来一根又一根泥条。他挺了挺胸膛，朝着桑塔纳出来的方向走去。

他估计得没有错，小车过来的地方应该是镇政府。走到镇政府大院前面，远远地就看到了几块牌子。最醒目的就是“中共益杨县青林镇委员会”、“益杨县青林镇人民政府”这两块牌子，旁边有人武部、纪委和人大主席团的牌子，院子角落还立着一块冷冰冰的牌子——青林镇派出所。

侯卫东站在外面看了一会儿，找到了党政办公室。

党政办公室里放着四张桌子，十几个村民围在一张桌子前，似乎在办理证件。一个胖胖的女子坐在桌上前发呆，另外一个三十岁左右的男子在打电话，“晁镇长，赵书记在县里开会，今天下午的会就改在明天上午10点，地点不变，中会议室。”

这名男子打完电话，一屁股坐了下来。藤椅一条腿用布条缠了起来，随着男子的体重，藤椅“嘎吱”响了一声，被压得弯起来，似乎马上就要散掉。

侯卫东走到那名男子跟前，道：“同志，你好，我是来报到的。”说着把人事局的相关证明递给了那名男子。那名男子把证明接了过来，抬头审视着侯卫东，道：“你报什么到？”

“我分到益杨政府，今天来报到。”

那名男子笑道：“是今年分来的教师吗？你到教办去报到。”

侯卫东解释道：“我分到镇政府，这是人事局的介绍信。”

中年男子瞟了一眼介绍信，问胖女子道：“没有听说过要进人，是不是？”

那个胖女子摇头道：“唐主任，听说镇中分了几个教师来。”她好奇地看了侯卫东一眼，道：“这是党政办唐主任，如果政府要进人，他肯定知道，你是不是弄错了？”

侯卫东再次解释道：“唐主任，我是沙州学院法政系毕业生，分配到青林镇政府，这是人事局的介绍信。”

唐树刚这才把人事局的手续看了一遍，他道：“怪事，怎么我不知道这件事情？”

侯卫东摸出沙州学院的毕业证和参加益杨县党政考试的分数单，道：“我参加了这次益杨县党政干部选拔考试，考过了，被分到青林镇。”

唐树刚仔细看了一眼人事局的印章，道：“这介绍信是真的，这事奇怪了，你坐一会儿。小杨，给他倒杯水，我去问问。”

小杨一边泡茶一边自我介绍：“我叫杨凤，你以后叫我杨姐。青林镇的公路被重车压得到处是坑，肯定很难走。”

这一段时间，侯卫东为了办好上班手续，见识了人事局的机关作风，此时见小杨泡了茶，又主动与自己说话，顿时对她有了几分好感，道：“路不太好，难走，灰尘也大。”

“你家里哪里的？”

“吴海县。”

杨凤显得兴致盎然，继续追问道：“你爸爸妈妈是干什么的？”

“爸爸是吴海公安局的，妈妈是小学教师。”

“你还是干部家庭，以前在农村待过没有？若是没有待过，乡镇工作可不好做。”

一个留着小分头的年轻男子走到办公室，他端着一个大茶杯，对杨凤道：“杨姐，给我点茶叶。”小杨热情地道：“苟林，又分来一个大学生，我们青林镇有三个大学生了。”她热情地介绍道：“这是苟林，去年分到农经站的。这是侯卫东，沙州学院毕业的，法政系。”

苟林用有些不可理喻的眼神看了侯卫东一眼，道：“沙州学院法政系，应该分到公检法司去。分到乡镇来，真是倒了八辈子霉。”等到苟林出了门，小杨神秘地道：“你别听苟林的，他在单位的印象不好。”

这时，办公室围了一圈的农民陆续出去了。桌子后面穿警服的中年人端起一个军用水壶喝了一大口，等互相作了介绍，这位黄公安道：“大学生，来，喝一口。”

这时，又进来了一位中年妇女，她有些畏缩地对着黄公安道：“同志，我来办户口。”黄公安不耐烦地道：“等一会儿。”那个中年妇女站在门口，眼巴巴地看着黄公安。黄公安伸了几个懒腰，活动身体，道："今天一开门就坐在这里，若天天这样，鸡巴都要憋出毛病。"

黄公安说话很粗鲁，对农民态度也不好，有些像传说中的坏公安。侯卫东不愿意轻易得罪黄公安，接过他的水壶后就大大地喝了一口。一股火辣辣的味道，从口腔直接传到胃肠最深处。侯卫东这才知道，水壶里装着高度烈性白酒。

黄公安见新来的大学生喝了一大口，夸道："这个大学生还可以，有点耿直。"说完就出了门，把中年妇女丢在了门口。过了一会儿，他回到了办公室，对中年妇女道："你过来吧，哪个生产队的？叫什么名字？"中年妇女这才如释重负，站在黄公安的桌前，开始报上名字。

杨凤嘴巴一刻也闲不住，道："派出所只有四个民警，秦所长带人去了青林山。黄公安是内勤，留下来办户口，早上开门到现在就没有断过人。"她打量了一会儿侯卫东，又道："看你这个身材，酒量肯定不错。去年苟林来报到的时候，死个舅子不喝黄公安的酒，把黄公安得罪了。"

唐树刚拿着侯卫东的介绍信，一边走一边扇着。他坐回椅子上，压得椅子"吱"的一声，"刚才我去问了秦镇长，他让你十天以后再来。"

侯卫东走出了镇政府办公室，心道："怎么还得等十天？"尽管心里郁闷，他还是只能回到吴海县。

与侯卫东为报到跑断腿不同，7月12日，张小佳就已经到沙州市园管所正式上班了。

沙州园管所是建委下面的一个事业单位，二级法人，主管沙州全市的园林绿化事业。小佳是园管所内勤，工作很轻闲，主要任务是守电话，接收文件，打印材料。

当侯卫东还在家里等待分配时，两人就约定每天6点下班以后通一次电话。吴海县虽然属于沙州市，但是两地通话仍属于长途，贵得要死。园管所所长是个老节约，把电话的长途功能锁上了，所以只能由侯卫东给小佳打过来。每天一次的通话成了两人最快乐的时光，长途话费却让侯卫东老妈刘光芬恨得咬牙切齿。

张小佳每天最后一个离开办公室，主要原因是为了与侯卫东通电话。这却起了一个意想不到的作用，园管所老所长对于自觉加班的张小佳很是满意。工作了一个星期，老所长就在办公会上大大地表扬了张小佳一次。

快乐的通话时间持续到了8月4日。8月5日早上6点，侯卫东坐上了吴海县开往益杨县的早车。9点就赶到了益杨县，又换上了益杨县开往青林镇的班车。11点30分，灰头灰脸地来到了青林镇政府。

杨凤正坐在椅子上津津有味地吃瓜子，瓜子壳就放在报纸上，已有一大堆了。她看见侯卫东，脸上表情便生动起来，道："今天你的运气好，赵书记刚刚从村里回来，还问了你的情况。"

杨凤带着侯卫东上了二楼。二楼不过六七间房子，从牌子上可以看出来，青林镇政府领导都在这里办公。杨凤在一间没有牌子的办公室前停了下来，敲了敲门，道："赵书记，侯卫东来报到了。"

赵永胜穿着质地颇佳的灰色短袖，偏分头发，相貌气质与济道林倒有几分相似，只是皮肤更加黑黄。脸上还几粒黑痣，如北斗七星一般分布在脸上，让人一下就想起古文化的博大精深。他肚子凸得挺厉害，坐在沙发上如一尊弥勒佛。他用钢笔在一份文件上写下了一行字，对杨凤道："把这个拿给晁镇长，让他赶紧去办，不要耽误。"

杨凤接过文件，急急地转身出去了。

赵永胜这才抬起头来，对侯卫东道："你是哪个学校的？学的什么专业？"

"我是沙州学院毕业的，学的是法学专业。"侯卫东来青林镇之前，哥哥送了他一条红塔山，他就带了一包在身边。此时他见赵书记递烟，连忙取出打火机，给赵永胜点燃。

赵永胜抽了一口烟，半天没有说话，脸上的七星北斗格外显眼。这种静默给了侯卫东很大的压力。

香烟袅袅，在屋内升起，快到屋顶之时，又散了开去。

"经党委研究，决定让你到青林山去。青林镇政府在青林山上有一个工作组，负责独石村、尖山村、望日村三个村的工作。安顿好以后，再给你分配具体的工作。"

侯卫东没有农村生活的经验，对赵永胜的安排有些茫然。

赵永胜道："去年全县搞了并乡工作，山上的上青林乡与山下的下青林乡合并成了青林镇政府。青林山上有一个老场镇，是上青林乡政府的原驻地，住房条件比山下好得多，你以后就住在那里。"

侯卫东对青林山没有概念，不过既然来到了乡镇，他就做好了吃苦的准备，当即表态道："赵书记，我刚从学校毕业，对工作不熟悉，到了青林山上，我一定多向老同志学习，踏踏实实工作，争取早日进入角色。”

赵永胜将手放在将军肚上，道：“话说得不错，关键要肯实干。”

青林镇这两年分配来两名大学生了，一名叫做欧阳林，表现还马虎。另一个叫荀林，他的角色意识迟迟没转换过来，总把自己当学生，无组织无纪律，大事做不了，小事又不做，昨天还在分管副镇长晁杰办公室摔了杯子。赵永胜为此很是恼火，加上侄女的事没有办好，这让他憋着一肚子的鬼火。

赵永胜打了一个电话，道：“唐主任，你带侯卫东上山，让高乡长把住宿安排好。中午就在青林山上安排生活，让工作组的几个同志跟侯卫东见个面。”

离开了赵永胜办公室，侯卫东松了一口气。

侯卫东对黄公安和杨凤道：“黄公安，杨主任，我到上青林去了。”

杨凤眼睛原本就小，此时笑成了一条缝，道：“侯卫东是正牌大学生，在基层锻炼几年就能提起来。以后当了官，要多关照杨大姐。”

黄公安提起水壶，道：“侯小伙，来整一口。下次到山上，我请你喝酒。”

侯卫东充满豪气地喝了一大口，跟着唐树刚上山。一路上，唐树刚将青林镇的基本情况向侯卫东做了介绍。

青林镇的名字来源于这座青林山，1992年并乡以前，青林山的上面是上青林乡，山的下面是下青林乡。并乡以后，两个乡合成了青林镇。由于交通原因，新的青林镇政府坐落于山下，上青林乡政府大部分人员都下了山，山上就留了一个工作组。侯卫东成了工作组的一员。

如今青林山上有独石、尖山和望日三个村，加上一个老场镇，合计七千多人。山上不通公路，只有一条机耕道通到独石村下面的林场，到青林场镇只能走山上的小道。

上山的小道让侯卫东倒吸了一口凉气，这青林山看上去并不高，却是山势险峻。一路上，沿着青石板铺成的小道蜿蜒而上，大树遮住了天日，山水不断地从小沟里流过，清澈见底，触手凉快。

在益杨读了四年书，同学们常说益杨无风景。此时爬上了青林山，侯卫东才知道，不是益杨无风景，而是同学们闭门自守，没有走到有风景的地方。

唐树刚三十多岁，肚子规模虽然不如赵永胜书记，却也不小，走这山路颇为费力，走一段要休息一会儿。他脱了上衣，一身厚实的肥肉上全是汗水，颗颗如黄豆般大小。侯卫东年纪轻，在学校又喜欢锻炼，这点山路倒不在话下。走到高兴处，也学着唐树刚的样子把上衣脱掉，露出了一身结实肌肉，如豹子一般充满着活力。

半山坡，一个女子坐在石梯上休息，看见了唐树刚，高兴地道："总算遇到熟人了。"这人是青林山工作组的杨新春，得知侯卫东是大学生，她和荀林的表情差不多，道："小侯是大学生，怎么分到了工作组？是吃错药了？"

听到两次几乎相同的问话，侯卫东心里有了微微的异样，却不动声色道："这是组织安排。"

唐树刚没有回答，只顾站在阴凉处休息。

杨新春抱怨道："唐主任，前几天还有一家人被小流氓抢了，你给赵书记和秦镇长反映一下，还是得想办法把这伙人抓起来。"

唐树刚道："镇里和派出所已经有安排，但是总得有个过程，这几天你下山进货得小心一些，最好多找几人一起。"

爬上了山顶，景物为之一变，映入眼帘的是一片山顶平地，一块块的水田在阳光下闪闪发亮，开阔而有气势。三人坐在山顶休息，山风拂来，神清气爽，杨新春从包里拿出两瓶饮料，道："唐主任，侯大学，你们喝饮料。"

一路上山，侯卫东已经从唐树刚三言两语中知道杨新春在广播站工作。她爱人下岗以后，与人合伙做生意亏本，欠了一屁股债。她在青林山上的老场镇开了一个小副食店，赚些小钱补贴家用。

唐树刚接过了饮料，道："你这么辛苦地从山下将饮料背上来，我们不能白喝，按价算钱，反正我们也要买水喝。"杨新春故作客气地道："喝两瓶饮料算什么？"唐树刚不由分说地从怀里掏出一把钱，道："我知道价钱，这是我们两人的，你收着，生意要算本钱，不能亏了你。"

杨新春半推半就地接过了饮料钱，道："中午到我家里吃饭，炖了一锅猪蹄子。"

唐树刚喝了一口饮料，道："改天到你家里来，侯大学第一次上山，安排在农经站接风。"

青林老场镇是比下青林场镇更加小的场镇，不过镇里没有车辆经过，相较于下青林场镇，卫生条件要好得多。上青林山的接风宴设在青林场镇最好的餐馆，小馆子二楼上，几个没有穿上衣的年轻男子围在一起，每个人发三张牌，正在“诈金花”。这是益杨县很流行的游戏，或者说是一种老少皆宜的赌博方法。

一个胡须深密的粗壮男子站在外围观战，见到唐树刚，大声嚷嚷道：“唐主任，怎么走得这么慢，肚子都贴到后背了。兄弟们，最后打一盘，准备吃饭。”大胡子和侯卫东握了握手，手掌厚实有力，道：“我叫李勇，农技站的，以后就是一个战壕的战友了。”

打牌的人群突然传来一阵大吼，道：“开牌！”传来两声报牌声：“顺子！”，“金花！”，几个人笑声、骂声响成一片。唐树刚在一旁道：“好了，过来吃饭，老子饿惨了。”

几个打牌的人这才围了过来。

唐树刚道：“这是新来的侯卫东侯大学，以后是工作组的一员，大家要好好敬一杯。”上青林山大学生稀少，所以唐树刚叫侯卫东为“侯大学”。这就如当年眼镜稀少之时，就叫戴眼镜的人为“眼镜”一样。

“要得。”

“坐上桌子再认识。”

“侯大学酒量肯定不错。”

精壮汉子们一边说着一边坐到桌边，一个胖女子两手轻松地提着一件啤酒上了楼，道：“只冻了两件啤酒，够不够？”大胡子李勇响亮地道：“八个人，两件怎么够？还要冻两件。”

一桌刚好八人，四件四十八瓶，人平均就六瓶了，侯卫东暗自吃了一惊，“喝这么多？”

众人坐下了，唐树刚一一介绍，八个人除了唐树刚以外，其余人都是青林工作组的：“农经站有两人，白春城和田福深，农技站有两人，李勇和段胖娃，广播站郑发明，派出所习昭勇。”

农经站两人头发梳得油滑，皮肤如白领女人般细腻，一看就是长期坐办公室的。农技站和广播站的都长着胡子拉碴的一张黑脸，野外工作痕迹明显。派出所民警三十多岁，留着短发，脸颊极瘦，长着一个鹰勾鼻子，目光炯炯有神。

对于刚从学校毕业的侯卫东来说，这是一顿丰盛午餐，卤猪脚、炖全鸡、魔芋烧鸭子、爆炒腰花等等，满满一桌子。李勇用牙齿轻松咬开了啤酒盖，每人发了一瓶。唐树刚吃了几块腰花，放下筷子，道："侯卫东到了青林山，以后就是同事了，第一杯酒，大家干了。"

夏天气温高，第一杯酒解暑，满桌人将杯中酒喝了。

侯卫东从山下青林政府出发时，11点40分，走了一个多小时，已过了中午1点。肚子饿，口亦渴，这一杯冰冻啤酒下肚，只觉得每一个毛孔都舒畅起来。

唐树刚眨着眼睛，笑眯眯地对侯卫东道："青林山上有酒规矩，上山必须三圈酒，刚才大家陪你喝了一圈。"他给侯卫东倒了酒，道："还有两圈酒。"

这一群赤裸着上身的汉子，大碗喝酒，大块吃肉，如梁山好汉一般模样。侯卫东正在啃着肥厚香醇的猪手，见唐树刚倒了酒，连忙将猪手放在碗里，举起酒杯，道："今天上了青林山，各位大哥这么热情，小弟很感动，我来敬酒。"

派出所民警习昭勇道："敬酒的规矩是每个人都要敬。"侯卫东豪气地道："当然一个一个敬。"

这一圈下来，侯卫东已经喝了十杯啤酒，青林山上的啤酒杯个性十足，640毫升的啤酒只能倒三杯，十杯酒就有接近三瓶多了。平常喝三瓶啤酒，倒没有问题，只是今天喝得太急，又是腹中空空，他便有了酒意。

等到侯卫东动了几筷子，习昭勇斜着眼睛就道："侯大学是第一个到上青林的大学生，我敬你一杯。"看到侯卫东稍有迟疑，习昭勇道："大学生看不起我们这些土八路。"

侯卫东一饮而尽。

习昭勇又对李勇道："李大胡子，侯大学有文凭，三整两弄就要当领导，快点敬一杯，以后好提拔你。"李勇对这话很有些不满，道："你这人也是，侯大学一直在喝酒，你让他吃点菜，慌个鸡巴，我们两人吹一瓶，你敢不敢？"

习昭勇瞪了李勇一眼，道："吹就吹，不吹是王八！"两人各自咬开了一瓶啤酒，仰着头，如放自来水一样，将整瓶啤酒倒进了肚子。

唐树刚又对另外几人道："你们懂不起嘛，主动敬侯大学，来而不往非礼也，我们得将第三圈走完。"

又喝了六杯啤酒，侯卫东彻底醉了。他身体好，硬挺着，用手抓起那根未吃完的猪手，风卷残云般地啃得精光。

李勇浑身大汗，一颗颗汗水从他肚皮上直接掉在地上，他见侯卫东喝得太多，就道："酒就别敬了，划拳。"

习昭勇一脸不耐烦，道："划个锤子！和侯大学再整一杯！"侯卫东喝了不少酒，已经难以下咽了。他眼里的习昭勇总是皮笑肉不笑的样子，于是拿了一瓶，道："习公安，我们喝一杯。"

喝下这杯酒以后，这顿午餐是如何结束的，侯卫东一直回忆不起来，只是听习昭勇后来说，他是被人拖回了寝室。

原来是发配

侯卫东醒来之时已是傍晚时分，他抬头看到天边的云彩，火红一片，似乎将窗外的树叶都烧得燃了起来。"这是什么地方？"他有些艰难地从椅子上坐了起来，发现自己几乎就是坐在了垃圾堆里面。地上全是杂乱的物品，就如打了败仗匆匆撤走的营房，旧报纸、玻璃、谷草、竹片、挂历，占据在屋子最中央。

侯卫东坐在竹制的沙发上，发了一会儿呆，这才明白自己的处境。沙发下面是厚厚一层的黑色老鼠屎，老鼠屎密集的程度远远超出了他的想象。

啤酒也是酒，喝醉了，也是头痛欲裂，且腹胀如鼓。

走进了里面房间，皮鞋踩在干燥的黑色老鼠屎上，发出"沙沙"的声响，如走在沙滩上一样。

里间极为简陋，一张铺着稻草的床，一张看上去就很沉重的木桌子，还有一张断了一条腿的藤椅。墙上贴着一张80年代的美女图，装腔作势，扭捏作态。

侯卫东将美女图撕下来，扔到地上。他推了推关得死死的窗户，"嘎嘎"响动之后，一株树叶繁芜的桉树鲜活地出现在窗前，在夕阳照耀之下闪着略带着金色的光，格外有生气。

窗外是一个不大的院子，有一座假山，还有些花草。只是假山上满是青苔和杂草，花草更被杂草所威胁，只是委屈地露出了点点颜容。这是一个原本还不错，可是已经如黄脸婆般被人抛弃的院落。

青林山是一座最高海拔在九百米左右的大山，山上树林茂密，还有一些大树。当年大炼钢铁之时，沙州各地都上山砍大树，唯有青林山的大树绝大部分保留了下来。主要原因是青林山上的村民世世代代靠山吃山，对森林有着异乎寻常的热爱。当青林山下的公社官员带着民兵们准备到山上来伐木时，山上的村民全体动员，数千男女老幼，拿着锄头、扁担、大砍刀，还有打猎的老铳，公然与山下的公社官员对抗。

这一次青林山公然对抗政府，可是县里的、公社的干部对山上强悍的村民有些顾忌，也不敢违了众意。虽然最后抓了几名带头的，到底没有敢强行将森林砍掉，青林山就有了一片在沙州市保存最完好的森林。

侯卫东昏头昏脑地走出了房门，他中午喝醉以后，根本不知道怎么回到这个房间里的。这时他才看清楚，这是一幢四层楼房，和学校教学楼的格局相似。每一层十间房，有长长的外走廊，左端有一个小牌子，上面写着两个大字——厕所。

侯卫东视力极好，在门口清楚地看到这两个字，肠胃里马上就是一阵翻腾。他一阵小跑冲入了厕所，刚把头对准了坑位，就“哇哇”一阵大吐。中午光顾着喝酒，并没有吃多少东西，所以吐出来的东西尽是些汤汤水水，没有一点实在货。

从厕所出来以后，又把脸凑向洗衣池上的水龙头。用冷水冲了一会儿，这才感觉身体稍稍舒服一些。

顺着走廊往回走，侯卫东惊异地发现，整整十间房子，加上自己，居然只有两户人家。而且唯一的邻居关着门，只见到窗前映着的灯光。

试着拉了拉灯线，还好，贴在墙壁上的日光灯居然亮了，照得满屋的黑色老鼠屎格外刺眼。侯卫东站在屋中间，看着凌乱如垃圾堆的房间，不禁呆住了。

有床，床上满是老鼠屎烂稻草，让人有床无法睡；有水，不过是走廊尽头的自来水，没有可以喝的开水；有电，除了一盏日光灯外，没有电视机、电风扇、电饭煲等任何电器；有垃圾，却没有任何扫帚、拖把等清洁工具；有肚子和满腹酒意，晚饭在何方却根本不知道。

站在走廊里徘徊了好一会儿，挂在树梢的太阳渐渐沉没了。侯卫东感到格外的孤单，这是他到青林镇政府上班的第一天，大醉一场。然后被人如死狗一样丢在这上不着天、下不挨地的鬼地方，仿佛回到了80年代，他失魂落魄地想道："这他妈的是什么事情？"

莫斯科不相信眼泪，青林山上也不相信眼泪。经过了一阵大吐，侯卫东肚子里已空无一物。空中飘来了阵阵回锅肉的香味，而且是蒜苗炒回锅肉，侯卫东甚至能够想象出半肥半瘦的肉片在锅中嗞嗞作响的声音。

受不了这个肉香，侯卫东回到了房间。可是房间里乱七八糟根本无法下脚，他心道："世上没有神仙和救世主，只能自己救自己。"便果断地关上门，走向了陌生的上青林场镇。

一条青石板路从小院大门延伸了出去，很有古香古色的韵味，沿街的房屋里多是昏黄的白炽灯，也正因为有这些电灯，场镇才有了现代文明的痕迹。"真是没有想到，这一觉醒来就回到了解放前。"这是侯卫东的真实感受。

此时正是吃晚饭时间，各家各户都飘起了饭菜的香味。这个香味如此诱人，让侯卫东不断地咽着口水。走着走着，想着沙州市的繁华大街，想着小佳的音容笑貌，他又伤感起来了，眼睛有些潮湿。

转了一个弯，侯卫东认出了中午吃饭的餐馆。可是餐馆大门关得死死的，场镇上的人流只能让这家餐馆在中午营业，晚餐时间一律不营业。看到了这间餐馆，习昭勇、李勇、唐树刚、白春城、田福深等人的形象就在他的脑海里晃来晃去。

这些人的性格作风和沙州学院的教师同学大不一样，他琢磨道："这个习昭勇很有些霸道，以后要和他保持些距离，观察观察再说。李勇是个粗人，田福深是个老实人，唐树刚是党政办主任，看来还有些威信，以后可以找机会和他接触。"

又走了几十步，他见到一名看上去老实巴交的中年人搬了一张藤椅，放在街道边，便上前问道："请问，这里有没有餐馆？"

中年人有些诧异地看了侯卫东一眼，道："这是啥时辰了，早就关门了。"青林老场镇平时很少有外人，中年人看着这人脸生得很，体格也颇为强壮，想着最近青林小道常有人抢钱，便心生了警惕，道："你是干啥子的？哪家的亲戚？"

侯卫东在学院当过三年纠察队长，跟着胡处长也学了些察言观色的本领，见到中年人的神情，主动道："我是青林镇政府驻青林山工作组的，今天刚来。"

中年人将信将疑地道："原来是政府的人，没得晚饭？你顺着这石板路走，石板路走完，就是青林小学，那里有杂货店和一个小馆子。"

等到侯卫东走了，中年人把烟头往地下一扔，道："想麻我，小子还嫩蒜。"他一溜烟地向着联防队员田大刀家里跑去。

侯卫东顺着石板路来到了青林小学，果然有一个杂货铺还开着，杂货铺名字叫做"青林小学综合商店"。货物还算不错，里面有电饭煲、水瓶等日常用品，还有饼干、方便面等食品。

柜台后面坐着有说有笑的两个女子，一个四十来岁，另一个二十多一点，年轻的女子相貌普普通通，微胖，穿着一件连衣裙，样子颇为时尚，看起来和上青林山的人不太一样。这两个女子看见有陌生人进来，惊奇地抬起头来。

侯卫东看了看，道："买一个电饭煲。"

四十多岁的女子站起身，取了一个电饭煲。电饭煲牌子不错，是广东爱德牌，这有些出乎侯卫东的意料。

一旁的年轻女子突然道："你是侯卫东吧，听李勇说工作组要来一个大学生。"

侯卫东见女子叫出了自己名字，很是惊奇，道："我是侯卫东，才来的，你也是工作组的？以后多多关照。"从学校出来以后，多多关照已经说顺嘴了，见了这个女子，他还是顺口说了一句。

"你是当官的，我们怎么能关照你。"年轻女子笑了笑，介绍道："这位是青林小学铁校长的爱人，陈大姐。"

陈大姐道："我这里货很齐，生活用品都有，还要什么？"

侯卫东道："陈大姐，多亏商店没有关门，否则就惨了，晚上不知如何过夜！"

陈大姐很忠厚地笑道："都是一个场镇的，关了门，敲开就是了，你还要什么？"顺着货柜看过去，侯卫东指点着："中华牙膏、牙刷、饭盒、方便面、筷子，还有水瓶，我都要。"

年轻女子自我介绍道："我是工作组的，就在院子后面，等一会儿我去烧点开水，你过来打吧。"

侯卫东正想问年轻女子的名字，门外传来了一声暴吼："干什么的？身份证拿出来！"门外进来两个人，一人就是侯卫东问路的中年人。另一个是身体结实、满脸横肉的年轻人，他手里提着一根警棍，恶狠狠地道："把身份证拿出来！检查身份证！"

侯卫东解释道："我是侯卫东，工作组的。"他见到来者并没有穿警服，就反问道："你是干什么的？凭什么检查我？"

"我是派出所的联防队员，老子有资格！"年轻人将警棍的高压电打开，发出"啪啪"的声音，道："放老实点！工作组有几条红苕我还不认识？"

柜台后的年轻女子道："田大刀，他真是工作组的，才分到青林镇的大学生侯卫东。"

田大刀斜着眼睛看了侯卫东一眼，疑惑地道："侯卫东？怎么没有听习哥说起？"

侯卫东初来青林，还摸不清水深水浅，道："今天中午，习公安、李勇、唐树刚、田会计、白站长，我们几人一起吃的饭。我喝醉了，习公安也喝了不少。"

听到侯卫东报了这些名字，田大刀也就相信了，他把警棍挂在腰上，靠在货柜上，道："怪不得习公安下午没有来，肯定喝醉了，你娃酒量还不错。"他又对年轻女子道："驰名商标，我弄了几个新碟子，美国大片，到我那里去看。"

那女子叫池铭，田大刀总是叫她驰名商标。池铭生气地道："再这样乱喊我，我给你一菜刀！谁到你屋里看碟子！"

那个中年人看到侯卫东真的是工作组的，尴尬地递了一根烟，露出讨好的笑容，道："侯同志，不好意思，我还以为你是棒儿客。抽支烟，以后到家里来坐。"

田大刀拍了拍中年人的肩头，道："老田，不愧为治安积极分子，警惕性高。以后继续保持。"他接过老田的烟，啪的一声，用打火机点燃，吐了一个烟圈，又道："驰名商标，这是美国的正宗片子，好看得很。"

池铭不理他，站起身，道："陈姐，我回去了。"又对侯卫东道，"我把火捅开，烧些开水，你等会儿拿水瓶来打。"

池铭走了，田大刀也就走了。

看着田大刀的背影，陈大姐低声道："田大刀是派出所秦钢所长的侄儿，是个杂皮。他正在追求池铭，你少惹他，青林山上只有习公安才吼得住他。"

陈大姐把商店门关了，帮着侯卫东将东西搬回到院子。此时，同一层楼的邻居依然关着门，陈大姐道："那是高乡长的家。"

侯卫东鼻子里似乎又回味起炒得极香的回锅肉的味道。

将杂物清除掉以后，侯卫东先将墙用干净扫把扫了一遍，将灰尘和蜘蛛网扫掉，又将满屋的老鼠屎扫干净，老鼠屎装了半桶，让他一阵恶心。随后用拖把将地拖了数遍，屋子里这才看起来像些样子。

忙活完，侯卫东用新毛巾洗了脸，提着水瓶到后院。

后院是一溜青瓦平房，围成一个四合院。左侧堆着些煤炭，煤炭旁边是烧煤的大灶。沙州地处天然气富余地区，吴海、益杨等县城里都是烧天然气，侯卫东已经很久没有见到这种烧煤炭的大灶了。大灶旁边，开着一个小门，里面洒出来点点灯光。

侯卫东试着问了一句："池铭在吗？"

"进来吧。"

屋子是典型的老房子，可以看到木头做的横梁。横梁在灯光下黑黝黝的，这是长期被油烟熏的结果。恍然间，侯卫东回忆起70年代初吴海县公安局的大食堂，也是这种格局。如今吴海县公安局的食堂已经变成了公安宾馆，而这上青林乡的食堂依然保持着70年代的格局，整整落后二十年。

"没有吃饭吧，这里有一份烧白，还有些剩饭，我给你炒个青菜，将就吃了。"

在这举目无亲的上青林山，池铭的态度多多少少给了侯卫东一些温暖，他搓着手，不好意思地道："给你添麻烦了，真是不好意思。"

"这本来就是工作组的伙食团，有啥子嘛。"池铭手里拿着一本书，封面上《情深深，雨蒙蒙》几个大字特别显眼。她没有看书，坐在油腻的方桌后面，打量着侯卫东，问道："你是大学生，怎么会到工作组来？"

侯卫东听她话中有话，反问道："工作组不好吗？"

"青林镇政府是由上青林乡和下青林乡合并的。政府设在下青林乡，当官的、管事的和管钱的都集中在政府里。工作组都是年纪大的、管不了事的和不听话的。"

侯卫东听闻此言，愣了一下。他的心猛地沉了下来，香喷喷的烧白也就索然无味。他尽量让自己露出笑脸，可是他自己也能感受到笑容的僵硬，道："平时在这里吃饭的人多不多？"

池铭摇头道："工作组的人，大部分家都在上青林山，自己做饭吃，只有两三个人在这里吃饭。不过他们都找得到伙食，五天里倒有四天没有在这里吃饭。"

"那就没有必要设一个伙食团。"

"你才来，不熟悉情况。青林镇政府有两个炊事员编制，朱哥在青林镇政府伙食团上班，我就只有上山了。不煮饭，你让我做什么？"

捉强盗

从伙食团出来，侯卫东胸口堵得慌。他坐在后院假山上，默默地梳理着思路。

"原来我是被发配到工作组的。我拿着人事局的介绍信来到了青林镇，没有得罪任何人，为何会将我发配到上青林？难道我当初的选择错了？"

一种被戏弄和被遗弃的感觉在侯卫东心中滋生。山上蚊子块头十足，在黑夜中飞舞，发出"嗡嗡"的轰炸机吼声。

侯卫东给自己打气道："这是命运对我的考验，男子汉要有担当，遇到困难决不能退缩。"

一个女人从后院走过，她不经意间看到了坐在花台上的侯卫东，吓了一跳，道："谁？"侯卫东站起身来，道："我是青林镇政府的，今天才上山。"

女人舒了一口气，"你是小侯吧？"

"我是。"

女人温和地道："我们两家在一层楼上，以后就是邻居了，有空到家里来坐。"

"哇，这位就是蒜苗回锅肉的主人。"侯卫东对香味扑鼻的蒜苗回锅肉特别有好感，客气地道："以后要经常麻烦阿姨。"

女子身边放着一个桶，将手插在腰上休息，"大学生硬是不一样，说话这么客气，我是高长江家里的，姓刘。"

女人说话声音很低，听起来有气无力，侯卫东赶紧道："刘阿姨，我帮你提桶。"

“不用了，我洗了点衣服，拿到后面甩干了，不重。”

“刘阿姨，我们是邻居了，就让小侯来提，别客气。”侯卫东不由分说地提起水瓶和胶桶，跟着刘阿姨上了二楼。刘阿姨空手上二楼都气喘吁吁。侯卫东心里有些纳闷：“听说乡镇领导待遇很不错，高长江当过乡长，难道连洗衣机都买不起？”

把桶放在刘阿姨的门边，借着屋里的灯光，侯卫东这才看清了刘阿姨的相貌。她满脸皱纹，皮肤蜡黄，头发花白，苍老得厉害。

高长江并没有退休，按照益杨习惯，他的爱人一般要小上几岁，不过就是五十来岁。想到这一点，侯卫东吓了一跳，刘阿姨和母亲刘光芬年龄相仿，母亲看上去至少比刘阿姨年轻十到十五岁。

站在门口客气了两句，侯卫东回到了宿舍。经过一番打扫，这个一室一厅的宿舍看上去顺眼多了。他取过才买的青林茶叶，用白瓷杯泡了热茶，就站在走廊上，欣赏起上青林山的夜色。

客观地讲，这上青林山乡政府小楼修得还真不错。站在走廊上，视线极为开阔，视线尽头是一处“凹”形的山峰，几颗闪亮的星星就悬在山顶上。

站在走廊上，品着味道还不错的青林茶，听着各种小虫胡乱地叫着。一股顺着山谷吹上来的山风，将树叶弄得哗哗直响，带来了一阵清凉。

第二天，侯卫东起得很早，他在上青林老场镇走了一圈，将老场镇看了个清楚。早上的上青林场镇，比夜晚要可爱得多。场镇有两家早餐店，东面一家是豆花馆子，西面是一家稀饭馒头店。侯卫东坐进了豆花馆子。豆花饭是益杨特有的早餐，一元钱一份，实惠而味美，是学生们和工薪阶层的最爱。

上青林豆花馆只有四五张桌子。一张长桌上放着一排作料碗，有盐、味精、花椒粉、葱粒、蒜泥、红海椒、青海椒、豌豆粒、用花椒煮过的菜油等等，由着自己的口味进行组合。侯卫东自己动手调了小半碗作料，然后舀了一碗饭。

豆花扎实细密，嫩而有劲，加上调料组合得好，侯卫东凶狠地吃了两大碗饭，额头上已沁出了一圈汗水。

豆花馆子走进了两个人，店主是个瘦汉子，他热情地道：“高乡长，这么早就上山了。”他对着里屋喊道：“堂客，给高乡长打一盆水来，弄一块新毛巾。”

高长江是一位瘦高的黑汉子，两鬓花白，精神极好。当盆子端出来以后，他也不客气，就在街道旁洗了脸，擦汗水。

坐下来以后，高长江道：“还是老一套，一人一碗豆花，二两酒，有没有卤菜或是蒸菜？”瘦汉子利索地盛豆花，又道：“昨天我卤了肥肠，香得很。”

高长江点头道：“来，切三两。”金黄色的卤肥肠端上桌子，他对另一位面色严肃的汉子道：“秦所长，在上青林就数姚瘦子的井水最好，点的豆花也最绵扎。县委赵书记到了上青林，一定要到这里来吃这两样。”

秦钢是青林镇派出所所长，去年底从益杨县公安局一科调到青林镇派出所。他三十四岁，当一科副科长已有六年了，只是一科科长和他年龄相仿，占着位子，他始终升不上去。青林镇成立派出所之时，他便从局里调到了青林镇。他天生一副冷面孔，取过筷子，夹起一块卤肥肠，细细地品了一会儿，道：“不错。”

两人专心致志地吃了起来。

侯卫东此时已知道高长江就是工作组的组长，只是刘阿姨的形象和高长江相差太大，很难重合在一起。他把瘦汉子招了过来，轻声道：“高乡长那一桌多少钱？我一起结了。”

瘦汉子憨厚地笑了笑，道：“十块钱。”

侯卫东结账以后，瘦汉子就道：“高乡长，账已经结了。”

高长江看了看侯卫东，脸上露出一丝笑容，道：“你是侯卫东？”得到肯定的回答之后，他摆了摆手，道：“你还没有领到工资，怎么能让你来付钱。姚瘦子，不能收他的钱，听到没有？”

侯卫东连忙道：“高乡长，我先走了。”说完，就飞快地溜了。高长江站在小店旁，只见到侯卫东的背影，跺了跺脚，道：“这个娃儿，跑得倒快。”

回到小楼，侯卫东在院子里站了一会儿，整栋楼安静如昨夜。底楼有一间屋挂着工作组的牌子，却是铁将军把门，没有见到一个人影。

池铭提着菜篮子从大门外进来，看见侯卫东，道：“今天不赶场，只有几家卖菜的，卖完了就要走。你如果要自己开伙就赶快去买；要到伙食团来吃，提前给我讲一声。”

侯卫东犹豫了一下，心道："在伙食团吃饭，十有八九就是我一人，孤男寡女长期在一起，肯定要被人说闲话。"打定了主意以后，道："以后我还是自己开伙，但是今天我还不行。陈大姐的商店没有电炒锅，她今天去山下进货，晚上才能回来。"

池铭道："你还是找田秀影去买些饭票，哪一天不想煮饭，可以到伙食团来说一声。今天中午我做红烧肉，你早点过来。"

正说话间，高长江、秦钢、李勇就走了进来。高长江看到侯卫东站在底楼，道："侯卫东，开会，你也来参加。"

会议室就是底楼最左端，这是一个类似于课堂的会议室，唯一不同的就是讲桌变成了三张并在一起的桌子。高长江和秦钢相互推让了一番，高长江坐在了主席台的正中间，秦钢坐在了右侧。

过了一会儿，刁昭勇、田大刀以及十几个不认识的村民走进了会议室。

李勇坐在了侯卫东的身旁，他亲热地道："你的酒量真是不错，昨天刁公安喝醉了。"侯卫东苦笑道："昨天我也醉得不行，根本记不起怎样回的家，现在头还在痛。"

"不要说话了。"高长江招呼了一声，众人就安静了下来。

"分管政法和社会治安综合治理的晁镇长原本要来主持今天这个会，县里临时有个会，这个会就由我来开。参会的主要是工作组的男同志和三个村的治安积极分子，来的都是雄棒人，一棍子打不出一个屁的蔫人，我一个也没有喊。"

众人听到这句话，都哄堂大笑，笑声中充满着自豪。十几个人都开始抽烟，会议室很快就烟雾缭绕。

"这一段时期，下青林到上青林的小道上，常常有拦路抢劫的棒儿客。前几天有好几人被抢了，刘家媳妇，不仅背篼被抢了，连裙子也被撕烂了。还有大弯梁田家老二，屁股被扎了一刀。"

说到这里，高长江一拍桌子，道："青林山是共产党的天下，这些棒儿客真是无法无天。今天我把秦所长请来，就是商量如何把这些棒儿客整住。下面，请秦所长布置工作。"

秦钢表情严肃地道："据受害者描述，这一群棒儿客大约有五六个，都是二十左右的年轻人。听口音，这些年轻人应该是从外地流窜过来的。但是里面肯定有本地人，要不然他们也待不住。

"刑警队在山上守了三天，没有见到动静。今天县里出了人命案子，刑警队要回城里，赵书记和刑警队李大队商量，由我们青林镇派出所来抓这几个人。

"这几个人手中都有凶器，都是筷子长短的匕首，很危险。所以我们这一次的行动要小心策划，既要抓住这些棒儿客，又不能造成伤亡。"秦钢顿了顿，扫视了大家一眼，道，"现在我来进行分组，青林镇派出所有五个正式民警，黄公安年纪大了，又是内勤，就留在所里值班。刁昭勇带一个组，带李勇、田飞、邓刚强、张卫革，还有村里面的治安积极分子，接近二十人。"

秦钢看了一眼侯卫东，又道："新来的大学生也在刁昭勇这一个组，你们负责在山下。在三道拐的林子里藏着，听到喊声或是枪声，就冲出来将这些棒儿客堵住。刁昭勇要注意，你们这一组只是负责拦截，不要提前暴露，听到动静才能出来。"

侯卫东虽然当过纠察队副队长，可是学院纠察队主要用于防范，这种捉拿犯罪分子的事情，自然不会让学生参加。如今听到"枪声"两字，不禁脸上有些变色，血液流动的速度也加快了。

"我带着所里的周强、王一兵两个民警，所里的联防员，还有一位受害者，藏在半山腰的竹林后。只要这些棒儿客出现，就不能让他们跑脱。"

秦钢强调道："这次行动，我们有三十人，集中了优势兵力。只要战术安排得当，一定能将棒儿客整住，大家要注意安全。

"分析棒儿客出现的规律，隔几天就要作一次案，估计他们没有生活来源。今天距离上一起作案已经有好几天了，我琢磨着他们又该出来活动了。明天6点，趁着天未亮，各组赶到隐藏地点。"

秦钢布置完任务，高长江接着道："此事大家保密，走漏不得风声。明天早上5点30分，准时到大院集中。"

布置完任务，一群人就作鸟兽散。

侯卫东为了在高长江面前表现自己，特意留了下来。他看见会议室墙角有一把扫帚，等到众人离开之时，他拿起扫帚，开始打扫起会议室来。高长江已经走到了门口，回头看到侯卫东正在打扫会议室。他有些意外，脚步顿了顿，却没有停下来，和秦钢一起走了出去。

会议室看来很久没有打扫了，地下是乱七八糟的烟头，还有许多陈年老痰迹。侯卫东把会议室的卫生打扫完，出了一身臭汗。

走出门，见到杨新春提着一串钥匙走了过来，她见会议室已经干净了，便笑呵呵地道："大学生帮我扫地，怎么好意思。"

侯卫东客气了几句，上了楼。

到了上青林，没有人安排工作，没有事情做，无书、无报、无电视、无广播，这让侯卫东很是无聊。他站在走廊上，看着院外三三两两的行人，突然想起池铭的话，便把房门关了，到镇里转了转。

上青林场镇的确不大，很快找到了池铭所说的卖菜地点。侯卫东蹲了下来，装模作样地挑选着，装模作样地讲价。买了一把青叶子菜，一块肉，又买了二十个鸡蛋，侯卫东提着菜转到了青林镇小学综合商店。

帮着陈大姐守店的是一位瘦小的女孩子，约莫只有十五六岁的样子。侯卫东走进商店的时候，她正趴在桌子上做着作业。

"我妈妈6点不到就下山了，一般10点钟能回来。"女孩子有礼貌地道："叔叔要买什么东西？"

侯卫东一愣："有人叫我叔叔了！"初次被十多岁的女孩子叫做叔叔，他顿时觉得自己多了几分成熟，挺着胸道："我买电炒锅，陈大姐不在吗？"

女孩子生于上青林，长于上青林，对老场镇的人与物熟悉得紧。她忽然想起妈妈说山上分来了一个大学生，便道："叔叔是新分来的大学生？"得到肯定答复之后，小女孩高兴地道："叔叔，我在做暑假作业。英语题老是错，你能不能给我讲了一讲？"

侯卫东英语成绩一向不错，读大学时考过了四级，有一段时间他想考研究生，还钻研了一段时间的英语。从小女孩的年龄判断，不是初三就是高一，问道："你读几年级？"

听说是高一，侯卫东更是放心了，他拿过厚厚的一本习题集，看到女孩子在好几个选择题前打了一个问号。这道题是一道时态题，很简单，便择其要点讲了讲。

女孩子不断点头。

"听懂没有？"

"听懂了。"

小女孩一张瘦脸绯红，羞涩地道："叔叔，上面还有三道题，我都做错了。"

“这四道题都是一个类型的，这方面的知识点看来你没有弄懂，我给你讲一讲。”讲完这个知识点以后，侯卫东翻到另一页，找了一道类似的选择题，让小女孩做。

小女孩根据侯卫东的讲解，没有怎么想就选择了答案。选完之后，女孩子急忙从书后面找出答案，兴奋地道：“这次对了。”

侯卫东又让女孩子做了几道类似的题，都对了。女孩子满脸兴奋，道：“叔叔，你住在乡政府院子里吗？以后我可以来问你英语题吗？”她一双眼睛颇为清亮，说话之时，忽闪忽闪的，满是希望。

女孩聪明伶俐，能够举一反三，基础却不好，侯卫东就问道：“你在哪里读书？”

“我在益杨县一中。”

“你在一中读书？”听说是益杨一中，侯卫东倒有些惊讶了。一中是全县最好的中学，每年都能考上几个北大清华，不少沙州人都把子女送到一中来读书。

女孩子听出了侯卫东语气中的惊讶，红着脸道：“我英语不好，其他成绩还可以。”

没有等到电炒锅，侯卫东提着菜一路逛回了小院。

他坐在破烂的竹沙发上，把零钱全部掏了出来，总共带了五百元钱来上班，已用去了四百多元，口袋里只余八十多元。侯卫东在心中盘算了一会儿，取出四十元钱放在枕头下面，这是他留下的战略预备金，用来应急。

场镇虽然在山上，可是天气仍然闷热难当。大树上的知了不知疲倦地叫着，提醒着这是盛夏季节。

三个小时以后，侯卫东把鼻子凑到那块肉上闻了闻。除了肉腥味，还有一种说不清楚的味道正在滋生。

中午，侯卫东再去了一趟商店。他在青石板街道上远远地看了看，仍是那个专心做功课的小女孩。吃了豆花饭，回到寝室之时，肉已经生出了异味，虽然有些舍不得，他还是把臭肉扔到了院外垃圾堆。很快两条黄狗闻味而来，它们为了这块发臭的肉打了起来，侯卫东站在走廊上看得津津有味。

下午，侯卫东无所事事地到了小院子底楼，办公室开着，里面空无一人。报架上居然有《岭西日报》和《沙州日报》，顿时大喜。他读了十多年书，已经习惯了有书有字的生活，到了上青林乡，没有见过一份报纸和一本书，这让他很不习惯。

最新的《岭西日报》是7月1日的，正是离校时期的报纸。从一版看到四版，报纸每一个版面都异常珍贵。侯卫东特意放慢了阅读速度，包括《岭西日报》的社论这种以前从来不看的版块，这一次都仔细阅读。

高长江从楼上下来，进屋看到侯卫东在看报，叉腰站在吊扇下面，道：“这一段时间你就跟着工作组的同志，到各村去熟悉情况。

“这是办公室的钥匙，平时没有事的时候，可以到办公室看看报纸。社员来到工作组来，你负责接待。还有，上青林场镇逢三、五、七赶场，政府各科室都要派人上来办事情，你到时把会议室打开，打开水，做卫生。”

这些都是机关工勤人员的杂事，工作组原来是由杨新春来负责。而杨新春时常要去进货，总是耽误事情，而且她即将成为邮政所的代办员，打扫卫生的时间更少了。

高长江见侯卫东同意了安排，站在门外，对着后院喊了一声：“杨新春，过来！”

杨新春听到高长江安排以后，进了屋，她满脸是笑地将两把钥匙放在桌子上，道：“这一把是办公室的，这是会议室的。”由于打扫卫生这些事情本是她应该做的，如今交给了侯卫东，她有些过意不去，道：“青林邮政所要在山上设一个代办点，由我来负责。交信取信都全部交给我，明天他们还要来安装程控电话。”

侯卫东眼睛一亮，心道：“以后给小佳寄信、打电话就方便了。”杨新春这个代办员的身影，顿时高大了几分，笑道：“杨大姐，以后我还要多麻烦你。”

“都在一个院子，啥子麻烦。”杨新春交了一件麻烦事，乐呵呵走了。

高长江交代道：“政府早上8点30分上班，中午12点30分下班，下午2点上班，晚上6点下班，工作组的作息时间比较灵活，主要朝村里面跑，不必坐在办公室。”

虽然是些杂事，可是总算有了事情，聊胜于无。侯卫东没有推托，接过了杨新春的杂事。

高长江见小伙子机灵懂事，暗自纳闷：“侯卫东这个小伙子看起来不错，又是益杨县公开招考的党政干部，为什么会把他放在上青林？”

在办公室坐了两个多小时，除了偶尔跑过的老鼠和树上乱发噪声的知了，鬼都没有一个。

侯卫东纳闷地想：“益杨县公开选拔的党政干部，所谓的后备干部，难道就在这上不沾天、下不着地的鬼地方打扫清洁？早知如此，当初何不报考吴海县公安局！”

“故天将降大任于斯人也，必先苦其心志，劳其筋骨，饿其体肤，空乏其身，行拂乱其所为。所以动心忍性，增益其所不能。”他很快就将心中涌出来的不健康情绪打断，背了一段励志名言。

自我调整了一番，心里这才舒服了许多，想到明天还要参加秦钢组织的行动，又来到了青林小学商店，准备买一双军用胶鞋。

这一次，陈大姐终于在商店出现，很是热情地取过电炒锅，道：“下青林供销社里的电炒锅卖完了，我这是从益杨县城进的货，回来晚了。”

侯卫东没有想到陈大姐为了电炒锅，居然跑到了益杨县城，道：“陈大姐，让你跑了一趟益杨县，真是太感谢了，车费算我的，行不行？”

陈大姐笑道：“我早就想到益杨去进货了，买电炒锅只是顺路。”

提着电炒锅、军用胶鞋和一根伙食团才用的大擀面杖，侯卫东回到了简陋的家。电炒锅是今后吃饭的家伙，军用胶鞋和擀面杖是明天用来参加围捕行动的兵器。

整整一个晚上，侯卫东都在想着第二天早上的行动。他现在用的是小佳送给他的电子表，走得很准，又有闹钟功能，为了不误事，就把时间定在了早上4点30分。

被闹钟吵醒以后，吃了几块饼干，侯卫东带着装备，匆匆来到底楼，将交给自己管理的会议室打开。过了一会儿，秦钢、刁昭勇等民警走了进来，这几个民警都没有理睬侯卫东，坐在一起低声说着什么。秦钢取出一把五四手枪，检查起来。他身边站了一位走路一瘸一拐的人，想必就由他来辨认棒儿客。

当所有人聚齐以后，已是5点20分。8月天空亮得早，天空与山顶之间隐隐有一条发亮的线。

刁昭勇和田大刀手里提着一根胶质警棍，李勇也是拿了一根短棒，上面包着些破布条。侯卫东穿着胶鞋，提着擀面杖，满脸严肃地跟在刁昭勇后面。到了一个转弯的坡地，他们藏在了旁边的树林里，只留下田大刀躲在草丛中监视外面的情况，其他人坐在一个土坎之下。

“这就是三道拐？”侯卫东轻声问旁边的李勇。李勇一脸络腮胡子，提着木棍，很有些剪径好汉的气质。他打了一个哈欠，道：“妈的，这么早就出来，觉都没有睡好，等一会儿若是抓住了棒儿客，老子要狠狠地打他们一顿。”

十多人坐在土坎下，立刻享受到了无处不在的青林山蚊子的袭击。他们不断地伸手往空中扇，想把蚊子赶走，可是这些蚊子大有不达目的不罢休之精神，让这些人烦不胜烦。

李勇低声对侯卫东道：“这两天我手气好得很，刁昭勇拿了三个七，我拿了三个八，把他打得满地找牙。”

侯卫东心道：“难怪这两天没有瞧见刁昭勇、白春城、田福深这些人，原来躲着打牌去了。”他好奇地问道：“你们一般打多大？”

“我们是无聊打着玩，不是赌钱，一般都是五元的转转底，三十元封顶。”

侯卫东吓了一跳，这种打法，一场下来肯定要输好几百。对于他这种才从学校毕业的菜鸟来说，实在是太大了。

李勇邀请道：“今天有空没有？下午到我家里来，一起打牌。”

侯卫东身上只剩下几十块钱，哪里敢跟他们打，连忙推托道：“我不会打。”

“三张牌，简单得很，一学就会，山上又没有事情做，不打牌怎么混日子？”

侯卫东心想：我怎么能和你们一样，我是为了前途才到的青林山，岂能跟着你们一起鬼混，这纯粹是自毁前程。但是这话不便明说，笑道：“等有了钱再说吧。”

两人正说话，刁昭勇走了过来，对李勇道：“昨天你一把牌赢了二百块，今天中午请客。”

李勇豪爽地道：“没问题，今天中午，姚瘦子豆花馆子。”刁昭勇习惯性地斜着眼睛道：“姚瘦子的馆子，撑死吃掉五十元钱，换个地方。”李勇笑道：“上青林场镇，就数他的味道最好，要不换个地方？”

刁昭勇随意地甩了甩手中的警棍，道：“反正我们都到了三道拐，走不到几步就下山，我们到下青林张家馆子去吃。”

张家馆子是下青林场镇最大的馆子，吃一桌轻松就要花一百多块钱，李勇舍不得了，道："下午约好了要打牌，就在姚瘦子那里吃，今天他弄了一笼肥肠，我们切起来下酒，吃了酒继续打。"

习昭勇急于报仇，也就没有坚持下山，道："中午就到姚瘦子那里去整一桌，吃完了打牌，老子今天要报仇雪恨。"

7点钟的时候，小道上陆续有了行人经过的声音，不过没有棒儿客出现的蛛丝马迹。

8点，守了两个多小时。在三道拐等候的众人都疲惫不堪，纷纷向带队的习昭勇抱怨。习昭勇道："秦所长没有喊收队，我们只有等着。要不然错失良机，你们在赵书记面前也不好说。"

9点，太阳光已经射穿了丛林，照在了这一群士气已坠的伏兵身上。

突然，田大刀轻手轻脚地走了过来，脸色紧张地道："六个年轻人从山上往下走，估计就是这一伙人。"习昭勇提起警棍，对李勇等人交代道："你们不要动，我先去观察。"

听说棒儿客来了，侯卫东手心全是汗水。一半是紧张，一半是兴奋。

过了10来分钟，坡上小道上响起了秦钢严厉的声音："我是派出所的，站住！"

习昭勇跟着大喊一声："站住，不准跑！"喊完，厉声道，"跟我冲！"侯卫东热血上涌，随着习昭勇就往前冲，十几人就从草丛中钻了出来，将下山的路堵死了。

"呯！"山上响起一声清脆的枪声，"全部站住，否则我就打人了！"枪声和秦钢严厉的喊声顺着山沟传得极远。

六个年轻人手持着匕首，他们一路向下狂奔，见三道拐被堵得死死的，不要命地朝着小道旁的树林跳了下去。

习昭勇挥着警棍，也跳进了树林。侯卫东想都没想，跟着习昭勇就朝林子里冲了进去。

侯卫东只觉得树枝在脸上不断地划过，也不知跳了几个坎。他眼睛紧紧盯着一个灰色的背影，穷追不舍。向山下冲了一段，他已冲到了最前面，与灰色背影近在咫尺。跑到一小块开阔地的时候，他猛地一跃，将灰色背影扑倒在地上。

此时擀面杖早就不知丢到哪里去了。那个灰色背影回转身，用力将手中匕首扎了过去。侯卫东眼疾手快，一把抓住握刀的手腕，死死地将其手腕压在地上。习昭勇跟了上来，他照着灰色背影的脑袋就是一脚，然后猛踩灰色背影握刀之手，又举起手中胶棍，劈头盖脸就是狠狠一棍。灰色背影惨叫了一声，大叫："不要打了，我投降！"

等到秦钢带着人赶到的时候，灰色背影已经被反铐着坐在地上。鼻子流血，全身满是杂草和泥土。秦钢二话不说，用手枪抵在灰色背影胸口，道："胆子不小，还敢用刀袭警，你死定了！"没有等到灰色背影说话，厉声吼道，"信不信我一枪打死你，窝点在哪里？"

灰色背影被习昭勇打得晕头转向，又被秦钢吓破了胆，哆哆嗦嗦地道："在小河六队桑家院子。"秦钢转身吩咐道："周强，你赶快带几个人去抄窝点。王一兵，把他带到派出所，做好详细笔录。"

秦钢处理事情干净利落，安排工作极有条理，这让法政系出身的侯卫东暗自佩服，心道："以前看电视，总把乡镇派出所民警描写成只知道吃喝玩乐的土匪，看来也不尽然，这个秦所长就很有水平。"

交代完诸事，秦钢松了一口气，扔给侯卫东一根烟，道："侯大学，胆子不小，哪个学校毕业的？"侯卫东深深地吸了一口烟，道："沙州学院法政系毕业的。""原来是学政法的，难怪。"秦钢难得露出一个笑脸，道，"你不去当公安，可惜了。"

这时，络腮胡子李勇、联防员田大刀等人才出现在平坝子里面。

秦钢高声道："田大刀，平时牛皮哄哄，今天怎么这么慢？若不是侯卫东把人扑倒在地上，就让这些小崽子跑掉了。"秦钢把烟放进了兜里，没有扔给随后赶到的田大刀、李勇等人。

鼻青脸肿的灰色背影被带上了小路，正好遇到四五个村民。一人认识李勇，道："李哥，你们干啥子？"李勇兴高采烈地道："捉到一个棒儿客。"

这一段时间棒儿客实在是讨厌，村民们下山、上山总是提心吊胆。听说捉住了棒儿客，村民们立刻将灰色背影围住了，一个村民上前就踢了灰色背影一脚，骂道："日死你妈！"灰色背影相貌颇为稚嫩，不过十八九岁，此时已没有了抢劫时的凶狠，看着愤怒的农民，眼里充满了恐惧，身体开始颤抖起来。

"不要打了。"秦钢声音不高，但是用的是命令语气。这些农民虽然不认识他是谁，可是也看得出来他不是一般人，就退到了一边，不敢动手，却一阵乱骂。

分手之时，满脸胡子的李勇笑哈哈地道："习昭勇下山办案，中午不回来，我又节约了一顿。”他对侯卫东道：“今天下午，到家里来打牌。”侯卫东身上只有几十块钱，这可是吃饭、回家的钱，若是输了如何了得。他含糊地道：“再说吧。”

山下又走上来一个人，正是到下青林山来进货的陈大姐。她手里提着一个装满水的塑料袋，里面有两条花鲢鱼。看到侯卫东，便高兴地道：“侯大学，今天中午到家里来吃饭。”

侯卫东哭笑不得，上青林山老场镇已有不少人喊他“侯大学”。看来这个绰号肯定在短时间内会跟着自己。侯卫东没有想通陈大姐请他吃饭的原因，正所谓无功不受禄，推托道：“谢谢陈大姐，我还有事情。”

陈大姐急道：“铁柄生交代了，今天中午一定要请你吃饭。我到山下把鱼都买好了，你一定要来。”

铁柄生是青林小学的校长，在山上很有名望。侯卫东不好意思地道：“那就麻烦陈大姐了。”陈大姐见他答应了，很是高兴，道：“12点，我们在家等着。”

回到小院子，还没有到11点，侯卫东的肚子却已经饿瘪了。他拐到了姚瘦子的豆花馆子，刚刚吃了一口，姚瘦子就端了一小盘卤肥肠走过来，道：“听说是侯大学将那个棒儿客抓到的，这一盘卤肥肠算我请客。”

自从参加了一次协助公安的抓贼行动，侯卫东似乎觉得和这上青林场镇就多了一分融合。坐在办公室看报纸之时，孤寂感就少了许多。11点55分，他朝着青林小学走去，顺便在杨大姐那里买了一瓶益杨大曲，作为串门礼物。

益杨大曲和吴海红是一个档次的酒，都是五元钱一瓶的本地酒。价廉物美，在当地销量极大。到了青林小学商店，小女孩已在门口等候，侯卫东一出现，小女孩就高兴地道：“爸爸、妈妈，侯老师来了。”

从商店门口走出来一个中年人，这个人在穿着上和普通的青林人没有多大区别，相貌也普通，可是侯卫东还是一眼就断定这是青林小学的校长铁柄生。

侯卫东主动地道：“我是侯卫东，你是铁校长吧。”铁柄生穿着一件灰色的西服，西服有些偏大，套在他瘦瘦的身体上，显得不怎么合身。他伸出手，握着侯卫东的手，使劲摇了摇，道：“侯大学，上青林场镇终于分来一个正牌的大学生，我代表青林小学欢迎你。”

铁柄生说这话时，脸上显出了快活的神情。

侯卫东一愣神间，明白了这是铁柄生的幽默。他没有想到铁校长会是这样的性格，笑道："铁校长在门口来迎接我，折杀我了。"

走进了青林小学，侯卫东意外地发现小学校园里绿树成荫。围墙前是一排桂花树，每根桂花树都有近十厘米的直径，校园内还有五六处花台，皆是桂花、杜鹃等寻常的花木，校园如公园一样。行走其间，令人心情愉悦，和想象中的破烂乡镇小学大相径庭。

看了校园，侯卫东对铁柄生多了一些佩服，说话间更是客气。

教师宿舍就在校园后面，是一排平房。平房与校舍一样，很陈旧，屋后传来一片锅铲相碰撞的声音，不时传出笑声和各式香味。

铁柄生介绍道："这栋平房是教师宿舍，是70年代的房子了。由于没有厨房，学校在平房后面给老师们搭了一道棚子，作为公共厨房。为了解决燃料，学校弄了一个蜂窝煤厂，为老师提供蜂窝煤。老场镇也都是用校办厂的蜂窝煤。"

铁柄生领着侯卫东来到后门处，只见后门外有一溜大棚子，就是自行车棚常用的棚子。每一家人后面都有一个硕大的蜂窝煤炉子，是放三个蜂窝煤的那种，火力颇猛。七八家人，各种香味就在大棚子里飘来荡去。

一个戴着眼镜的中年老师开玩笑道："铁校长，难怪今天煮鱼，有客人？"他这么一说，所有正在炒菜做饭的老师都伸过头来看侯卫东。铁柄生大声地介绍："这是分到政府的正牌大学生，侯卫东，沙州学院法政系的。今天上午捉到的那一个棒儿客，是被侯大学最先抓住的。"

上青林和下青林就靠着这一条小道连接，棒儿客在小道上猖獗，极大地影响了老师们的出行。他们大多数知道今天早上抓到了一个棒儿客，听说是眼前这个大学生抓住的，都充满了好奇。

一个三十多岁的女教师是自来熟，笑着道："侯卫东，有没有女朋友？如果没有，就让铁校长给你介绍一个，我们青林小学还有好几个漂亮女老师。"

铁柄生一挥手，道："没有正经，去、去、去。"女教师道："人生大事是最正经不过的事情，铁校长的说法有问题，若这个事情都不正经，人类就要灭亡了。"她这个话题，顿时引起了老师们的兴趣，大家你一言我一语，把侯卫东弄得颇不好意思。

随着铁柄生进了屋，陈大姐已经端了一盆鱼上来，道："你这人，吃顿饭还要提瓶酒，真是太客气了。”

看着丰盛的午餐，侯卫东心道：“铁校长无缘无故地为什么要请我吃饭？”

铁柄生就将益杨大曲打开，他比陈大姐放得开，道：“今天就喝侯卫东带来的酒，吃下青林花鲢鱼，品上青林的野猪肉。人生滋味，也就差不多了。”

这种说话方式，侯卫东很是熟悉，这是沙州学院的教授们常发的感慨。侯卫东心道：“这铁柄生将青林小学弄得如花园一样，品味不凡，在这青林山上也算得上与众不同。”

铁柄生闭着眼睛喝了一口酒，道：“益杨酒，当数吴滩老镇的原度酒最好。若论到茶叶，就要数青林山上的茶叶最好。等到明年春季，我带你到望云峰去采些野茶。我亲自来炒，味道比龙井、铁观音只好不差。”

侯卫东真心赞道：“青林小学绿树成荫，就算是益杨县的一小也赶不上。”

铁柄生仰头喝了一杯，道：“其实也没有花多少钱，桂花树是青林山特产，到处都是。当年建校的时候，许多村民都送来了桂花树，这全校的绿化没有花一分钱。现在青林山上的绿化，莫说益杨县的小学，就是全沙州市也是数一数二的。只是上青林山交通不便，没有谁愿意到山上来教书，来了的也不安心，一心想走，如今留下来的都是上青林乡的本土子弟。”

说到这，铁柄生叹息一声：“我家丫头成绩还不错，考上了全县最好的益杨一中，可是她的英语不行。数理化我都可以辅导，唯有这英语，我一点办法也没有，这青林的老师没有一个把ABC读得清楚。”

侯卫东一下就明白了铁柄生请他吃饭的原因，他对铁柄生极有好感，主动道：“我的英语成绩还不错。若铁校长不嫌弃，我暑假期间给你女儿补习英语。”

铁柄生见侯卫东很快就领会了自己的意图，还主动地说了出来，感激道：“那太谢谢侯老师了。我和孩子妈这一辈子就差不多了，唯一希望就在瑞青这孩子，瑞青一定要走出大山，不要在这穷窝窝受苦。”

陈大姐在一旁道：“侯兄弟，你白天上班，补课就只有安排在晚上。每天晚上你到家里来吃晚饭，吃完晚饭就开始补课，你看好不好？”

侯卫东摆了摆手，道：“还吃什么晚饭，若没有事情耽误，晚上7点到8点钟，我过来给铁瑞青补习。另外，学英语要有工具，一是英汉词典；二是录音机。这是必备品，山上没有学习英语的语言环境，必须多听、多读才行，这是学习英语的最好办法。”

铁柄生安排道：“孩子妈，听到没有，明天你就到益杨县城去一趟，把英汉大词典和录音机买回来。”

侯卫东道：“英语带子只需要买几盘与教材同步的磁带就行了。”

两人你来我往，竟将一瓶益杨大曲喝干了。侯卫东脑袋有些轻微地发昏，回到了小院，在办公室坐了一会儿，就回到小屋睡觉。

勇敢的名声

醒来之时，已是晚上7点多钟。夕阳挂在了山峰之上，天边极为绚烂多彩。

在走廊上站着欣赏了一会儿太阳落山的美景，侯卫东想起底楼还没有关门。来到底楼，打开电灯，将办公室和会议室扫了一遍。

刚刚打扫干净，就看到高长江和习昭勇从外面走了进来。两人见晚上办公室还开着灯，都觉得意外。高长江进了办公室，对侯卫东道：“今天早上的案子破得精彩，派出所从窝点中居然发现了毒品。县里管政法的副县长和公安局长都到了青林，顺藤摸瓜，将流窜到沙州的一个贩毒团伙打掉了。”

侯卫东没有想到竟然破获了一个流窜作案的毒品团伙，既惊奇又高兴，道：“其余几个人抓住没有？”

习昭勇一脸兴奋，道：“抓住了三个人，还有两人的名字、住址也弄清楚了，应该跑不掉。这是一伙从江苏流窜过来的吸毒人员，他们以贩养吸，被江苏警方追得紧了，跟着团伙的一名成员远远地躲到青林来。没有料到，在阴沟里翻了船，被我们青林派出所抓住了。”

“这次派出所立了功，为地方除了一害。若是这一群人不落网，会毒害不少青林年轻人。”高长江高兴地道，“今天晚上到我家里吃饭，老婆子手艺还可以，喝点小酒，庆祝庆祝。”

高长江、习昭勇和侯卫东都上了楼。这时候，侯卫东才知道习昭勇也在楼里，高长江和侯卫东住在一楼，习昭勇住在三楼。

进了高长江的家里，立刻感到与铁柄生家不同的风格。铁柄生家一尘不染，家具摆得极有规矩，而高长江家里要凌乱得多。桌子上放着一块玻璃，下面压着些照片，里面有一些军人的照片，也有青林革委会的合影，很有历史沧桑感。

刘阿姨端上来的第一道菜是香飘八方的蒜苗回锅肉，上了几样菜以后，又端上来一盆清色的酒。侯卫东看着这个盆子至少能装两斤，吃惊地道："我们三人喝这么多？"

高长江呵呵笑道："在基层工作，不喝酒怎么行？今天侯大学很勇敢，表现得不错，我们三人好好喝一杯。"他倒上一大杯，又道，"这是我花了一百多块钱泡的药酒，祖传的方子，吃了不上头。侯卫东到了上青林乡，我还没有给他接风，今天算是接风酒了。"

话说到这个地步，看着粗壮的上青林酒杯，侯卫东也只能硬着头皮接招。

这一番斗酒，当以风卷残云来形容。高长江五十多岁的人，酒量仍然不逊于习昭勇和侯卫东。一盆酒喝完，又倒了半盆。这半盆喝完，侯卫东回到自己的小屋之时，只嫌走廊太窄。

回到屋里，他找来一叠信纸，开了一个头："亲爱的小佳"，就无论如何也写不下去了。虽然到了青林山只有两天，可是对于侯卫东来说，踏入社会的脚步走起来却是这样艰难。他写了无数个"亲爱的小佳"，千言万语，笔尖根本无法表达出来。

第二天，醒来已是烈日当空。

侯卫东一看时间，已是8点40，他慌慌张张地跑到楼下，将办公室打开，又提着办公室的水瓶到了后院。池铭和一个胖女人正在喝稀饭，胖女人看见侯卫东进来，就道："开水正在烧，你等一会儿。"

"这是田秀影，买饭票就找她。"趁着侯卫东拿碗之时，池铭悄悄地道。

田秀影人如其名，脸圆圆的，就如隶书中的"田"字。皮肤黑黑的，眼角往上横，脸色中带着一种狠巴巴的味道。她手里拿着一个大馒头，一边吃一边道："小侯，我是党政办的，以后买饭票就来找我。"

池铭前天说过，青林山工作组的成员，要么是年纪大的，这不用说，是指高长江；要么是管不了事的，可能是指田福深、池铭、杨新春这一类人；还有一类不听话的，按侯卫东的直觉，可能是指李勇和田秀影这一类。

守在大铁锅边，侯卫东看着大铁锅里的开水一点一点开始冒泡，暗道："以后要避着些田秀影，此人面相不善，不能当朋友。"

打了开水，把院子里的卫生打扫了一番，侯卫东把《岭西日报》取下来研究。过了一会儿，几个满头大汗的陌生男女走进了办公室，从他们皮肤及气质，侯卫东就断定是镇政府的人。

一名肚子凸起的胖子朝办公室看了看，走到门外，扯起嗓子喊道："高长江，下来喝酒！"楼上传来了高长江声调极高的声音："晁胖子，喊啥子，下来了！"

晁胖子将电扇扭到最大，然后站在吊扇下面，一副很是享受的模样，另外几个人都围在他的身旁，一起享受着吊扇的凉风。

侯卫东听到一声晁胖子，想起了分管政法和社会治安综合治理的副镇长姓晁。他在上青林山上待了三天，还是第一次见到真正的镇领导，起身倒了一杯水，道："晁镇长，请喝水。"

晁胖子接过茶杯，喝了一口，然后放在一边，问道："你是新分来的大学生？"

"我是侯卫东。"

晁胖子站在吊扇下面，摇头晃脑地道："不错，小伙子不错。"

高长江走了进来，他穿了一条短裤，脚上是一条老式凉鞋，进来就笑道："晁胖子，爬山可以减肥，只要每周上山两次，一定能减肥成功，何必去吃减肥茶，没有用的。"

"把李勇和独石村的秦书记、江主任叫过来。"晁镇长吩咐了随行的李辉一句，又对高长江道："得到准确消息，独石村有一个大肚皮，郭铁匠家里的。他是有名的蛮子，不好弄，要让习昭勇、田大刀一起去，还有驻村干部李勇、新来的侯卫东，都要跟着去。"

高长江道："郭蛮子想孙子都快发疯了，我们这样去，按照他的脾气，恐怕要出事。"

晁镇长沉着脸，道："上青林的超生户都看着郭蛮子，不把郭蛮子拿下，以后计生工作没有办法开展。我就不相信，他这个蛮子能够抗拒人民专政的力量。"

侯卫东是学政法的，他觉得分管政法的晁镇长说话还停留在80年代。但是他一个新毛头，根本没有插话的资格。

高长江对郭蛮子的脾气很熟悉，道：“郭蛮子情况特殊，能不能软一点？”

晁镇长低声道：“全年镇里超生太多，已经被全县点名了。郭蛮子真要生，到外地去躲，我们抓不住，自然就没有办法，罚点钱了事。但是现在他媳妇明目张胆地住在村里，我们若是不处理，上青林的计划生育工作就没有办法开展了。”

高长江想起郭蛮子家里的穷样，直摇头。

过了好一会儿，还没有见到习昭勇下楼，晁胖子骂骂咧咧地道：“习昭勇是打过越战的退伍军人，难道还怕郭蛮子？”

说曹操，曹操到，话音刚落，习昭勇就穿着一双拖鞋走了进来。他进来后就坐在侯卫东身旁，道：“啥子事？”一旁的计生办黄正兵把烟散起，笑道：“郭蛮子的二媳妇又怀起了，我们准备让她到政府接受处理。”

习昭勇硬邦邦地道：“局里有规定，派出所不能乱出警。这些事情是政府的事情，我们不管。”派出所并不属于镇政府的下属部门，而是公安局的派出机构，工资关系和人事关系都在局里。所以，派出所的民警具有相当强的独立性，只是派出所需要地方协助的事情很多，有些经费需要地方解决，因此地方政府和派出所的关系相互依靠，相互制约。

晁胖子见习昭勇搬出了条条款款，面子上挂不住了，道：“又没有让你去打人！我们担心郭蛮子动粗，妨碍公务。按照治安管理处罚条例，这总是派出所的事情。”

习昭勇跷起二郎腿，瘦削的脸上没有笑容，道：“青林派出所有规定，出警必须要秦所长同意。现在秦所长没有表态，我怎么敢乱出警。计划生育是基本国策，但是公安纪律也很严格，我这身皮想多穿几年。”

计生办黄正兵见两人越说越对立，给高长江递了一个眼色，道：“习公安，出来一下，我有一件事情问你。”

习昭勇跟着黄正兵出去了，剩下晁胖子抚着肚子生闷气。不知黄正兵跟习昭勇说一些什么，两人回来的时候，黄正兵道：“各位，今天郭蛮子的媳妇正好在家里，我们赶紧去，若她走了，就麻烦了。”

计划生育是基本国策！

这句口号响遍全国，侯卫东虽然初出校门，但是也对这句口号烂熟于心。从理论上，侯卫东坚决支持计划生育，可是当他们来到了郭蛮子家，出其不意地将郭蛮子及儿媳妇堵在家里，郭蛮子的神情又让他内心充满了同情。

“谁敢进来，我就砍死谁！”郭蛮子提着柴刀，站在院子里死死地把门守住。他名为蛮子，其实身材并不高大，乱蓬蓬的头发下有一双凶狠的眼睛。这双眼睛发着寒光，就如被猎人包围的野兽。

一个穿着黄色T恤的高大汉子上前劝道：“郭蛮子，把刀子放下，计划生育是大政策，谁都不能违反，你这样做要吃亏的。”

郭蛮子提着锋利的柴刀，道：“秦大江，我家的情况你是知道的，不生儿子，郭家就绝种了，祖宗们会在地下骂我。”

独石村村支书秦大江平时和郭蛮子关系还不错，耐心地劝道：“今天晁镇长和计生办的人都来了，肯定要把幺妹子带走。你家老三还没有结婚，完全有可能生男孩，怎么就说郭家绝种了？你在这里出了事，以后在牢里头，想抱孙子都不得行。”

郭蛮子脸上有瞬间的犹豫，但是他很快就坚定了下来，吼道：“我大儿在广东，他没有回来，谁都不能将幺妹子带走。要进屋，从我身上踩过去。”

幺妹子躲在猪圈里，用柴火把自己遮住。听见公公的吼声，又是怕，又是慌，咬着牙不敢出声。

晁胖子见秦大江和村委会主任江上山做了半天工作，而郭蛮子却找了千般理由，死活不让开，火气往上冲，道：“郭蛮子，给你说了这么久道理，你都听不进去，我们只有硬来了。你是郭蛮子，我是晁蛮子，今天就看哪个更蛮。”

正在这时，门外传来了喊叫声，一个十六七岁的少年和一个五十来岁的农村妇女急匆匆地跑了进来。少年手里提着一根扁担，冲到院子里，狂吼：“谁敢上来，老子砍死他！”

晁胖子大怒，道：“还反了天！”

青涩少年是郭家老三，他年龄小，体格却比郭蛮子强壮得多，提着扁担就向晁胖子打过去。晁胖子对他很警惕，见他动手，慌忙向后退，扁担带着风声，“啪”地打在了晁胖子手臂上。晁胖子“哎哟”一声，向院外跑去。

秦大江见郭老三冲进来就动手，连忙冲上去，从身后将郭老三紧紧抱住。他是石匠出身，有着一身蛮力，郭老三手臂被他抱住，丝毫动弹不得，吼道："秦叔叔，放开我，打死这些狗日的！"

郭蛮子挥着柴刀，凶狠地叫喊着，却被他老婆死死抱住。江上山在一旁急得直跺脚，结结巴巴地道："郭、郭队长，要，不得，要，不得。"

习昭勇已将手铐取了出来，对侯卫东道："夺刀，你管左手，我管右手。"侯卫东紧张地点了点头，心跳得"嘣嘣"直响，趁着院子里一片混乱，没有人注意他，和习昭勇一左一右向郭蛮子身侧挪了过去。

"上！"习昭勇喊了一声，猛地向上扑了过去。

侯卫东双手紧紧扭住了郭蛮子的左手。郭蛮子一甩手，差点将侯卫东双手甩开。侯卫东曾在田径队和散打队训练了几年，手上力道也不小。较量了两三个回合，郭蛮子的手臂被他扭住了。

习昭勇也握住了郭蛮子的右手，他腿往前一靠，绊住了郭蛮子的腿，一使劲，将郭蛮子扑倒在地。这一招是习昭勇在侦察部队时所学的擒敌术，简单实用。

郭蛮子被习昭勇和侯卫东按在地上，拼命地挣扎。习昭勇利索地给郭蛮子套上了手铐，而且是上的反铐。

双手被铐上以后，习昭勇和侯卫东就放开了郭蛮子。郭蛮子的老婆将他拉起来，郭蛮子背着手铐，跳起脚骂道："你们这些龟儿子，以后生了娃儿没有屁眼，日死你妈哟！"

在猪圈里的幺妹子听见外面的打闹声和叫骂声，她低头看着自己微微鼓起来的肚皮，几颗眼泪掉了下来。她站起身，来到猪圈的窗户边，看到郭蛮子被手铐铐住了，秦大江又把郭老三抱住，知道这一关过不去了。她"哇"地哭出声来，向门外走了出去。

看到幺妹子站在门口，站在一旁的黄正兵和段洪秀连忙上前。黄正兵黑着脸道："我是青林镇计生办的，幺妹子，跟我们到计生办去。"幺妹子哭道："可不可以把孩子留下来？我们找钱来交。"

黄正兵拒绝道："我们搞计划生育又不是为了收钱。"段洪秀在一旁劝道："幺妹子，没得关系，又不痛。"

郭蛮子看到幺妹子从屋里出来，一屁股坐在了地上，"呜呜"地哭了起来："娃儿妈，把老三拉到屋头去。"他又对老三哭吼道，"郭家勇，回屋头去！"

等到局面控制了下来，晁胖子这才从院子外面走进来。他手臂上有一条红肿的扁担印子，对郭蛮子道："郭队长，你也不要怪我。这都是政策，我们吃这碗饭，没有屁眼法。以后等老三媳妇怀上娃儿的时候，计生办带她去检查，是男的就留下来，是女的提前打掉。"

郭蛮子昂着头，道："姓晁的，爬开，日死你妈！"晁胖子也没有生气，道："希望你理解，这不是针对你们一家人，全镇都是这么搞的。"

一行人带着幺妹子就朝山下走去，郭蛮子老婆跟在幺妹子身边。

到了上青林场镇，晁胖子道："侯卫东，习昭勇，一起下山，山下还有事情。"

晁胖子发话，侯卫东当然只有执行。

习昭勇不太买账，道："我家里有事，请个假。"晁胖子半开玩笑半认真地道："习公安，硬是请不动你。若是赵书记叫你，或者是江局长到了，恐怕你10分钟就下山了。"

习昭勇皮笑肉不笑地道："那是当然，若是沙州公安局长来了，我就从青林山上跳下去，一分钟就到了派出所。"

晁胖子心中恼怒，可是派出所只听赵永胜的话，连镇长秦飞跃的面子也时常敢扫。他作为分管政法的副镇长，更是对这些脸皮厚、嘴巴油、路子野、有小权的民警无可奈何。

除了派出所习昭勇，一行人就往山下走。攻克了难关，完成了工作任务，计生办的黄正兵、李辉、段洪秀等人神情就轻松了下来，特别是李辉，毫无顾忌地讲起了荤段子。

看着神情悲伤的幺妹子和郭蛮子老婆，侯卫东心中很是不忍。他明白计划生育是国家的基本政策，也明白全国人口呈爆炸式增长，放任大家敞开肚子生，国家必然无法承受这么多的人口，他暗道："当初若早听马寅初先生的忠告，也就不会酿成如此严重的后果。"

可是作为当事人，他们想要儿子的愿望，合情理，合人性，让人深为同情。大家与小家，整体与个人，如此尖锐冲突，而矛盾的焦点集中在乡镇干部身上，侯卫东有了切身感受，暗道："乡镇干部还真是不好当。"

顺着山道，很快就下了山，侯卫东等人跟着晁胖子等人走进了青林镇政府。站在政府大院，晁胖子让段洪秀将幺妹子带到了计生办的办公室，然后对大家道："今天辛苦了，中午到何家馆子吃饭。"

青林镇大院子和上青林乡的院子截然不同。上青林院子冷冷清清，一天难得见到几个人，而青林镇政府车来人往，人气十足。

黄正兵和李辉带着幺妹子到了计生办，大家匆匆散去，各归各位。侯卫东一个人站在青林镇大院，没有人招呼，他在心里抱怨了一句："晁胖子是什么意思？让我下山，又把我一个人丢在这里。"

书记的心思不好猜

侯卫东站在青林政府大院里。他到工作组上班三天，已经知道工作组不过是一个临时机构。工作组里的所有人，都分别属于青林镇政府的某一个部门，只是自己是一个例外。目前为止，他不知道自己属于哪一个部门。

此时才10点30分，距离吃午饭还有一个多小时。侯卫东在镇政府里和党政办的人最熟悉，便进了党政办公室。办公室里有四个人聚在一起说笑着，杨凤的桌子上放着一堆瓜子，她一边朝桌上吐着瓜子壳，一边听旁边的人说笑。她看到侯卫东走了进来，有些夸张地道："侯大学来了，稀客。"

这些人都知道又分来一个大学生，但是报到之后直接就上了青林山，现在才第一次见到真面目。

"侯大学，听说你抓到了一个棒儿客，没有想到大学生还这么勇敢。有些大学生，自以为能干，大事做不了，小事又不做。"杨凤不知和谁怄气，说话就含沙射影。

侯卫东对杨凤的性格有一个基本的了解，杨凤是一个典型女子。所谓典型女子，有三个特征，第一是爱讲小话，包括刨根问底查户口、义务介绍他人隐私；第二是喜欢吃零食，侯卫东见过杨凤三次，每一次她的嘴巴都没有闲着；第三是能撒娇，杨凤的这一个特点还不明显，或许是场合不对的原因。

办公室的其他人都知道杨凤说的是谁，他们开始打量起这位被分到了工作组的大学生。有些人眼神中就露出幸灾乐祸的神情。杨凤噼里啪啦地把众人介绍给侯卫东。侯卫东默记了这些人的姓名、部门及职务。

11点40多，唐树刚也走进了办公室，他看到侯卫东坐在办公室里，道："青林山的上山酒醉倒了太多英雄好汉。侯大学酒量大大的好，把习昭勇和白春城都喝翻了。"

侯卫东拍了拍头，道："我和白春城喝了很多吗？那天的事情我记不起了。"

要下班时，唐树刚和杨凤等人约着到外面馆子吃饭。侯卫东则在办公室等着计生办的人。

12点，透过窗户，见陆续有人出了院子。侯卫东在党政办公室坐立不安，心道："早知道这样，我就和习昭勇一样，懒得下山。"

一个中年人走进了办公室，他中等个子，有着一头漂亮的自来卷，皮鞋发亮，腰间皮带很是精致，他看了一眼侯卫东，道："唐树刚走了吗？"

来人直呼唐树刚的名字，侯卫东不用猜都知道他是镇里面的头头，道："唐树刚刚刚出去。"来人瞥了侯卫东一眼，道："你是谁？"

听了侯卫东介绍，中年人脸上浮现了一丝笑脸，道："我是秦飞跃，今天上午的事情我听晁镇长说了，这个典型抓得好。中午我和计生办一起吃饭，你也一起去。"秦飞跃说完就出了办公室，向大门走去。

侯卫东得知面前之人是秦镇长，他急忙把报纸放上报夹，又把党政办大门关上。走到党政办门口，迎面又走过来一人，侯卫东连忙道："赵书记好。"赵永胜愣了愣神，似乎一下子没有想起侯卫东是谁。侯卫东连忙道："我是侯卫东，已经在上青林住下了，正在熟悉工作，准备向赵书记汇报思想。"

赵永胜这才点头道："听高长江说，你适应能力很强，很守纪律，懂得规矩。在上青林这一段时间，你要多跟高长江学学，抽空到各村去跑跑，熟悉基层情况。"他又笑道，"你中午在哪里吃饭？"

侯卫东透过窗户见秦飞跃已经走出大院门口，对赵永胜道："今天上午我和晁镇长一起到独石村抓了大肚皮，中午晁镇长让我到何家馆子吃饭。"

赵永胜原本是笑嘻嘻的，不知不觉中却阴沉了下来，淡淡地道："你去吧。"转身出了党政办。

侯卫东见他态度变得快，弄得有些莫名其妙。等赵永胜上了楼，他加快脚步，追到了秦飞跃，惴惴不安地跟着他来到了何家馆子。黄正兵站在门口等着，看到秦飞跃来了，笑着道："秦镇长，里面请。"又对侯卫东道："我还以为你不来了。"

不一会儿，便围了满满一桌子，秦钢坐在了秦飞跃身边。晁胖子声如洪钟地道："请秦镇长给大家讲两句。"

秦飞跃清了清嗓子，道："郭蛮子的媳妇怀了二胎，如果我们处理不下来，以后上青林的计划生育工作就肯定要乱套。所以今天到独石村的所有人都立了功，特别是计生办，及时发现幺妹子的情况，又精心组织，这才圆满完成了任务。今天大家痛快地喝一杯，给大家放半天假。"

听说放假，满桌都喜笑颜开。

秦飞跃又道："郭蛮子当过生产队长，能力是有的，功劳也有，就是脾气倔。如果没有派出所的协助，这事还真不好办，我首先代表政府，敬派出所一杯。

"小李，给秦所长倒大杯子。"

秦飞跃举着大酒杯，对派出所秦钢道："青林有句俗话，感情深，一口闷，感情浅，舔一舔，我先喝。"他极为豪爽地将大杯酒喝了。

秦钢是从公安局下来的人，与书记赵永胜关系挺密切，与镇长秦飞跃关系一般。今天秦飞跃大杯喝酒，就是有意想和秦钢把关系搞好。

秦钢面部表情仍然很严肃，他虽然不愿意中午喝酒，可是镇长的面子还是要给的，举起酒杯，一口干了。

秦飞跃开始发动群众，道："晁镇长，你分管政法，法庭、司法所、派出所，都归你这口，秦所长在这里，你要好好敬一杯。"

晁镇长胳膊上还有一条红肿的扁担印子，他举起酒杯，道："今天幸亏习昭勇在场，要不然，说不定会出什么事情，秦所长，晁胖子敬你一杯。"

秦所长用左手捂着酒杯，道："今天下午还要到局里开会，不能再喝了。"

晁镇长举着酒杯道："这杯酒无论如何都要喝，秦所长酒量我清楚，喝两杯酒没有问题。"

两人争来辩去，秦钢还是不喝。晁胖子挂不住了，道："我先干为敬。"说完，一口气将酒喝了。

秦飞跃见气氛有些尴尬，就和稀泥，道："秦所长要到局里开会，酒就算了，秦所长的酒就由小侯代喝，如何？"

秦钢摆了摆手，道："这杯酒我和晁镇长喝，事先声明，这是最后一杯。"

喝了这一杯，派出所秦钢就离开了。听到门外吉普车的发动声音，晁胖子忍不住道："秦钢是个屁眼虫，眼中只有那个姓赵的。"他这一句话把秦飞跃也带了进去，秦飞跃看到桌子上还有些办事员，道："晁镇长，喝酒，别说废话。独石村这事办得好，我们碰一杯。"

回想起刚才赵永胜的神情，侯卫东暗道："看样子，青林镇两个一把手不太团结。"得出这个结论，再细细地品味着刚才赵永胜的神情，心里有些懊恼："看来赵书记对我是有看法了，以后应该怎么办？"

喝过这一顿滋味复杂的酒，出门之时，黄正兵将侯卫东拉到了一边，道："侯卫东，刚才我跟秦镇长说了，想把你调到计生办。计生办虽然工作辛苦，但是待遇还是不错，不知你愿不愿意？"

侯卫东心中一喜，如果能调离上青林山，那当然是一件好事，道："黄主任，我愿意到计生办来。到了计生办我一定会努力工作，不会给黄主任丢脸。"

这一次黄正兵到独石村办事，听说新来的大学生很勇敢，一马当先冲上去将棒儿客扑倒在地。因此，他到独石村处理郭疯子的时候，强烈建议晁镇长挑选侯卫东参加行动。侯卫东果然不负众望，再次勇敢地冲了上去，与习昭勇一起将郭蛮子按住了。下山之时，黄正兵暗自后怕：如果没有他们两人，说不定会出现什么事情。

计生办经常会遇到这种暴力事件，计生办李辉要点嘴皮子还是可以，可是遇到了这种狭路相逢勇者胜的情况，他就靠不住了。段洪秀是女同志，是做技术工作的，本身属于保护对象，无法冲锋陷阵。缺兵少将的黄正兵就看上了侯卫东。

计生办是镇政府的重要部门，也是重要财源之一。掌管镇里财政大权的秦飞跃对计生办相当重视，一口同意了黄正兵的请求。

得知调动消息，侯卫东心中暗自高兴，努力终究没有白费，得到了丰厚的回报。回上青林乡的时候，他脚步轻快，上山沿途风景如画。他禁不住唱起了郑智化的《水手》："苦涩的沙吹痛脸庞的感觉，像父亲的责骂母亲的哭泣永远难忘记……"

回到了青林镇小院，杨新春高兴道："侯大学，邮政局把电话安好了。"对于侯卫东来说，这是一个不亚于调到政府的好消息。他快步走到杨新春身边，“哪里？”

在会议室旁边，钉了一块牌子，上面写着“青林邮政所代办点”。杨新春笑着说：“这就是专门腾出来的办公室。报纸、电话、包裹，都在这里办，信件两天往山下送一次。电话是程控电话，方便得很。”

侯卫东被爱情之火烧得头脑发热，也不问是多少电话费，道：“杨大姐，我来打一个长途。”

“沙州园管所，请问找哪一位？”小佳的声音如天籁之音，划出一道漂亮的曲线，飞进了侯卫东的心灵深处。他轻声道：“小佳，是我。”

“啊，是你，怎么这几天不给我打电话，信也不写？”侯卫东全身毛孔都敞开了，道：“这是工作组新安的程控电话，号码是XXXXXX，你记下来，随时给我打电话。守电话的人是杨大姐，她会帮我转，有时间就一定要跟我联系。”

“卫东，我想你。”小佳在电话线的另一头，声音已有些哽咽了。

“这个星期天我过来。”

小佳迟疑了一下，道：“这个星期园管所搞活动，集体去游长江，星期五出发。”

侯卫东心里顿时轻松了。青林镇还没有发工资，他只剩下七十多元，还要留生活费，来回走一趟，他实在担心钱不够花。可是松气的感觉却不能让小佳感觉出来，他用遗憾的语气道：“下个星期，如果没有其他要紧的安排，我一定到沙州来。”

“好，我等你。”小佳低声道，“卫东，我想你。”由于在办公室里，她满腹的话没有机会说出来。这时，她看到副所长走了过来，迅速挂断了电话。

侯卫东付了钱，回到办公室，情绪低落了下来。这次通话，他感到小佳没有多少激情，这种感觉无法用语言来说清楚，却如磁场一样实实在在存在。他心中就如被蚂蚁咬了一小口，坐立不安。

“肯定是办公室不方便说话。”侯卫东自我安慰道。

下午，混到了6点15分，估计园管所下班了，侯卫东跑到楼下给小佳打了电话。这一次小佳热情如火，开始撒起娇来，不准侯卫东放下电话，打到23分钟的时候，侯卫东已感到经济上的压力。在电话里吻别了十几次，小佳这才允许侯卫东放下电话。

付了电话费，侯卫东开始觉得心痛：“这怎么了得，一天就打了二十五元钱。再打几天，我就要身无分文了。”回到了简陋却干净的小屋，他取过稿纸，一口气写了五页纸，把相思之苦全部写在了纸上。

放下笔，他在屋里转了转。由于上午随着晁胖子到了独石村，就没有买菜，屋内只有米、面和鸡蛋。侯卫东在家向来饭来张口衣来伸手，此时被逼上了梁山，也只好自己动手。他打了两个鸡蛋，煮了一锅糨糊般的鸡蛋面。虽然品相不好，味道还是不错，他最终还是将鸡蛋面吃得很干净。

7点，侯卫东到了铁柄生家里。

铁柄生全家人都在等着侯卫东。他们如此郑重，反而让侯卫东显得很是汗颜，“铁校长，这个假期，只要有时间，我就过来，你们也不要专门等我。”

铁柄生快活地笑道：“侯大学，你晚上就在我们家吃饭吧。添人不过就是添一双筷子，这样方便。”侯卫东听到铁校长还叫他“侯大学”，道：“铁校长，你就不要这样喊我了，叫我小侯就行。”

铁瑞青把课本全部拿了出来，旁边还摆着一杯茶水。

“这样，你先读一遍课文。”

高中英语第一课就是卡尔·马克思的故事。这篇课文侯卫东倒背如流，听到铁瑞青的读音，侯卫东听着带有浓重益杨口音的英语，忍不住好笑。只是不愿意挫伤铁瑞青的积极性，他绷着脸没有笑出来。

“铁瑞青，你读得很熟练，看来也是用了心，只是你的音标有问题，许多单词没有读准，我先读一遍。”侯卫东也没有看课本，就将第一篇课文背了一大段。

铁柄生一直陪公主读书，当他见侯卫东居然能背得下这篇课文，脸上笑成了一朵花。他向爱人递了一个眼神，两人便轻手轻脚地出了门。

陈大姐到了门外，悄悄问铁柄生，“侯大学到底行不行？”铁柄生点点头道：“他是学政法的，没有想到还背得下英语课文，肯定不错。”

在屋里，侯卫东已放弃了轻易纠正其语音的幻想。他就拿起课本，逐个单词、逐句话地教铁瑞青读书。一个小时以后，侯卫东结束了课程，他头上已冒了一圈汗水。铁柄生脸面春风地迎了过来，手里提着一个纸包。

“我家里有两盘音标磁带，等回家的时候，给铁瑞青带过来。铁瑞青基础不好，这二十多天，我主要纠正她的语音，从基础抓起。益杨一中的老师水平还是可以，以后跟着老师走就行了。”

铁柄生不断点头，他将纸包递给侯卫东道：“这是青林的野茶，没打过药，你带回去喝。”

周末沙州行

周末，沙州市园管所组织单位职工去长江旅游。

对于侯卫东来说，这是参加工作的第一个周末。他日思夜想，满心欢喜皆成空，很是失意。

由于还没有领到第一个月的工资，他不免囊中羞涩。星期六抽空回了一趟吴海县，向母亲刘光芬借了五百元，暂时应急。

刘光芬听说了侯卫东的情况，抹着眼泪，催侯永贵去益杨找关系。侯永贵开始还应付着，被刘光芬说烦了，大声道：“打铁还得自身硬，找谁？一切靠自己，想当年，我比小三的情况还要艰苦十倍。带一把手枪，走上百公里的山路，还不是一样把偷牛贼抓了回来！”

刘光芬见老头子无动于衷，气得很。在侯卫东返回青林前，再悄悄塞给他五百元钱。

侯卫东从益杨县城回到了冷清清的上青林小院子，过了好一阵才重新适应山上的环境。这一次回吴海县，他带了一些书和一个微型收音机。虽然在电视初步普及的90年代初，收听广播有些土气，可是夜深人静的时候，躺在床上，听些暖暖的暧昧话题，或是安静地听上一段音乐，也算是对上青林生活的补充。

计生办主任黄正兵承诺将其调到计生办以后，从星期一到星期五，侯卫东天天等着调动通知。谁知调动通知就如害了不孕症的女人肚子，迟迟没有动静。侯卫东对青林镇政府陌生得很，黄正兵也只是见过一次，只有干着急，无计可施。

这一星期，侯卫东对工作组有了进一步了解。上青林乡和下青林乡合并成青林镇，多出了一些人不好安排，成立这个工作组，其实就是变相地将部分不受欢迎的人安置在上青林山上。成立工作组的动机不纯，工作组自然是一盘散沙。整个青林工作组二十多人，只有侯卫东坚持在办公室坐班。

侯卫东固执地坚持到办公室上班有两个原因：一是他家不在青林山上，与其在楼上无所事事，不如到办公室看报纸；二是他想在高长江面前留个好印象。镇政府领导很少到青林山，赵永胜和秦飞跃等领导对他的印象主要来自高长江的说法。从这个角度来说，高长江虽然退居二线，却间接影响着侯卫东的命运。

星期五下午3点，高长江午休起床，看到侯卫东还坐在办公室里，奇怪地道："侯大学，今天星期五，你不回家？"侯卫东心中正如猫抓，表面却甚为平静，道："我没有请假，怎么能够早退……"

高长江没有当领导很久了，此时得到了侯卫东的无条件尊重，心里格外熨帖，道："要回家就现在走，山下还有客车，再晚了想走都走不了。"

高长江名为工作组组长，但是工作组成员都属于各个部门，各有各的事情，各有各的科室领导。他这个组长虚有其名，只是重要活动牵个头，凭着前些年的余威，工作组成员在场面上还是很尊敬他。不过毕竟人走茶凉，每个人内心的真实想法，只有鬼才知道。目前，工作组只有新人侯卫东是真心实意地听从高长江安排，这让他对侯卫东很是满意。

高长江催促道："别磨蹭了，快走吧。"

侯卫东故作沉稳地向高长江道别，慢慢地走出了大院。等到了高长江的目光触不到的地方，他加快了脚步，走出小场镇。到了山间小道，侯卫东心情彻底放松，顺着山道一溜小跑。从山顶跑了下来，一看时间，下山居然只用了16分钟。

等了30分钟，客车才慢悠悠地开了过来。

客车为了多装客人，慢如蜗牛。侯卫东盼着见小佳，心急如焚，恨不得把司机踢到车下去。好不容易到了益杨县城，此时已是夕阳晚照，正常客车已经停班了。

益杨还有一班夜车开往沙州，这是益杨做服装生意的小老板们专用车。晚上12点出发，在客车上睡上一觉，到沙州是早上3点，稍等一会儿，沙州最大的综合批发市场就要开市。小老板们买上几包时新衣服，坐着同一班客车往回走，到了益杨县城也就是8点左右。由于有了这班客车，益杨县的流行服饰始终能跟上沙州的步伐，比周边吴海、成津几个县明显要快上几个节拍。

侯卫东就准备坐这班客车到沙州。

客车车费着实不便宜，满车人都很熟悉，互相打着招呼，开些荤素搭配的玩笑。侯卫东不是这个圈子的人，上了客车，闭上眼睛睡觉。

客车12点准时出发，在摇晃的客车上，侯卫东很快就睡着了。他做了一个梦，在梦中，他和小佳漫步在沙州学院，最后还上了无名山。正当情节渐渐进入高潮之时，客车开进了沙州市综合批发市场。

小老板们一哄而下，他们结着伴来到夜摊上，要了卤菜和啤酒，慢慢地吃喝起来。侯卫东站在夜色中，看着黑沉沉的天空和一排路灯，不知应该到何处去。他也到夜摊上要了些卤菜和啤酒，坐下来慢慢地吃喝。

早上4点，综合市场开门，小老板急急忙忙地赶去抢货，把侯卫东一个人丢在了小夜摊前。他原本打算在这里熬到天亮，可是从青林山上出发算起，在路上走了7个多小时，此时已困得不行。当早上5点钟，夜摊老板准备收摊子之时，他决定去找一家宾馆。

又坐了半个小时，夜摊老板们开始收摊了。

“没有房间了？”得到了服务员的回答，侯卫东一脸的郁闷。正准备转身离去，服务员道：“老板，不用找了，今天沙州所有的宾馆都爆满。”

侯卫东在客车上，隐隐听到什么糖酒交易会，却没有想到居然会有这么大的动静。沙州市所有的宾馆居然都被占满了，他看着黑黑的天，暗道：“天快亮了，忍忍就过了。”

离开了宾馆，侯卫东就一个人在市区里转。沙州市这几年经济发展迅猛，城市建设搞得不错。一个人走在夜色中，有明亮的路灯相伴，倒也不怕。经过街心花园之时，见花园中有一张长条椅子，就坐在那里等待天明。

在半睡半醒之间，忽然觉得有脚步声。侯卫东睁开眼，见一个十二三岁的小女孩站在身边，小女孩哆嗦地道：“叔叔，帮帮我，有坏人跟着我。”

侯卫东睡意全消，问道：“你怎么一个人在这里？”

小女孩道：“我从家里跑出来的，有几个人跟着我，叔叔救救我。”

三个乞丐模样的成年男子出现在了树林前。他们在树林外张头探脑，其中一人朝里面走。侯卫东听说过沙州丐帮的名声，没有想到今天遇上了。他不敢马虎，捡起一块半截砖，握在手中，道："你们干什么！"

进来打探的乞丐以为里面只有小女孩，被这一声吓了一跳。此时他完全没有白天在路人面前的温顺，从怀里摸出了一把刀，恶狠狠地道："滚开，别坏大爷的事！"那个小女孩躲在侯卫东身后，吓得浑身发抖。

侯卫东道："这是我妹妹，你们还想在沙州混日子，最好别在这里闹事，惹了老子，端了你们的窝子！"

乞丐多是欺软怕硬之辈，见侯卫东身体结实胆子也大，说了句："倒霉。"三名乞丐很快就消失在黑暗之中。

等到三名乞丐走了，侯卫东暗自惊出了一身汗水，他见女孩子惊魂未定，问道："你读几年级了，怎么一个人在外面？和家里人吵架了？"

女孩子眼神中带着些惧怕，想是仍然没有从刚才的事件中清醒过来，哆嗦着道："我读小学六年级。"又很倔强地道："我不回家，妈妈不对。"

"现在的小孩，被惯成了什么样子。"侯卫东大致明白了是怎么一回事，道："妈妈不对，回去以后批评她，你爸爸在哪里？"

小女孩摇头道："爸爸不在家。"

"外面坏人多，若是刚才叔叔不在，就要被那几个坏人带到很远的地方卖掉，再也见不到爸爸妈妈了，你怕不怕？"

小女孩抓住侯卫东的衣角，道："叔叔带我去给家里打电话。"

两人来到了沙州市综合农贸市场，在一个小烟摊前看到了一个公用电话。小女孩拨通电话，喊了一声："妈。"也不知电话那一头说了些什么，小女孩脸上显出高兴的表情，扭头问侯卫东道："叔叔，这是哪里？"

"沙州综合批发市场。"

打完电话，侯卫东买了一包云烟和一包饼干，和小女孩坐在烟摊前的长木凳前。沙州综合批发市场人来人往，还有两个保卫模样的男子，也就不必担心安全。小女孩吃着饼干，渐渐地平静了下来。

她看到侯卫东在抽烟，就递了一块饼干过去，道："叔叔，你吃一块，很好吃。"这是普通的饼干，从包装就可以看出味道不怎么样，小女孩却吃得津津有味，想必是真饿了。

过了一会儿，一辆普桑开进了综合市场。一男一女从车上冲了下来，他们一眼就看到了坐在烟摊边吃饼干的女儿。女的一把抱住了小女孩，道："粟糖儿，妈妈答应给你买钢琴。"

那男的看见小女孩，明显松了一口气。

那女的提心吊胆过了一个晚上，见宝贝女儿完好无损，终于可以放心了。她抹着眼泪道："粟糖儿，以后无论遇到什么事情，都不准离家出走。"

那男子眉头紧锁，生气地道："这还不是你宠的。"他走到公用电话旁，准备付电话费。

公用电话的老板指了指侯卫东，"他已经付了。"

男子看了侯卫东一眼，心里保持着一丝警惕，取出十块钱递了过去，道："这是电话钱和饼干钱，谢谢。"

侯卫东摇了摇头，道："小事一桩。"

小女孩挣开妈妈的手，来到侯卫东的身边，道："叔叔，你叫什么名字？"

侯卫东转过身，低头道："小妹妹，以后要听大人的话，不要一个人乱跑。外面有好人，也有很多坏人。"

女的看出些蹊跷，正欲说话，男子用眼神制止了她。

侯卫东步行了一个多小时，终于来到了沙州公园的门口。这时，天渐渐亮了。

经过这一夜折腾，侯卫东感到身心俱疲，坐在公园门口的木椅上，享受着夏日清晨的凉风，不知不觉就睡着了。在睡梦中，他梦到了青林小学校的桂花树，还有铁柄生家里香喷喷的红烧鲢鱼。

正在梦中吃鱼，忽然天地一阵摇晃。侯卫东眼看着红烧鱼在梦中消失，正在恼火之时，抬头看到一身红衣在眼中闪耀。

小佳看见侯卫东坐在木椅子睡着了，口水顺着嘴角流到了胸口。她既心疼又好笑，将侯卫东摇醒以后，取过纸巾将他的口水擦干净，又将一个酱肉小包子塞进了侯卫东的嘴里。

两人千言万语，见面之时却不知从何说起。

走到公园大门，侯卫东准备买票。小佳拉了拉他的手，道："不用买票。"果然，公园守门的中年人热情地招呼道："张小佳，今天怎么有空到公园来检查工作？"

张小佳抿嘴笑道："老何，今天休息，我来耍。"

老何看见张小佳胳膊挽着一个年轻人，开玩笑道："张小佳，男朋友长得好帅，在哪里上班？"

听到有人夸奖侯卫东，小佳心头一阵甜蜜，介绍道："这是我男朋友侯卫东，在益杨工作。"

老何愣了愣，随即又笑道："在益杨工作？你们两人是同学？"

沙州人对益杨等县有发自内心深处的轻视。老何眼中稍纵即逝的惊疑和不解，被侯卫东敏锐地感觉到了，心道："不过是守门人而已，十年之后还是守门人。我会当多大的官，谁又能说得清楚。"

沙州公园曾经是岭西省颇有名气的公园，这些年由于投入减少，渐渐衰落了。可是作为老公园，它的底气还是很足，公园有许多几十年树龄的老树，很有历史感。

走了这一段路，两人初次见面的陌生感这才消除了。小佳鼻尖微微有些出汗，紧紧靠着侯卫东，不停地讲着工作以后的各方面情况。侯卫东看着左右无人，搂着小佳的腰，隔着薄薄的裙子，手掌能感到小佳腰间肌肤的细腻和热度。

两人在沙州学院相恋三年多，大部分时间都是在躲躲藏藏中度过，对于寻找合适地形谈情说爱十分在行。走了一段，他们找到了一处合适的约会地点。

这种约会地点必须满足两个条件，一是当事人的视线必须开阔，这是前提条件，不能及时明了准确地发现来人，藏得再好也很被动；二是后背一片最好是围墙、山岩、建筑物等阻碍物，这样就不会有人从背后出现。只要满足了这两个条件，就可以放心亲热。

侯卫东和小佳紧紧地抱在了一起，小佳主动亲吻。侯卫东躲了躲，尴尬地道："晚上和早上都没有刷牙。"

小佳闻言停止进攻，使劲掐了侯卫东一把，道："讨厌，为什么在旅馆里不刷牙？"

"沙州开糖酒交易会，所有旅馆都住满了。"

"你昨天晚上在什么地方睡觉的？"

"我在外面坐了一夜。"

小佳眼睛湿润了，关切地问道："你困不困？困就靠在我身上睡一会儿。"

"这个时候睡觉，真是暴殄天物了。"

"你坏。"小佳掐了侯卫东一把。

拥抱了一会儿，小佳转过身，靠着侯卫东。这是两人在沙州学院里熟悉的姿势，侯卫东双手从小佳衬衫里伸进去，将其乳罩解开，抚摸着挺立的双峰。

鸳梦再温，两人格外激动，只是在光天化日之下，尽量地克制着自己，侯卫东最终还是在小佳手上一泄如注。

小佳将手擦干净，两人开始谈起了工作上的事情。

"在青林山上，你与书记和镇长离得这么远，无论做得多么好，他们都不知道，干了也等于白干。我认为还是要想办法回到青林镇政府去。"

"计生办黄主任有意将我调到计生办去，秦飞跃镇长已经同意了，应该没有多大问题。"

侯卫东见张小佳头发边缘微微有些卷曲，用手摸了摸，道："头发烫过。"

"好看吗？"

"我觉得还是以前的直发好看一些。"

"你不懂，现在沙州市最流行这种小卷发。"

"在青林山，我抬头望明月，低头看大婶，流行已经离我很远了。"

"我爸妈这一段时间没有过问我的事情，但是他们应该清楚我们还在交往，时不时敲打我，还规定晚上必须9点钟回去。"说起这事，小佳脸上一片黯淡。

侯卫东想起陈庆蓉难看的脸色，暗中叹息一声，表情却很是坚定，道："你要相信我，我一定会做出成绩，让你爸爸和妈妈相信我。"他心里沉重，却故作轻松地道："胡汉三肯定会杀回沙州的，我们都要有信心。"

看着侯卫东坚毅的神情，小佳心里坚定了许多，毕业这段时间，每到夜深人静的时候，她对两人能否最后走到一起也有焦虑。沙州和益杨确实是一道难以逾越的鸿沟，比王母娘娘制造的天河还要宽阔。

在公园里坐到下午2点，侯卫东和小佳才出去吃了午饭，随后四处寻找旅馆。就如昨夜的旅馆服务员所说，沙州所有宾馆、旅店都人满为患。小佳想起交游广阔的同事谢大姐，给她打了一个电话。

谢大姐爽朗地道："没有问题，我弟弟房子空着，借给你们俩过夫妻生活。”

小佳红着脸道：“谢大姐别开我玩笑，旅馆确实爆满了。”

挂了电话，小佳既高兴又羞涩，道：“晚上的住处解决了，谢大姐的弟弟有一套空房子，今天暂时借给你住。”

侯卫东自然闻弦歌而知雅意，道：“赶紧去拿钥匙。”

小佳抿嘴羞笑道：“你别这么急吼吼的。”

这是一套颇为清爽的住户，里面设施很全。除了冰箱、电视等日常家用电器以外，还有并不多见的空调，这让侯卫东和小佳很满意。

将防盗门反锁，侯卫东将小佳紧紧地抱在了怀里。在窗式空调的嗡嗡声中，房间里的温度慢慢地降了下来，两个年轻人的热情却“嗖嗖”地上升着。

小佳站在房间中央，微闭着眼睛，听凭侯卫东一件又一件地解掉身上的衣服。

两人恋爱多年，除了没有真正的性爱以外，也算是亲密无间。可是他们的亲密行动都是在野外进行的，侯卫东是第一次在安全环境之下看到小佳的身体，他如欣赏艺术品一样，凝视着小佳的身体。

侯卫东欣赏了一会儿，用手指轻轻碰了碰蓓蕾的顶部。他动作如此轻柔，就如面对着一位刚刚初生的婴儿，害怕动作一大就会弄疼婴儿吹弹可破的肌肤。

“卫东，我爱你，永远。”

“小佳，我爱你，永远。”

侯卫东脱掉了自己的衣服。年轻的身体看上去很是健康，肌肉结实，没有一丝赘肉。肩膀到腰间形成了一个漂亮的倒三角，倒三角的底端则是充满活力的小兄弟。小佳目光中有一些迷离，手指在腹间的八块肌肉间划过。她的手指让侯卫东一阵痉挛。侯卫东雄性的力量瞬间爆发，他一把将小佳抱了起来，直接放到床上，喘着气道：“没有安全套。”

“不用安全套，我在安全期，别怕。”

当侯卫东进入之时，小佳紧紧抓住了侯卫东的手臂，神情紧张。在侯卫东连续冲击之下，她终于全身心地放开了自己。

晚上8点，两人已连续做了三次，体力消耗巨大，侯卫东饿得前胸贴着后背了。两人都舍不得短暂的幸福时光，抱在一起讲着情话。

眼见着到了9点，小佳很不舍地道："卫东，今天我给家里说是单位要加班，这才能请假出来。若是9点以前到不了家，家里肯定又要起风波。"

侯卫东亲了亲小佳平坦而柔软的小腹，道："走吧，我们要从长计议，不要激怒了父母。"

第三章
无意中抓住救命稻草

三年之约

将小佳送到了大楼下面，几位居委会老太太仍然忠于职责，目光锐利地守在小卖部前。两人沉浸在甜蜜的爱情中，根本无视这些居委会大娘的威力。

“明天，我等你。”侯卫东握着小佳的手，站在灯光的阴影中，充满着柔情蜜意。小佳吻了侯卫东，道：“我争取早些出来。”她担心父母责怪，分手以后，匆匆上楼。

到了家门口，小佳想着父母难看的脸色，暗道：“为什么自己的婚姻就非得受到父母阻挠，让相爱的人如做贼一样？难怪巴金要写《家》、《春》、《秋》，封建思想真是害死人。”

侯卫东回到房内倒头就睡，这一夜他睡得极香。第二天醒来之时，已是上午10点钟。

起了床，侯卫东坐在沙发上看电视。这是别人的房子，他不太好意思长时间把空调开着。他找来一把电扇，一边吹风，一边看电视，等着小佳如天籁般的敲门声。可是，小佳的敲门声始终没有响起来。心急火燎地等到了下午2点，小佳这才出现。

看着小佳的脸色，侯卫东就知道事情不妙，急问道：“怎么回事？”

“今天上午妈妈出去买菜，回来大发脾气，说我学会了撒谎，还骂我不听话。”

“你妈怎么知道我们在一起，她最多是怀疑，哪里能肯定，你不承认，她就没有办法。”

小佳带着哭腔道：“昨天我们分手的时候，被居委会的阿姨看见了。今天早上，她们就给妈妈说了。”

侯卫东奇怪地道：“那你怎么出来的？”

“上午在家里和爸爸、妈妈大吵了一架，我是冲出家门的。”

小佳的家庭风暴，不用细说侯卫东也能想象，他紧紧抱着小佳，喃喃地道：“小佳，对不起，太难为你了。”

两人昨日还处于幸福的顶端，今日就掉进了冰窖。小佳在侯卫东怀里哭了一会儿，道：“我想搬出去住。”

侯卫东闻了闻小佳的发香，再一次将小佳紧紧地抱在怀中，道：“为了缓和与父母的关系，最好不要搬出去住。毕竟你们是一家人，关系搞得太僵，将来不好收场。”

小佳泪流满面，道：“他们的态度很坚决，若是你再来找我，他们就要写信到益杨县委组织部去。”

听到这个威胁，侯卫东脸色顿变，随即道：“他们要写信，我也没有办法，这是他们的权利。我一没偷，二没抢，三没嫖，四没贪污，我们是自由恋爱，写了信我也不怕。”

小佳夹在两头，如老鼠钻风箱，两头受气，又是眼泪汪汪。

小佳的神情让侯卫东心里说不出的难受，他在内心深处责怪自己：“这一切都怪我，谁叫我没有本事。三年内，我一定要调到沙州。”虽然下定了决心，可是想想在封闭的青林山上，要想混出名堂，似乎比唐僧到西天取经还要难。

虽然有短暂的灰心，侯卫东还是很快就开始调整心态，鼓励自己：“人死卵朝天，不死万万年，只要努力，就会出现奇迹。”

小佳依偎在他怀中，道：“干脆我想办法调到益杨去。”

侯卫东拒绝了这个建议：“你是独生女，离开沙州必然会深深地伤害父母，我不愿意你们一家人因为我反目成仇。你放心，给我三年时间，我一定会杀出一条血路。”

“好，我等你。”

两人又疯狂了一回，然后，小佳回家，侯卫东直奔车站。

接近汽车站之时，侯卫东心中突然涌起了一阵不好的预感。越是接近车站，这种感觉就越是强烈，正在琢磨为何有不安之感时，抬头就看到了陈庆蓉。事到如此，他不能躲避，迎着陈庆蓉走了过去。

“陈阿姨，你好。”

陈庆蓉道：“侯卫东，你是有责任的男人。”说到这，她声音突然哽咽起来，道：“我们只有一个女儿，我们不愿意她嫁到益杨去，为了小佳的幸福，求求你不要再来了。”

侯卫东怔在当场，过了一会儿，道：“我和小佳是真心的，这样分手，我痛苦，她更痛苦，给我们一些时间，我一定能改变现状。”

“我相信你的能力，可是在这个社会上，光有能力是不够的。小佳的青春只有一次，我们做家长的不能让她赌博。人心都是肉长的，将心换心，希望你能理解。”

侯卫东不得不承认，陈庆蓉所说的极有道理，是出自肺腑的真心话，这让他极为难，犹豫了一会儿，还是坚持道：“陈阿姨，要我和小佳分手，我做不到。”

陈庆蓉脸色更加难看，脸上有泪水也有怒火，更有无奈。

侯卫东有些害怕陈庆蓉的神情，但是他的态度很是坚定：“给我三年时间，我一定要调到沙州来。”

陈庆蓉立刻精神一振，道：“三年时间，若是三年时间你不能调到沙州，就一定要与小佳分手。我代表小佳的爸爸答应你，三年之后你真的调到了沙州，我们一定不会再阻止你们。”她紧接着道：“我们说话算话，这一段时间不要和小佳见面。你们都是才参加工作，应该把主要精力用在工作上，年轻人要珍惜机遇。”

侯卫东根本不能容忍三年不见面的要求，道：“周末见一面，我们不会影响工作的。”

“我不跟你讲条件。这三年，你不要和小佳见面，否则我就和小佳断绝关系。若是为了小佳好，好好想一想。”

“我信守三年之约，但是不能答应三年不见面的要求。”

“我再说一遍，不跟你讲条件。”

侯卫东直到最后也没有答应陈庆蓉提出的条件，两人不欢而散。

沙州之行，侯卫东感到了肩上的巨大压力。道路是自己选择的，任何人也不能怪，只有杀出重围才对得起小佳的一片深情。而杀出重围，必须一步一步做起，第一步就是要在青林镇站稳脚跟，然后回到益杨县政府。

这个目标说起来简单，做起来并不容易。侯卫东从繁华的沙州回到上青林老场镇，立刻深切地感到了理想与现实存在的遥远距离。

提留与统筹

周一、周二无事。

依然没有调动的任何消息。侯卫东想要通过努力工作来实现三年之约，可是现实是如此无奈，他被放逐到了上青林，根本就没有努力工作的机会。

“机会是给有准备的人。”在这个信念支撑之下，侯卫东准备了一个厚厚的笔记本。每看一篇《岭西日报》，他都要认真做好笔记，让头脑跟得上形势的发展。

星期三上午，侯卫东一个人坐在办公室看报纸，院子里传来了说话声。院子底楼是杨新春的邮政代办点，时常有人进来打电话，他并没有在意。

“侯大学，这是粟镇长。”络腮胡子李勇走进办公室，大大咧咧地介绍道。

粟明一米六左右，身材瘦小，主动伸出手，道：“侯卫东，欢迎你到青林镇来工作。”

镇农办老田穿了一件褪色老军装，黑而瘦，很淳朴的样子。农经站站长黄卫革和上青林白春城有三分相似，白白胖胖，衣服档次也高。

粟明四处看了看，夸奖道：“几天没有来，这间办公室变了样。以前到处都是灰尘，现在窗明几净。”

这话是实话，侯卫东接管了办公室以后，彻底地做了清洁，将所有污秽一扫而空。而且，他每天上班第一件事情就是打扫办公室和会议室。

拉了几句家常，高长江、李勇、独石村的秦大江和江上山、田福深等人陆续到了办公室。粟明道：“办公室太小了，我们还是到会议室去。”

粟镇长看着干净清爽的会议室，眼睛不由得一亮，道：“杨新春终于把会议室扫干净了。”

高长江道：“现在办公室和会议室都由侯卫东来打扫。”

粟明奇怪地问道："这应该是杨新春的事，怎么能让侯卫东来打扫办公室？"

高长江嘿嘿笑了笑："这是侯大学主动要求的。"

等大家坐了下来，粟明抹了抹额头上的汗水，道："狗日的天气，当真是热得要命。高乡长，中午让嫂子煮锅稀饭，炒盘回锅肉，我们喝两杯。"

村支书秦大江道："今天中午就不麻烦高乡长了。粟镇长亲自追收去年没有交的提留统筹，我们独石村再穷，这个客还是请得起。"

"亲自追，我还亲自解手，亲自吃饭，亲自陪老婆睡觉。"粟明幽默了一句，随即脸色一正，道，"今天上山是追收去年独石村拖的提留统筹，具体情况请江主任给大家讲一讲。"

独石村村委会主任江上山从包里摸出来一张纸，念道："去年提留统筹一共欠三千四百一十二元，独石村二社的何家院子欠得最多，具体数字如下……"

所谓提留，是指村一级组织收取的公积金、公益金和管理费。统筹则是镇政府收取的计划生育、优抚、民兵训练、镇村道路建设和民办教育等经费，是镇村两级的重要财源。

粟明道："去年青林镇征收提留统筹费的情况很不理想，全镇征收不到总数的60%，很多农户拒缴。我分析，全镇征收困难的主要原因有两条：一是个别群众交费意识差，对合理负担也不愿承担；二是提留统筹费计算不合理，收取方法也存在问题，致使村里无法正常开支，影响了工作开展。"

他加重语气："提留统筹费是镇村两级的重要收入，今年如果不采取措施收清，拒缴农户还会增多，村干部的工资无法支付。到时各项工作无法开展，还会挫伤村干部工作的积极性，我们的工作将更加被动。

"我们必须下大力气解决好征收难的问题。具体做法，一要切实做到在5%以内征收，并公开计算方法，以得到农户认可；二要细化征收办法，对一些困难户应通过群众公评的方式准予缓交或减免；三要强化民主理财，落实财务公开办法，定期公布提留统筹费的收支情况；四要对确有交付能力而拒交的，采取必要的处罚措施，以推动征收工作的开展。"粟明口才极好，这一番话讲得头头是道，令侯卫东刮目相看，暗道："粟镇长还真有水平。"

"今天我们就是来采取处罚措施的，重点只收一户，就是何家院子的何红富。他家去年没有交提留统筹，今年也没有交，还四处散发歪道理，不抓这个典型，独石村的款项以后将无法收取。"

粟明按常规布置完任务，特意说了一句："侯卫东也要参加行动，你和李勇一起，如果何红富敢乱动，就由你们负责。"秦大江大声道："何红富歪理特别多，你去给他做工作，他的理由比你还多。我觉得讲道理没有用，只有来硬的。他养了两头猪，仓里还有谷子。不能全部带走，还是要给何红富留下基本生活品。我们只牵一头猪，担四挑谷子，这是政策，也是方法和策略。"粟明安排道："这种事情派出所不会出面，还是得依靠我们自己。李勇负责牵猪，秦书记负责找几个村干部挑谷子，不来点硬火，何红富不会服软。"

侯卫东一听这个任务，心道："怎么总是让我干这种事情，看来都是勇敢名声惹的祸。"

这一次到独石村与前一次追计划生育不一样，追计划生育就如夜袭阳明堡一般，是搞偷袭。此次追提留统筹则是大张旗鼓，用的是杀鸡给猴看的计谋。

进了何家院子，院子里站了不少村民，秦大江喊道："何红富在不在家？"

出来一个相貌还不错的年轻女子，她抱着小孩子站在门口，面对着镇村干部并不发憷，道："何红富不在。"

秦大江道："尹小红，这是粟镇长，带队来收提留统筹，你去把何红富喊回来。"

尹小红看了一眼粟明，道："何红富到坡上去了，我一个妇道人家做不了主。你们要找他，就在这里等一会儿。"

江上山走得汗水淋漓，对尹小红道："小红，快点去找何红富，我们就在这里等他。"

尹小红这才抱着小孩朝外走，走到一根田坎上，对着竹林喊道："何红富，当官的来了，他们来收钱。"过了一会儿，见一个白白净净的年轻人走了回来，自语道："这些人真是没有屌事干，又找来了。"

侯卫东原来以为何红富又是郭蛮子似的人物，谁知却是一个白面书生。

何红富回来之后，将众人都请进了屋里。粟明谈道理是一把好手，何红富也颇有几分辩才。很快，屋里就剩下他们两人的争论声。

何红富把一本小册子拿出来，翻着项目与粟镇辩论："我先不说提留，就说统筹款。统筹款里有一项叫做乡村道路建设费，这个钱就是用来修乡村公路的。我们独石村交了这么多年乡村道路建设费，为什么上青林乡目前一条公路都没有？村里唯一的小道，还是我们自费修的。若是修通了到上青林的公路，我立刻把拖欠的所有款项都交清。"

"上青林的公路肯定要修，镇政府已经规划了。这条路盘山而上，资金量大，我们正在争取上级资金。"

何红富翻了翻眼睛，道："几年前就规划了，现在还没有动静。反正我只认一条死理，公路什么时候开始动工，我就立刻交钱，现在我不会交钱。"

粟明个子矮，中气却足，道："统筹款如何使用不是一个人说了算。要统筹规划，更要由镇人民代表同意，你这么说是无理取闹。"

何红富又道："村里用了多少钱，也要公布出来。我们交的钱是用来办事的，不是让村里大吃大喝的。你们将村里的账公布了，我就交提留。"

当着镇领导说这些话，让秦大江很生气，道："何红富，你不要张嘴乱说话。村里每一笔钱都经得起检验，农经站黄站长也在这里，他们每年都要组织人查账。你问他，独石村的账目哪一年不是清清白白的？"

何红富不屑地道："农经站查得出什么，账早就做平了。"

在利益问题严重对立、冲突的时候，辩论无法解决问题。粟明很清晰地认识到了这个问题，道："何红富，有意见可以提，但是，拖欠的提留统筹一定要交。"

"没有把问题说清楚，我就是不交。"

"相关手续你都拿到了，我们是先礼后兵。今天不交钱，我们就挑谷子，牵猪儿。"

何红富暴跳如雷，道："你们是共产党的干部，宗旨是全心全意为人民服务，什么时候变成土匪了？"他堵在门口，道："你们今天敢挑谷子，我就到北京去上访！"

"我是按照政策和镇人代会制定的标准在收，你随便到哪里去告，我都不怕。"粟明说到这，不再和何红富纠缠，下令道："愣着干什么？挑谷子，牵猪儿！"

他又对侯卫东和李勇使了一个眼色，道："各人做好各人的事情，不要着急。"

侯卫东和李勇按照事前的布置，早就有意无意地靠近了何红富。李勇劝道："富娃，皇粮国税，自古就要交。你拖得了一年，拖不过两年，还是交了，免得猪儿被牵走。"

何红富眼睛就四处看。

侯卫东见他的表情不对劲，道："不要乱来，好汉不吃眼前亏。"何红富要朝里屋走，侯卫东抢先一步，将他堵住。两人较了一会儿劲，何红富无法甩开侯卫东，又被李勇抓住另一只手，被限制了行动。

何红富考大学只差几分，是村里的高学历。见对方人多势众，他也就没有莽撞行事，气得在门外直喘粗气。

尹小红见家里谷子被挑了出来，哭闹起来："抓强盗！强盗大白天抢人了！"

何家院子是一个大院子，住了七家人，都姓何。听到尹小红的吵闹声，更多的人围了过来。

粟明大声地道："我是镇政府的，在执行公务。何红富拖欠了两年提留统筹，大家说，皇粮国税该不该交？"

尹小红抱着孩子，冲到粟明面前，吼道："我家粮食和农业税交了的，这才是皇粮国税！提留统筹算什么皇粮国税，都拿去被狗吃了！"

秦大江听了句话，心里不舒服，道："尹小红，你怎么这样说？你爸爸当年也当过大队会计，他也是狗，你就是狗崽子！"

院子里的何姓众人，有的出言帮着何红富，有的瞎起哄。小孩子则不管三七二十一，高兴地跑来跑去。一时之间，院子里人吵、鸡飞、猪哼、狗叫，好不热闹。

谷子被挑了出来，肥猪也从圈里被牵到了院子，粟明宣布道："谷子和肥猪要被弄到镇政府去。给你两天时间，若是到时不交提留统筹，就把谷子和肥猪卖了充抵提留统筹。价格也不亏你，按照市价来卖。"

在何家院子众人的谩骂之下，在尹小红恶毒的诅咒之下，粟明还是将谷子和肥猪带到了青林老场镇。谷子放在了底楼的一间空办公室里，肥猪就让伙食团原有的猪圈里喂着。

上青林乡伙食团团长池铭满心不愿意，道："我没有喂过猪，这头肥猪养在这里，只有被饿死。"

粟明也不生气，道："上青林场镇，谁家不会养猪？伙食团养猪更是方便，别推了，就暂时放在伙食团。等几天，我会让人来处理。"

中午就由独石村安排伙食，江上山到基金会旁边摆了一桌。在等人之时，江上山问道："侯大学驻村没有？"

驻村是镇政府的一项工作制度，镇政府派驻到各村帮助工作的干部，简称驻村干部。独石村的驻村干部是李勇。

侯卫东在心中自嘲道："以前有一部电影叫做被《被爱情遗忘的角落》，现在我是被组织遗忘的干部。"他不愿意在这种场合下说怪话，道："我才到青林老场镇，正在熟悉工作，领导还没有安排驻村。"

江上山道："你坐在办公室怎么能够熟悉工作？农村干部就是田坎干部，只有走田坎，才能把工作做好。你到独石村来驻村，我们欢迎你。"

侯卫东心道："秦飞跃答应调我到计生办去，如果在独石村驻村，就得经常到上青林山，爬坡上坎，累得慌。"委婉地道："领导没有发话，我想到驻石村也不得行。"

江上山积极地道："这还不容易，等会儿我去给粟镇长说。"

粟明、高长江和秦大江从外面回来以后，一场酒战就开始了。今天成功整治了拖欠大户何红富，粟明心情明显不错。虽然帮手老田和黄卫革临时有事没有来，他仍然在酒桌上频频出击，惹得秦大江和他拼起酒来。两人一个是虎，一个是熊，谁都占不了便宜。

由于下午还要开会，粟明主动罢战。

粟明出门之时，手不自觉地扶了一下墙壁。高长江观察到这个细节，道："侯大学，粟镇长要下山开党政联席会，你陪他下去。"

侯卫东满口答应道："高乡长放心，我一定将粟镇长安全送到。"

粟明听说侯卫东送他下山，再三推辞。可是在高长江的坚持之下，他还是同意让侯卫东陪一段。

到了小道，山风一吹，粟明突然蹲了下来，对着一颗可怜巴巴的小树开始吐了起来。中午喝的是啤酒，他个子小肚量大，这一吐居然是极为夸张的一大堆。侯卫东觉得很是好笑，心道："路边小树，凭空得了一大堆肥料，想必来年肯定会长得格外旺盛。"

粟明坐在路边青石上，对侯卫东道："小侯，找点土，把那一摊子埋了。让过往的人看到，又要骂共产党腐败。"等到侯卫东处理了污物，他突然问道："今天我们去挑粮食，牵肥猪，你有什么看法？"

侯卫东没有想到才吐过的粟明会问起这样的问题，道："这是工作需要所采取的必要措施。"

粟明吐了一通以后，头脑舒服多了，道："侯大学是法学专业，可能对乡镇财政这一块不太熟悉。一般说来，乡镇财政总的收入可以分为三个大的部分，即预算内的财政收入、乡镇统筹收入和部门收费。

"预算内的财政收入是正规的税收入账资金，以及上级返还和补助收入；

"镇统筹资金是由乡农经站入账管理的资金收入，一般称为五项统筹，统筹款是按人头从农民中摊派收取的，另外还有义务工和积累工；

"部门收费是行政或事业单位在提供服务时的有偿性收费，如计生办的收费、国土办向土地开发商收取的服务费、学校向学生收取的杂费等。

"青林镇税源不好，每年财政收入只有一百三十多万。而青林镇政府由上、下青林乡合并，干部数量多，有干、工一百一十多人，加上三所小学、一所中学，老师有二百多人。一百三十多万只能是算是吃饭财政，捉襟见肘。

"镇里对提留统筹以及计划生育收费抓得很紧，并不是存心与老百姓过意不去。这些钱不收上来，政府根本无法运转，这么多干部职工还等着吃饭，还要养活一家人。"

对于镇财政如何开支，侯卫东并没有完全弄明白，他只是得出这样一个概念："青林财政就是吃饭财政，不想办法收钱，政府运转就成问题。"

下山之际，粟明心道："侯卫东这个小伙子真是不错，比起苟林来不知强上好多倍。欧阳林虽然不错，也还不如侯卫东。这个小伙子工作几年，肯定是乡镇工作的一把好手。"

粟明没有想到，在下午召开的联席会上，赵永胜和秦飞跃就为如何安置侯卫东再次发生了争论。

在党政联席会上，秦飞跃提议将侯卫东调到计生办，充实计生办力量。而赵永胜则认为上青林有三个村一个场镇，工作组力量不够，既然分了大学生来，就要到最需要的地方去。

侯卫东只是一个小人物，他的去留只是一个药引子。赵、秦积怨日久，为了这件小事当场就拍了桌子。分管组织的蒋有财副书记提议暂时将侯卫东的问题放一放，不作调整，维持现状。

粟明趁机提议让侯卫东作为独石村的驻村干部。

结果，粟镇长的建议得到了大部分班子成员的同意。赵永胜和秦飞跃借着侯卫东的安置问题又掰了一次手腕，赵永胜否决了秦飞跃的提议，略占上风。

工作组副组长

就在党政联席会召开第二天，组织部副部长肖兵带着综合干部科郭兰来到了青林镇。此行主要目的是了解公开招考的十名干部的工作情况。组织部办公室提前一天给赵永胜打了电话。

此事赵永胜有意无意地没有与秦飞跃通气。秦飞跃按着他的工作日程，到县农办要项目去了。

等到秦飞跃坐着小车刚刚离开了政府大院，赵永胜把蒋有财副书记叫到了办公室："刚才接到肖部长电话，他在10点30分左右来镇里调研组织工作，到时你参加。"

在益杨习惯里，不管正职还是副职，皆按照正职来称呼。比如肖兵，正式称呼应该为肖副部长，可是这样称呼听起来很是别扭，基层同志一律称呼他为"肖部长"，没有人会把"副"字加上去。

蒋有财有些紧张地问道："肖部长到益杨来有什么目的没有？我们没有准备汇报材料。"

"我打电话给吴滩镇张大为，他说肖部长就是来了解十名公开招考干部的工作情况，顺便调研组织工作。"

蒋有财长着圆脸，笑起来，双眼就眯起了一条线。他想起前天开会的情况，提醒道："公开招考是县委干部人事改革的一项重要内容，我们把侯卫东安排在工作组，不知道组织部门会不会有意见？"

"组织部门能有什么意见，侯卫东分配到青林镇，就是青林镇的干部。到工作组去，到最艰苦的地方去，有利于干部的成长。"

侯卫东只是一个普通的干部，赵永胜对他并没有特别的爱与憎。昨天阻止侯卫东调入计生办的原因很简单，因为此次调动是秦飞跃提出来的。

书记赵永胜是青林镇土生土长的干部，而镇长秦飞跃却是从县里派下来的干部。

秦飞跃下来之前是乡镇企业局副局长，对管理企业很有一套。来到青林镇以后，他把基金会抓得很牢，同时也就间接把乡镇企业老板团结在身边。

赵永胜原来就是下青林乡的书记，原来的乡长生病以后，他实际上就是书记、乡长一把抓，说话自然一言九鼎。两乡合并以后，他与镇长秦飞跃的矛盾是从管理基金会和镇属企业逐步扩大升级。

10点钟，组织部肖兵副部长准时到了青林镇。

赵永胜很有工作经验，并不首先提侯卫东的事情，而是规规矩矩汇报了青林镇的组织工作。汇报完成以后，几个人坐在会议室聊天。

肖兵随意地道："侯卫东是如何安排的？"

赵永胜丢了一根烟给肖部长，道："侯卫东分到上青林乡工作组。"

各地工作组的情况他是知道的，听说分到工作组，肖兵不禁有些惊奇，道："怎么分到了工作组？"

赵永胜不慌不忙地道："上、下青林合并以后，镇政府设在了下青林。而上青林七千多人也需要服务和管理，为了加强对上青林的领导力度，镇里在上青林上设了工作组。侯卫东如今就分在了上青林。"

肖兵具有组工干部的典型笑容，道："县委赵林书记很重视这十个公开招考的干部，说不定哪一天就要问起这十个人的使用情况。"

赵永胜见肖兵在烟雾中一副高深莫测的样子，想到他先前说的话，感到了一阵压力。他灵机一动，道："侯卫东到了青林镇，表现不错。镇党委准备给他压担子，让他担任工作组副组长，慢慢地接过高长江的工作。他这个副组长，按照他所做的事情来看，相当于以前的副乡长。若是他能够胜任这个副组长，青林镇党委就要给他压担子了。"

肖兵在本子上记了几句，然后道："公开招考干部，是益杨县委在干部制度上的一次改革。沙州市委组织部很是重视，粟明俊常务副部长专门听取了相关工作汇报。"

赵永胜便试探着问道："肖部长，你看侯卫东的工作是否需要调整下呢？"

肖兵不予正面回答，道："这是青林镇党委的权力，组织部门向来尊重你们的意见。而且赵林书记交代过，公开招考的干部不能搞特殊，要一步一个脚印在基层工作，进行自然淘汰。若是人才就大力提拔，若才能平庸，则按照干部使用原则进行合理使用。”

赵永胜和肖兵是党校同学，而且都是班干部，两人颇为熟悉。正事谈完后，赵永胜提议道：“正事办完，我们找个鱼塘，一边钓鱼，一边谈心。”

蒋有财在一旁道：“赵书记听说肖部长要来，特地找了一个好塘子，全部是土鲫鱼。”

“土鲫鱼好，浓缩的全部是人生精华。”肖兵喜欢钓鱼，听到这个安排，把笔记本一合，笑道：“到底是老伙计，咱们走吧。”

一行人就说说笑笑地出了院子。上了车，朝着鱼塘走去。

赵永胜和肖兵兴致勃勃钓鱼之时，侯卫东仍在山上，满怀着希望地等着调到计生办去。

可是，随后的消息却让侯卫东哭笑不得。蒋有财在党政联席会的第三天来到了上青林山上，把工作组所有人召集起来，宣布侯卫东驻独石村，任工作组副组长，协助高长江工作。

对于工作组来说，这是一个充满喜剧色彩的安排。高长江主持工作组的工作，能够把众人招呼住，并不是工作组组长有多大权力，而是高长江当了二十多年领导，在干部中颇有威信，所以工作组成员才愿意听他安排。

侯卫东是新毛头，安排一个工作组副组长的职务，管不了任何业务，官不像官，兵不像兵。若高长江不在，他根本无法开展工作。

蒋有财宣布侯卫东任职以后，络腮胡子李勇开始起哄，让侯卫东请客。

侯卫东想哭的心都有，看着笑成眯眼的蒋有财，他还是道：“蒋书记，小侯到了青林镇，还没有聆听过你的指示。今天到了上青林场镇，无论如何要请蒋书记喝一杯。”

蒋有财原是上青林乡的副书记，两乡合并以后，被任命为青林镇副书记。他逢人便说三分好，是典型的不倒翁。他对侯卫东任职的原委再清楚不过，笑道：“啥子指示哟，你别客气。”

高长江对这个任命倒是挺高兴，道：“以前秦飞跃同意给工作组一些经费，今天就由工作组请客。”

现实就是一张大网，侯卫东身在其中，越是挣扎就越紧。

送走了蒋有财，高长江就紧紧地握住了侯卫东的手，道：“以后你就是工作组副组长了，工作一个月不到，就当了副组长，侯大学前途无量。”

侯卫东苦笑道：“我刚从学校毕业，什么事都不懂，让我当这个副组长，压力太大了。”他嘴里说得好听，心里却道：“不知道这是哪个王八的主意，把我挂在山上。”

侯卫东是毫无反抗能力的新兵，在青林镇政府领导面前，不过是小得不能再小的小人物。此时人在屋檐下，怎能不低头，他只得咬碎牙齿往肚子里吞，快乐地接受了这个安排。

当然，不快乐是不行的，侯卫东可不愿意一边做事一边发牢骚，这种做法叫做割卵子敬神——卵子被割掉了，神也得罪了。

李勇是驻村干部，他把侯卫东带到了独石村。独石村也算是和侯卫东有缘，侯卫东两次下村，都是到独石村。村里面对新来的驻村干部也很是重视，村委会、支部一班人基本到齐。支书秦大江、村委会主任江上山以及文书陈达川、民兵连长兼团支部书记杨柄刚、妇女主任朱姚芬，加上工作组组长高长江，刚刚坐满一桌人。

这一次没有到上青林老场镇的大馆子，而是在秦大江家里。

划拳、喝酒、粗话，不知不觉中，十斤一罐的蛇酒被一扫而空。李勇、江上山、陈达川、杨柄刚喝得坐不稳了。厕所里，除了臭味，更有一股刺鼻的酒味。

秦大江脱了上衣，露出壮实的上身，他满脸通红，道：“侯大学，再喝一杯。”他家里所用的杯子俗称为“良种杯”，比普通的杯子大上两圈，一杯就有一两。

妇女主任朱姚芬是一位典型的农村妇女，她酒量向来很好。可是这种喝法，在村里也少见，她见到侯卫东双脸发青，劝道：“秦书记，侯大学，你们吃点菜。”

秦大江瞪起牛眼，道：“朱姚芬，侯大学是我们村里的驻村干部，你必须再和侯大学喝三杯。别让他说我们独石村无人，连一个学生娃也搞不定。”

侯卫东心中原本就郁闷，听到了秦大江的说法，很不服气，道：“秦书记，我先和你喝三杯，敢不敢喝？”

其实秦大江也是强弩之末了，望着满满的三杯酒，犹豫了片刻，道：“朱姚芬是妇女主任，在独石村工作很多年了，是老前辈，你先和她喝。”

侯卫东酒劲上涌，犟头犟脑地道：“这三杯酒喝了，我再和朱姚芬喝。”他举起酒杯，说了一句：“不喝是屁眼虫。”仰头就喝了一杯。

秦大江脸上挂不住了，跟着也喝了一杯。

喝完三杯，侯卫东只觉肚中一片翻江倒海，就如火山爆发一样，一股火流就朝嘴里冲了过来，他连忙用手捂住嘴，将污物堵在了嘴里，抬脚往外跑。

秦大江更惨，他根本来不及跑，污物如瀑布一般，直接喷到了桌子上。

醒来之时，已是满天星斗。

侯卫东昏头昏脑地坐在床上，半天没有反应过来身在何处。摸着黑走到喝酒的堂屋，只见点着一盏昏暗的灯光，秦家堂客坐在桌前打瞌睡。

秦家堂客从梦中惊醒，看到侯卫东，道：“侯干部，你们今天喝了好多，秦大江现在还没睡醒。我给你们两人煮了一锅红苕稀饭，快来喝。”

侯卫东此时头欲炸开一般，肚子里面的东西早就吐得差不多了。他端起红苕稀饭，吃着咸菜，味道十分鲜美。

此时天已晚，喝完稀饭，侯卫东就住在了秦大江家里。

第二天，侯卫东就被狗叫声惊醒了。天未大亮，水田上有薄雾，远处是隐隐的树木，他走到水塘边，就见秦家堂客从猪圈出来了。

如何称呼秦家屋里堂客，是一个问题。叫姐，可是她年龄四十多了，相貌看起来至少有五十岁；叫阿姨，秦大江又和他称兄道弟，这样叫乱了辈分。侯卫东想了想，觉得还是叫嫂子比较好。

“嫂子，这么早就起来了，怎么没有见到小孩？”

秦家屋里堂客道：“我有三个小孩，两个儿娃子、一个女娃，都到广东打工去了。”

侯卫东不由得想起了何红富的话，随口道：“上青林山没有公路，真是制约发展。”

秦大江红肿着眼睛走了出来，接口道：“前几年上青林乡还想着修路，现在看来更没有希望了。”

侯卫东心中一动，“我是青林工作组副组长，若是能组织起来把路修好，说不定能引起领导的重视。”就道：“秦书记，俗话说，无路不富。上青林的发展太慢了，和80年代初没有什么区别，我看症结就在这公路上。”

“青林镇发展重点在下青林乡，修路不知是何年何月的事情。”秦大江书记站在鱼塘边，随手扯了一把草，丢在水中，又道：“上青林山上资源很是丰富，一是茶叶，二是煤炭，三是石头。”

青林茶叶很有名气，煤炭也好理解，侯卫东不太理解石头是怎么回事，问道：“什么石头？”

秦书记指了指一处山坡，道：“青林山上有很多石头，硬度很高。以前我接待过地质队的，他们说这些石头可以烧石灰，也可以制造水泥，还可以用来做铺路的碎石。就是因为没有通公路，石头就成了废物。”

“既然是一座宝山，为什么不把路修通？”

“上青林乡是小乡，只有七千多人，乡政府哪里来钱修路？前年上青林乡准备提二十个积累工、十个义务工，并向县政府争取一点资金，准备将上山公路修通。公路都勘测好了，正准备开工，县政府就让上青林乡和下青林乡合并了。”

侯卫东脱口而出：“既然这样，我们干脆组织起来，把公路修通。”

秦大江摇头道：“侯大学不了解情况，修条公路涉及三个村，复杂得很。没有政府来组织，根本干不成。”

秦大江老婆正在喂猪，听起两人谈起修路之事，插嘴道：“如果有人能把公路修起来，就是我们上青林的恩人。到时我们全乡人都会念着他的好处。”

侯卫东不知修公路的艰难，又是初生牛犊不怕虎，更为了弄点政绩，急切地道：“事在人为，当年红旗渠比这修公路更难。我们七千人的上青林，就不能修一条路？”

“你当真想修路？”

“是的，在何红富家里，我就有了这个想法。何红富虽然说的是歪道理，可是歪道理也是理。从这点来说，上青林群众都有这个想法。”侯卫东两眼冒光，热情洋溢地道。

秦大江对侯卫东修路虽然不抱多少希望，还是死马当成活马医，将几年来为了修路发生的事情简要地介绍了一遍。

第四章
修公路逼宫镇领导

初生牛犊不怕虎

修路、修路、修路！

从秦大江家里回来，侯卫东脑海中除了修路再也容不下其他事情。三年调回沙州的承诺，如五指山一样重重地压在他的心头，他经常觉得无法挣扎。修路之事如一道闪电，将他的内心照亮，让他看到了美好的希望。

“修好一条路，自己就多了一项政绩，对以后发展肯定有好处。如果修路之事能登在《岭西日报》上，我就出名了。县领导看到以后说不定就会把我调进城，或者是提拔使用。高志远是沙州市人大主任，正厅级干部，如果他知道了我有上青林修路的事情，肯定会帮助我。”高志远人如其名，二十多岁就当上了上青林革委会主任；打倒“四人帮”以后，当了益杨县副县长；80年代末期，当上了沙州地委副书记；如今是沙州市人大主任。侯卫东凭着在学院学生会得来的工作经验，越想越激动，想象中出现了一条金光大道。

要修路，首先要征求工作组组长高长江的意见。侯卫东兴冲冲地走到二楼，到了高长江门口，抑制住内心的激动，轻轻敲响了高长江的纱窗门。

高长江穿着短裤和大背心，站在门口，道：“侯大学，昨天喝得太多了。秦大江是个吞口，只有你和粟明才能把他镇住。啧，啧，你还真是好酒量。”

侯卫东道：“高乡长，我有一个想法。”

听了侯卫东奇异的想法，高长江不停地摇着蒲扇，道：“修路是好事，也是上青林多年心愿，只是，上青林修路不是简单的事情。没有镇里领导，工作组想了多想，说了白说。”

侯卫东急切地道：“我认为上青林七千人只要齐心协力，一定能将公路修好。”

出于对年轻人的鼓励，高长江道：“真能把公路修好，你就是青林人民的功臣了。”

“只要高乡长支持，我相信我们能将公路修成功。”

“我一个退居二线的老头有什么能耐。以前上青林还没有撤乡的时候，曾经请县交通局的刘维工程师来勘测了地形，准备从独石村三社修一条上山路，全长约十六公里。这是贯穿三个村的最近路线，地势比较平缓，岩石也不多。”

侯卫东没有想到上青林乡已经有过行动，又激动起来。

“刘维搞了地勘，画了设计图，前后垫了两万元钱。结果上青林乡突然被撤掉了，这笔钱现在都还没有给刘维。每次见了他，我都觉得很不好意思。”高长江语重心长地道：“侯大学，修路之事，还得等你当了镇长再说，现在根本不可能。”

侯卫东坚持道：“修路是造福子孙后代的事情，只要宣传工作到位，我们放手发动群众，修一条致富路，群众肯定会理解、支持。”

刘阿姨也觉得这年轻人真是异想天开，道：“当时上青林乡政府花了不少钱，几次想动工，都是刚刚开头就停工，弄得社员们很有怨言。现在乡政府垮了，更没有机会修路了。”

侯卫东不肯轻易放弃，道：“既然要修，肯定就要修到底。”

两人又说了一阵，高长江见侯卫东态度很坚定，道：“我身体不好，并乡之时就已经退居二线了，镇里让我当工作组组长，实际上是守着工作组这个烂摊子，当一天和尚撞一天钟。即使要修公路，也要由老弟来修，我最多帮你敲一敲边鼓。”

侯卫东对眼前的处境很是不甘，心道：“与其在上青林不死不活地憋着，不如放手一搏。三年之内，我一定要调到沙州去。”他没有推辞，道："有高乡长在背后掌舵，我就当过河卒子，拼命往前冲，不将公路修好，我决不后退。"

修路曾是高志远、高长江那一代人的梦想。他们曾经努力过，知道其中的难度，高长江告诫道："侯大学，这事做起来就不能回头，半途而废，你在上青林会立不住脚，会惹人笑话。"

侯卫东拍着胸膛道："高乡长放心，如果这件事坚持不下去，我就不在青林镇工作，卷起铺盖走人。"

高长江在心里反复斗争，还是不想惹这件麻烦事，道："这事难度太大，让我想想。"

等到侯卫东离开，刘阿姨劝道："你退休以后，我们搬到益杨城里去。修路不是简单的事，镇里没有组织，侯卫东就是一个学生，什么都不懂，只是心血来潮。到时修路就会成了你的事情，千万别逞强。"

高长江不满地道："侯卫东想修路，这是值得肯定的好事，我觉得这个小伙子有志气。"

第二天一大早，侯卫东守在高长江门口，高长江还是不愿意表态。

第三天，侯卫东把秦大江请了过来。三人坐在一起合计了半天，高长江还是那句话："修路是大事，我身体不好，不能撑头，再说镇里也没有同意。"

第四天早上，高长江刚开门，就见到了站在门口的侯卫东。

高长江不等侯卫东说话，道："侯老弟，我算服了你了。如果三个村能够统一意见，我们两人就去找赵书记和秦镇长。我们是镇里干部，这种大事还得向镇里汇报，否则就是无组织无纪律。"

高长江一直称呼侯卫东为"侯大学"，今天的称呼就变成了"侯老弟"。

有了修公路这个念头，侯卫东就觉得上青林的日子好过了许多。心中有了梦想，再看无所事事的李勇、白春城等人，觉得他们真是虚度了光阴。

高长江行动很快，他把尖山村驻村干部郑发明和望日村驻村干部段胖娃叫到了办公室，要求他们马上去发会议通知。段胖娃看着外面火辣辣的太阳，不愿意到村里去："天气这么热，开啥子鸡巴会。"

高长江把眼睛一瞪，道："叫你去就去，少啰唆！"

段胖娃见高长江真的生气了，笑嘻嘻地道："好、好，明天我一早就过去。”

郑发明是广播站业务员，天天都在跑外线，一张脸又黑又皱。他接受了任务，没有多话，背着一个装满了工具的斜挎包，到村里去出通知。

看着毒辣的太阳，侯卫东又涌出了一个想法，道：“既然程控电话已经到了场镇，应该延伸到村里去。交通、通讯是两条腿，只有两条腿一起走路，村里才能快速发展。”

高长江心里挂着修路的事情，没有兴趣讨论电话，道：“你先别谈电话的事情，修路不是简单的事情。三个村的干部不是一条心，我们商量一下如何作动员。”

上午10点钟，独石村、尖山村和望日村的几个头头陆续进了会议室。侯卫东不敢怠慢三个村的头头，到会议室，给三个村的书记村长不停地递烟。

高长江摇着大蒲扇走了进来。

“修路?”

“修路!”

当高长江宣传了今天会议的主题，会场安静异常，只听到电扇呼呼地转动。

尖山村村委会主任曾宪刚是石匠出身，格外健壮。上青林山上有优质石材，造就了一批优秀的石匠，只是不通公路，让他们守着石山发不了财。听说要修路，他火气上来了，道：“拖了好几年，开了无数的会，这条路早就该修了！”

他看到会议室只有高长江和新来的大学生，不客气地道：“这么大的事情，镇里也不来一个领导，完全是屁话。”

高长江也不生气，摇着蒲扇，笑道：“修路不是镇里的安排，是侯老弟提出来的。今天把大家召集起来，就是征求大家意见。若是真想修路，大家议一议，形成一个初步方案，我和侯老弟再给赵书记和秦镇长汇报。”

望日村在上青林尾巴处，在东线，距离前次勘察地点最远，他们就想从另一个方向修路，也就是从西线开始修。当高长江提出修路的建议之时，望日村支书贺合全、村委会主任孙虎都不说话，不停地吸烟。

段胖娃坐在贺合全身边，他对修路的热情早就消耗殆尽，不满意地道：“高乡长不早些说，若是为了这件事情，我还真不跑这一趟。”

侯卫东原本以为高长江说出修路的建议，村支书、主任们一定会群起响应，没有料到会是这样一种冷淡的场面。他激动地站了起来，道："1992年邓小平南巡讲话以后，改革进入了新高潮。外面世界发展一日千里，而青林山和二十年前一样，还在原地踏步，为什么这样？主要原因是没有通公路。"

他提高了声音："我讲一件具体的事。山上的住房多是石砖房，还有很多茅草房，而砖房很少，主要原因是山上没有通公路，大家还需要用马帮来搞运输。马帮驮砖的成本比汽车高得多，运费约等于砖钱，这就是为什么我们要修公路的原因。"

马帮似乎是很久以前的传说，但是由于上青林乡不通公路，运输就成了问题，在益杨大部分地方消失了的马帮成了上青林乡的特色。而昂贵的马帮运费让每位村干部都有切肤之痛，大家就安静下来，听着侯卫东说话。

若是修好了公路，最先得利的就是独石村。秦大江对于侯卫东修路一事是抱着死马当成活马医的态度，见他昂首挺胸讲道理，道："侯大学，大道理就别说了，我们都懂，关键是要落实。"

江上山加了一句，道："侯大学，其他的先不说，刘维的设计费怎么办？"

侯卫东还没有回答，蔫头耷脑的尖山村村支书唐桂元说了一句："修路又不是高科技，搞什么设计，把路挖出来就行。设计费是冤枉钱，我们村不会出一分钱。"

秦大江马上反对道："上青林山上石头、煤炭都是重车，不搞科学设计，将来不知要弄翻好多车子。"

唐桂元面无表情地道："要出钱就由独石村来出，我再说一遍，这笔设计费尖山村不管。"

"你凭什么不管？这是大家的路。"

高长江见两人争了起来，道："我同意大江的说法，上青林是修盘山公路，是以后的主公路，山上有石头、煤炭，这些都是重车，必须要科学设计。"

曾宪刚道："侯大学，既然修路，钱如何说法，说来让我们听听。"

高长江知道侯卫东初来乡镇，这里面的道道一时半会儿说不清楚，打起圆场，道："大家慢慢讨论，中午请大家吃姚瘦子的豆花饭。"

曾宪刚早就盼着修路，道："吃饭是小事，路怎么修，总得说些道理，否则让我们怎么支持？"

高长江只得道："我打开天窗说亮话，如果大家都同意修路，我和侯老弟就以工作组的名义向镇政府汇报，请求政府拨点钱。若是政府没有钱，只能是上青林七千人来集资，就和以前搞水库一样，大家出力办大事。"他随即冷着脸，道："如果大家都不想修路，就当我和侯老弟的话没有说。今天中午喝了酒，大家永远不要在我面前提修路的事情。"

望日村支书贺合全道："修路是好事，我支持，在座的人都支持。只是修路是政府的职责，政府不出钱，要政府干球？今年我们没有收齐的农业税、提留统筹都不交了，全部拿来修路。"

侯卫东不知此事轻重，不知不觉点了头。

高长江吓了一大跳，断然地否决这个提议，道："这是两件事，桥归桥，路归路，不要扯到一起。"

曾宪刚高声对大家道："农业税还是要交，但是镇里的积累工和义务工我们不交了，全部拿来修路，这总没有错。"又道："修路是为了上青林的发展，侯大学是外乡人，修路管他屁事，既然他愿意修路，我们百分之一百地支持他。"

秦大江态度最积极，道："我坚决支持修路，镇里不修，我们自己出钱出力也要把路修好。"他看到唐桂元、贺合全等人不太支持，骂骂咧咧地道："你们几个肯定是想捡落地桃子。你们不出人出力，等路修好以后老子就竖个横杆，收你们几个狗日的过路费。"

在吵吵闹闹中，各村总算是初步同意修路。中午在姚瘦子的小馆子吃豆花饭。侯卫东原本想下午就到镇里面汇报，谁知一不小心，被几个支书、主任灌了酒，醒来已是满天星星。

第二天，侯卫东一早就守在高长江门口，见高长江起床，赔着笑脸道："高乡长，昨天喝醉了，下午没有起来。我们今天下山汇报修路的事情。"

高长江坐在门口摇着蒲扇，道："9月5日镇里发工资，我们9月5日下山，汇报了工作，又领了工资，免得跑两次。"他拍了拍腿，道："年纪大了，爬坡恼火得很，年龄真是不饶人。"

侯卫东心急火燎地道："9月5日，那还要隔十几天。高乡长，这种事情拖不得，久拖必变，我们还是今天下山。"

"侯老弟，好事不在忙上，心急吃不了热豆腐。再说，镇里面在人代会上没有安排修路，多半他们不同意。"

"修路是件大好事，既然村里都愿意修，镇里没有理由不同意，我们下山向领导汇报。"侯卫东对镇里事并不清楚，他认为修路是好事，镇里应该能同意，因此坚持着要马上下山。

高长江无奈地道："我先给赵书记打个电话。侯老弟还真能缠人。"

高长江到楼下打电话之时，侯卫东问了一句后来让高长江嘲笑了很久的话："高乡长，镇里书记和镇长都是一把手，到底哪个的官要大一些？"高长江万万没有想到侯卫东会问出这等幼稚问题，挠着头，道："政府是在党的领导之下，你说哪个大？"

高长江到杨新春的邮政代办点给赵永胜书记打了一个电话，回来道："赵书记在办公室，让我们下去。"

一路下山，侯卫东无心看风景。到了镇政府门口，高长江特意交代道："积累工和义务工的事情不要提，这是违反原则的话。"

高长江来到了镇委书记赵永胜门口，也没有敲门，直接就推门进去了。赵永胜房间开着空调，极为凉爽。侯卫东走得浑身冒汗，被冷气一吹，犹如掉入了清凉世界，从头顶舒服到脚底。

"修路？"赵永胜听到高长江的想法，觉得很是惊奇，他看了一眼侯卫东，道："老高，恐怕这不是你的想法。"

赵永胜双手放在将军肚上，很有些威严。在他的压力面前，侯卫东自信心没有那么足，但是他想起在上青林村干部会上说的话，鼓足勇气道："赵书记，上青林没有公路，发展受到了限制。所以我想在上青林修路，三个村都表示支持。"

赵永胜吸着烟，心道："这个小毛孩子不知天高地厚，若修路真是这么简单，上青林乡早就开始修了。"

高长江见侯卫东说话不太对路，道："几年前，上青林就有修路计划，设计图也请人做出来了，只是各种原因没有干成。今天秦大江他们几个都到工作组开了会，提出了要修路。"

赵永胜弹了弹烟灰，一字一顿地道："修路是好事，年轻人有想法也是好事。但是，这么大的事情，工作组应该先给党委政府汇报，党委政府同意以后，你们才能去开这个会。"他严肃地道："你们工作组不按规矩办事，把村里的干部聚集起来，这是在逼着镇党委表态，明白吗？"

侯卫东听到“但是”两个字，心里已是一紧。再被赵永胜戴了一个违反工作原则问题，胸口开始发紧。

高长江解释道：“如今益杨全县就只剩下上青林没有通车了，高志远老书记很重视这事，今天春节我遇到高书记，他还跟我提起这件事情。上青林秦大江、曾宪刚等人修路的积极性很高。”

高长江所说的老书记高志远，按辈分来说是高长江的长辈，年龄却相差不大。上青林就数他的官当得最大，上青林的人都尊称他一声老书记。

赵永胜端起茶杯，喝了一口，脑筋转了几转，道：“修路是好事，村里有积极性，我原则上同意。只是修路需要钱，秦镇长是行政一把手，钱的事情由他说了算。你们去向秦镇长汇报，具体落实资金。”

高长江知道青林镇财政的现状，听到赵永胜把球踢到了秦飞跃面前，心道：“赵永胜倒是会踢皮球。”

侯卫东没有听出话外之意，很是高兴，暗道：“看来这事有戏，赵书记表态支持我们修路，也不知秦镇长能拨多少钱来修路。”

进了秦飞跃办公室，屁股还没有坐稳，计生办黄正兵手里拿了一叠单据走了进来。

秦飞跃刷刷地签字，突然，他停了下来，道：“怎么有出租车费？镇里早就有规定，出租车费一律不报，这张你拿回去。”

黄正兵局促不安地道：“那天得到消息，双树村有一个大肚皮，我们怕她躲了，所以就从城里打了出租车赶回来。公共汽车太慢了，坐公共汽车回来要三个多小时。”

秦飞跃手中的笔始终没有落下来，道：“规矩就是规矩，不能乱，出租车费你自己想办法解决了。”

黄正兵尴尬地把票据取了过来，道：“计生办没有车，确实不方便。秦镇长，去年你答应给计生办买一辆车，县里计生委姜主任表了态，如果镇计生办要买车，计生委补助两万。”

微型面包车不过几万块钱，姜主任补助两万，镇里也出不了多少钱。秦飞跃有些心动，道：“你抽个时间约姜主任吃饭，只要他答应补助三万，今年镇里就给计生办买一辆车。”

黄正兵刚走，教办张主任又进来要钱。好说歹说，秦飞跃答应先给五万，支付一部分教师工资，张主任千恩万谢地出了门。

侯卫东看到如此财政状况，心慢慢凉了，心道：“以前都说乡镇干部很肥，怎么财政压力这么大？”

等到高长江说明来意，秦飞跃便把手中笔放下，用手在空中比了一个小圆圈，道：“老乡长，修路是好事，可是镇财政只有这么大一点，让我怎么办？”

高长江知道秦飞跃所说是实情，叹息数声。

侯卫东见高长江光是叹气，道：“上青林山上资源丰富，公路修通以后，可以开煤厂、石场。这些都是纳税大户，税源充足了，镇里面的日子就好过了。”

秦飞跃没有理睬侯卫东，对高长江道：“这么大一个事情，镇党委没有研究，我不敢表态。不过从我个人角度看，我是赞成修路的，等到党委同意修路了，我们再来谈钱的问题。不过我话说在前面，镇里资金很紧张，不可能拿出巨额资金来修路。”

回上青林的路上，高长江对修路已是灰心丧气。侯卫东爬上了山顶，面对着广阔的天空，大吼数声。

“侯老弟，你吼什么？”

侯卫东道：“虽然没有钱，但是两位领导都同意修路，这就意味着我们马上就可以着手了。”

高长江瞪着眼，对侯卫东的思路实在无语，半天说不出话。

图纸

上青林绿树成荫，沿着小路有一条小沟，溪水清可见底，散发着阵阵清凉。侯卫东站在半山腰，看着逐渐变小的建筑物，又大吼数声，发泄心中的激情。

高长江用手撑在腰间，很是羡慕其年轻与活力，道：“见过了镇领导，你还要修路吗？”

侯卫东在高长江面前始终保持着坚定的态度，道：“既然硬着头皮上了，我宁愿碰得头破血流也不会打退堂鼓。高乡长，公路的图纸当真已经做好了？”

说起图纸，高长江又是一肚子的苦水，道：“刘维工程师技术不错。你别看他是知识分子，做事精明着呢，不给钱，不管说什么好话，他绝对不会给图纸。”

“刘维是知识分子，精诚所至，必定金石为开。”侯卫东把修路当成了自我救赎的唯一办法，恨不得马上开工，对仍在喘粗气的高长江道：“高乡长，时间还早，我们不上山了，干脆就到城里去找刘工程师。”

高长江哭笑不得：“侯老弟，你真想把老哥累死。我有心脏病，哪里敢和你们年轻人比。再说，刘维工程师长期都在工地上，事先没有说好，多半会扑空。”

高长江所说确实有理，侯卫东这才没有坚持，跟着回到了青林场镇。

晚上，到铁柄生家中，教完课程，他终于还是没有忍住，将党委政府同意修路的好消息讲了出来。

铁瑞青放下笔，高兴地道：“侯老师，公路什么时候修好？等修好了公路，就可以通客车了，我妈以后到城里进货，就不用请马帮了。”

侯卫东自豪地道：“等到公路一通，上青林场镇就会发生巨变。外面的世界就会将很多先进的东西带进来。”

青林镇初中，考上了益杨一中的只有铁瑞青一人。她到了城里以后，穿的、用的、玩的，都与同学们格格不入，为此她受了不少白眼，自尊心更是受到了极大伤害。她对于家乡的封闭有着切肤之痛，听到修公路的消息，禁不住雀跃起来。

铁柄生心道：“侯卫东是大学生，有文化水平，为人处世也不错。可是到了青林镇，屁股都没有坐热就想修公路，实在是异想天开。”

不过他熟读历史，对于这种初生牛犊并不敢太轻视。世界上许多事情，都是愣头青创造出来的。成熟之人，左思右想，前怕狼后怕虎，反而不容易创造奇迹。

“这一次修路，镇里准备出多少钱？镇里财政很紧张，欠着老师三个月工资，哪里有钱来修路？”钱是人胆，衣是人脸，铁柄生是小学校长，可是手中无钱，就留不住素质高的好老师，教学设施无法改善，许多好想法好点子也无法实施。听到修公路，他第一个想到的就是钱。

侯卫东信心百倍地道：“镇里还是很重视修公路这件事情，虽然暂时没有出钱，至少赵书记和秦镇长同意我们修路。”

铁柄生不想去戳破他，在心中叹息一声，道：“镇里不出钱，不知这公路何年何月才能修好！”

第二天，侯卫东到了独石村。

听说镇里不出一分钱，秦大江破口大骂："镇里那些王八蛋，光知道收钱，办正事一毛不拔。为了推广狗屁'双三尺'，能拿出五万元作为奖金。我们这些老农民种了几十年的地，还用得着镇里来教农业技术？这些钱完全是肉包子打狗。"

他激动地道："我们不交今年的提留统筹，积累工和义务工也不出，都拿来修公路，看镇里怎么说？老子就是个农民，大不了不当这书记！"

江上山谨慎得多："提留统筹还得交，我们可以考虑多使用积累工和义务工。"

侯卫东没有在镇里开过会，算得上两眼一抹黑，根本不知道截留提留统筹是严重违规行为。他满脑子就是修路："赵书记和秦镇长都支持上青林修公路，现在最关键的是开工。"

秦大江头一昂，道："不拿一分钱，算是支持？支持个锤子！"

侯卫东有些尴尬。

江上山为人忠厚得多，闷着头抽了一会儿烟，道："老秦，你看这事还整不整？"

秦大江发泄了一通，闷闷地坐在江上山身旁。

侯卫东觉得两位村干部有些沮丧，道："修公路不是高科技，主要凭劳动力，最多用点炸药。如果你们两人放弃了，这公路不知何年何月能够修好。"

两位村干部仍然坐着不吭气。

侯卫东追问道："到底修不修路，你们两人说一声。"秦大江抬起头，道："侯大学，这不关你的事，你着什么急？"

修路是侯卫东的自我救赎，见到两人的模样，他终于恼怒了，道："我是皇帝不急太监急！难怪几十年都修不好一条路，上青林汉子都是孬种，遇到困难只知道逃避，只知道耍嘴皮子！你们要是这样放弃了，以后龟儿子才提修路的事情！"

秦大江双手捧着头想了一会儿，突然站起身，道："侯老弟说得有道理，这一次我们不能再放弃了。修路，屁眼虫不修路！"

"老江和唐桂元是表兄弟，就由你就去做尖山村的工作。我去找望日村曾宪刚，只要尖山和望日工作能做通，我们就开始行动。"

秦大江外表粗豪，内里却透着精细。他看了一眼侯卫东，耍了一个滑头，把一个难题丢给了他："侯大学和刘工程师都是知识分子，图纸的事情就交给你了。争取在9月15号以前开工，到11月份，把公路的基础拉出来。"

侯卫东一口答应："好，这件事情交给我。我负责图纸，你们负责组织人。"

与独石村两位村干部达成了共识，侯卫东坚决不在村里吃饭，赶回了上青林场镇。

高长江家里的纱门关着，估计在睡午觉。侯卫东原本想敲门，又觉得不妥。到楼下将办公室打开，见桌上又有许多灰尘，提来一桶水，用抹布细细地擦了一遍，再把地面扫干净，随后在办公室看了一会儿新到的《岭西日报》。自从邮政代办点成立以后，报纸与以前相比就很及时了。以前《岭西日报》等报纸都是半月前的报纸，现在最多晚上四五天。

下午2点钟，终于听到了高长江的说话声，侯卫东放下手中报纸，就朝楼上跑去。

简单汇报了在村里的商量情况，侯卫东道："高乡长，你有没有刘维的电话？给他打一个电话，和他约见面的时间。"

高长江扇着大蒲扇，道："没有钱，谁见到了刘维，都照样拿不到图纸。"

"能不能拿到图纸，总要试一试。"

"侯老弟，你真会磨人，好，好，我去找一找电话本。"

县交通局工程科办公室，刘维正在做图，突然电话响起。他接过电话，听到是高长江的电话，便道："高乡长，什么时候把钱给我？为了做图纸，我出力又出钱，这么多年了，应该把钱付了吧。"

高长江道："明天工作组的侯卫东副组长会来找你，由他具体向你汇报。"

不论侯卫东如何做工作，高长江就是不愿意到益杨交通局去，理由是心脏病有发作的迹象。侯卫东只得独自前往益杨。

县交通局是一个老式的宅院，小小的庭院，停着几辆亮晃晃的小车。墙角是盆景，皆是上好的紫色陶盆。

侯卫东找到了工程科办公室。交通局工程科显得很拥挤，四张办公桌排在一起，墙上挂着各式图表，一个小个子坐在桌边埋头画图。侯卫东得知眼前之人是刘维，顿时热情地道："刘工，我是青林镇的侯卫东，高乡长给你打过电话。"

刘维戴着一副厚眼镜，脸皮如风干的萝卜。他把手中的笔和尺子放在桌上图纸上，疑惑地道："你在青林镇工作，怎么以前没有见过你？"

"我叫侯卫东，是今年才到青林镇工作。"侯卫东不管刘维的态度，继续热情地道："刘工，我们准备修通下青林到上青林的公路。这条公路关系到上青林七千多人，请你支持。"

刘维不客气地打断道："地质勘察是我请人做的，已经将钱付了。这一万五千元是我私人垫付的，你把这笔钱付给我，随时可以拿图纸。"

侯卫东诚恳地道："钱一定会付的。现在公路等着开工，请刘工看在上青林老百姓盼着通车的份儿上，先把图纸给我。"

刘维不为所动，道："一手交钱一手交货，这是当初说好的事情。我有事，要先出去，下次要来拿图纸，最好把钱带上。"正说到这，桌上电话铃声响了起来，他接了电话，连声道："朱局，我马上到你办公室来。"

侯卫东见刘维要走，急忙道："刘工，我们再商量商量。"

刘维急着走，道："按照部颁标准，图纸原本应该收七万五千元，为了支持上青林镇建设，我只收了两万元，等于义务做工。你是才参加工作吧，下次请秦飞跃或是粟明过来谈这件事。"

侯卫东脸涨得通红，道："我在负责修上青林，今天刘工忙，我不打扰你，下次我还要来找你。"

刘维缓和了口气，道："这位同志，我对你本人没有意见，只是你们做事不地道。你回去给镇领导说，不能因为你们内部扯皮，把我的钱拖起。"

侯卫东没有把事情办好，失望地下了楼。在街上漫无目的地走到中午，他在小饭馆里炒了一份青椒肉丝，吃了两碗干饭，心情这才渐渐平复。

"不能就这样放弃！"侯卫东不断地给自己打气。他用公用电话给高长江打了一个电话，高长江的回答很是无奈，"刘工说的是实话，当初我在上青林乡时，答应过他开工就付钱。可是图纸刚刚画好，上、下青林就合并了，这事就拖了下来。"

"高乡长，刘维说付一万五千元就可以拿图纸，能不能给秦镇长说一说？”

高长江叹息道：“实话给你说了，赵永胜和秦飞跃两个领导其实没有修路的积极性，这一万五千元不好拿。”

侯卫东道：“是不是图纸钱太高了？”

“最初设计费是七万多，刘维老婆是上青林乡人，通过我们做工作，刘维才把价钱降到两万。若不是看到他老婆面子，他不会把费用降到扰乱市场秩序的程度。”

高长江劝道：“侯老弟，心急吃不了热豆腐。你先回来，我们再想办法。”

挂了电话，侯卫东半天都没有回过神来。他原本很是讨厌刘维，知道事情真相以后，觉得刘维还是可以争取，便又来到交通局找刘维。刘维看见侯卫东，有些吃惊，此时办公室还有其他同志，他给侯卫东递了一个眼色，转身就朝外面走。

下了楼，刘维生气地道：“这图是我接的私活，你别到办公室来找我。以后来找我，我一概不会承认。”侯卫东咬着牙道：“刘工，我先拿五千，等村里集了资，再给你送过来，行不行？”

磨了半天嘴皮，刘维考虑收到多少算多少，这才同意了拿五千来取图。

侯卫东从办公室出来以后，坐车直奔吴海县。

回到家，母亲刘光芬听说侯卫东要借钱去付图纸钱，道：“小三，单位上的事是公事，没有私人出钱的道理。而且这钱付了也不知什么时候能拿回来。你没有一官半职，犯不着做这样的傻事。”

侯卫东在母亲面前素来有地位，把上青林的事简单说了，然后道：“老妈，这事对我很重要。我这次是向你借钱，以后我一定还你。”

刘光芬虽然觉得此事有些玄，可是心痛幺儿，最后还是答应了，道：“你这个傻小三，明天我去取钱，记着别给你爸说这事。”

第二天早上取了钱，侯卫东坐车返回益杨县。在交通局等到下午5点钟，终于见到了刘维。

刘维见到侯卫东，站起身，一言不发地走了出去。到了楼下，他脸拉得老长，道：“我算服了你，我是黄世仁，你是杨白劳。黄世仁没有找杨白劳的麻烦，杨白劳反而黏住黄世仁不放，这是什么世道！”

侯卫东脸上保持着微笑，等到他说完，把钱拿了出来，道：“这是我私人的五千元，先把图纸取出来，等开了工，我再想办法把钱凑满。”

刘维再三追问，确定这五千真是私人的钱。他认真打量侯卫东，道：“你叫什么名字？高长江给我介绍了，没有记住。”

“我叫侯卫东，沙州学院法政系毕业，参加了县里的公招考试。如今分到青林镇工作，任上青林工作组副组长。”

“你在下面等一会儿，我把图纸给你。”刘维临行前，再次道：“你私人出了这钱，万一镇里不认这笔账，你的钱就打水漂了。”

侯卫东道：“只要公路修通了，还怕没有钱？上青林山上资源丰富，石灰石、煤炭都是钱。我们工作组在路口放一根竿子，收过路费，一年也能把这一万多元钱找回来。”

刘维对山上的情况很了解，道：“你说的是实话，上青林的石头无论是做片石还是做碎石，品质都极佳，到时开石场应该能赚钱。”

在等待刘维之时，交通局大门口进来一辆皇冠车。等车停稳，刘坤从皇冠车前门下来，他穿着笔挺的西服，手里提着包，走到后车门，弯着腰将车门打开。楼上快速跑下来好几个人，一个高大胖子快步走上前，道：“马县长，欢迎到交通局视察。”

侯卫东站在交通局小院子的角落里，看着马县长、胖子以及刘坤一行趾高气扬地上了交通局办公大楼，心道：“刘坤当上了马县长的秘书？”想到自己在青林山上的遭遇，对比着刘坤的风光，他心里仿佛被针猛地刺了进去。

等了十来分钟，刘维下了楼，将图纸交给了侯卫东，小眼睛不停地眨，道：“这是从山下公路到独石村的图纸，你们拿到以后就可以开工了。独石村到场镇以西的图纸我保存着，我是先小人后君子，拿钱来取图纸。”

刘维上楼就变了卦，把侯卫东气得跺脚，却也无计可施。

同居一室

出了交通局，侯卫东心情压抑到了极点。他抱着图纸，用公用电话给小佳打了一个电话。

侯卫东和小佳一般在下班以后通话，上班时间侯卫东很少打电话骚扰小佳。此时他特别想找人倾诉，破例打了电话。小佳正准备陪着园管所领导向建委步海云主任汇报工作，接到电话以后，匆匆说了句："我正忙着，改天再说。"就挂了电话。

听到小佳冷淡的声音，侯卫东如站在悬崖边再被人踢了一脚，心情晦暗无比。他如行尸走肉一般来到了汽车站。到车站已是6点30了，最后一班到青林的车于10分钟前发车。

侯卫东抱着图纸茫然地走出了车站，刚从车站出来，就听到一声招呼。

一身红裙的段英高兴地道："侯卫东，真巧，你是才从青林镇进城？"得知是误了班车，她马上道："到我家里去吃饭。我今天买了鱼，正愁一人吃不完。"

侯卫东心情低落着，接受了段英的邀请。

回到家里，段英到里屋换了厂里发的薄丝衫，问道："你有什么不高兴的事情？愁眉苦脸的！"

"事事不顺心，想做点事真是难。"

段英安慰道："青林镇虽然艰苦，却是出领导干部的地方，沙州人大主任高志远就是青林镇出来的干部。我相信你一定能够脱颖而出。"

"什么脱颖而出？不过是安慰我。你没有到上青林去过，那里和80年代初没有什么两样，连公路都没有通。"侯卫东就向段英谈了自己修路遇到的种种困难。

段英听说侯卫东借钱去交图纸费，很是惊讶："怎么能用家里的钱去修路？修路是一个无底洞，你家里条件虽然好，也永远填不满这个缺口。"

侯卫东满怀着信心去修路，在第一个关口就遇到了障碍，几乎没有人理解他的做法。他咬牙坚持道："既然开了头，我就一定要做下去，否则，我在青林镇永远抬不起头。”

两人坐在一起慢慢地聊起了毕业以后的烦心事。

段英脸上充满了忧愁，道：“我和你不同，你父母还是个依靠。我的父母都是临江县陶瓷厂工人，这几年效益不好，厂子倒闭了，我不仅不能依靠他们，还得帮着他们。”

“这几年企业破产越来越多，你要想办法调出企业？”

“我和你一样，在益杨无亲无故，谈何容易。”

聊了一会儿段英的事情，话题又转到了小佳身上。段英道：“小佳是独女，她的母亲想她留在身边，这可能是她们反对你们的主要原因。你能力这么强，肯定很快就能在益杨县打出一片天地，到时找机会调到沙州去，他们就没有反对意见了。”

“真要做事，才知事情不好做，每一件事都不容易。”侯卫东一直坚强的心终于有一丝疲软，道：“三年回到沙州，现在感觉很是遥远。”

聊了一会儿，段英去做菜，她拿着小竹筐出来，道：“给你个任务，剥蒜。”

侯卫东在家很少做家务事，但是家中每逢吃鱼，刘光芬总会让他剥蒜。到了段英家里，仍然担任起剥蒜之职，他驾轻就熟，不一会儿就剥了一堆。段英做了一盆当前很流行的酸菜鱼，她手艺不错，酸菜鱼色、香、味俱全。侯卫东闻到香味接连咽了好几下口水，夸道：“没有想到你手艺这么好。”

段英站在门口穿皮鞋，回头道：“穷人的孩子早当家，这都是逼出来的。”

不一会儿，她双手提着一袋子啤酒回来。侯卫东没有想到她是到楼下买啤酒，赶紧接过来，道：“不知是谁发明了酒，我在上青林都喝怕了。”

段英道：“人生难得几回醉，今天我们两个伤心人好好地喝一杯。”

半瓶啤酒下肚，段英就有了醉意。她抹着眼泪开始讲起了她和男朋友之间的种种往事：“当时只要他开口，我就会跟着他到湖北。可是他临到毕业也没有提出让我分到湖北的要求。现在我总算明白了，别看他长得和高仓健有几分相似，可是内心却没有一点男人的气概。找工作是他父母一手操办，他根本没有勇气向父母提出我的事情。”

说这话时，她脸上有着自嘲的微笑，侯卫东却从中看到了深深的痛楚。果然，笑容没有保持多久，段英的眼泪如济南的泉水一样“突突”地向外涌出来。毕业是爱情的坟墓，这是大学校园的流行语，虽然很流行，但是只有亲自体会才会有真切的痛感。

喝完一瓶酒，段英已经醉得厉害，在椅子上坐不稳了。

侯卫东将她抱上床，她身体刚靠在床头，“哇”地吐了出来。

“美女吐出来的东西，一样恶臭难闻。”侯卫东捂着鼻子，端来水盆，让她又吐了几口。吐完过后，端来水杯让她漱口，她闭着眼睛，无论如何也不开口。

折腾了一番，段英总算沉沉睡去，平躺在床上，满脸绯红，胸膛湿了一片。红裙子此时贴在胸前，丰满的轮廓显露无遗，还露出小半截雪白的胸口。侯卫东正值青春年少，且有了性爱的经验，看到如此诱人的美人醉景，忍不住血脉贲张。

准备离开之时，侯卫东意外地发现段英的大门是老式挂锁，进入房间以后，要从里面才能将门拴住。若是侯卫东离开，房门无法锁住……看着毫无知觉的段英，他无奈之下又回到房间里。

侯卫东将阳台上竖着的一张竹制凉床搬进屋里，擦干净以后，坐在竹床上看图纸。到了深夜12点，段英还是未醒，侯卫东看得累了，在竹床上睡着了。

段英第二天早上醒来，看到睡在竹床上的侯卫东，吃了一惊，很快就明白昨夜是喝醉了。虽然醒来之时，在床上的姿势很不文雅，小半边胸膛露在外面，可是身上衣服完整如初，这说明侯卫东并没有趁着酒醉占便宜。

睡梦中的侯卫东，脸上带着纯洁的笑容，轻微的呼吸声很是清晰。望着这个沉睡的青年男子，段英心房里一阵阵温暖。正看着，他翻了一个身，正面躺着，下身隆起蒙古包，段英不禁吓了一跳，目光却再也移不开去。她眯着眼，假装还在睡觉，偷看着竹床上英姿勃勃的男人。

与醉美人同居一室，让侯卫东春梦连连，醒来以后，睁开眼，看见段英端着稀饭包子从门口走了进来。侯卫东猛地发现下面已经竖起了帐篷，连忙坐起来掩饰住尴尬。

经过了昨晚之事，两人多了一丝说不清道不明的情绪，面对面坐着，说着闲话。

侯卫东喝了一口稀饭，咬了一口包子，问道：“今天你不上班吗？”

"我们厂是轮休，今天我休息。这是益杨老字号，老街包子，特别好吃。"看着吃得津津有味的侯卫东，段英心中泛起一阵柔情。有一个男人在屋里，这屋子才有家的味道，否则就只是一间宿舍而已。

吃完早餐，侯卫东抱着图纸与段英挥手告别。段英借口出去买菜，将侯卫东送到了汽车站。

段英在侯卫东上车之时，道："祝上青林公路早日修好。"

侯卫东一只脚已经踏上了车，回过头，自信地道："我志在必得。"

贷款买图纸

颠簸了三个多小时，到了青林镇。侯卫东抱着图纸急匆匆地回到了青林场镇，一通大汗之后，他昂首挺胸地回到了小院子。

侯卫东兴冲冲去找高长江，得知高长江带着刘阿姨去了益杨县医院，满心欢喜变成了焦急。等到第二天，高长江还没有回来，他自作主张将三个村的支书和主任通知起来开会。

当看到只有到独石村的图纸，尖山村和望日村的头头脸色就变了。任凭侯卫东讲得唾液横飞，四个人都无动于衷。

散会以后，侯卫东纳闷地问秦大江，道："唐桂元他们几人前几天的积极性很高，今天我把图纸拿回来了，他们却这副表情，到底是怎么一回事情？"

秦大江嘿嘿笑道："事情就是出在图纸上，公路图纸只有独石村的。他们两个村出钱出人出力，如果修到独石村就不修了，尖山和望日就是白费劲了。"

上青林独石村、老场镇、尖山村和望日村是从东到西依次排列，设计中的公路是从东边的独石村上山，过了老场镇，才到尖山村和最西边的望日村。由于距离远，尖山村和望日村不少村民对于修路漠不关心，少数村民还有抵触情绪，不愿意出钱或是出工。还有的望日村的村民想从西面的望日村上山，这是由来已久的东部和西部之争。唐桂元、贺合全等人见到只有独石村的图纸，肚子里自然就打起了小九九。

侯卫东压根没有想到这一点，道："大家说好的事情，怎么能说变就变，难道对我没有基本的信任？"

秦大江道："前几次修路都是鸡公拉屎头节硬，说得好好的，结果说变就变，他们两个村是不见鬼子不拉弦了。"

侯卫东苦恼地道："如果把全部图纸取回来，还得要一万元。我不好意思再向家里开口，三个村能否先凑一些？"

"让三个村出人、出力、出田土都可以，出钱就难了。"

侯卫东恼羞成怒地道："这不是我一个人的事情，公路修好以后，最大的受益者是全体村民，惹毛了，大家都不修了！"说了这话，他马上意识到此语不对，道："秦书记，这条路我一定要修，你得支持我。"

秦大江出了个主意，道："侯老弟是工作组副组长，找基金会贷个一万块钱，我估计他们还是要买账。只要贷款下来，我们就可以开工了。"他有些不好意思地道："我上半年才贷了两万元钱来修房子，再贷款，恐怕基金会黄卫革不会同意了。"

侯卫东二话不说，马上就去找基金会的白春城。

白春城、习昭勇、李勇、段胖娃正在李勇家里打麻将。侯卫东先散了一圈烟，又站在背后看他们打了一会儿牌，趁着白春城自摸之时，将贷款一万元用于修路的事情提了出来。他满心以为，凭着如此熟悉的关系，白春城应该不会拒绝。

谁知白春城听了此事，半天没有说话。他摸了一张九万，重重地敲在桌上，结果被李勇糊了，白春城道："狗日的，单吊都能和牌。"

习昭勇看到侯卫东尴尬地站在一旁，道："白猪儿，侯大学是耿直人，办的是正事，这事行不行你得说个话。"

白春城这才叫苦不迭地道："基金会贷款利息高，要办抵押，而且一万元以上黄卫革要签字。侯大学只要有黄卫革的签字，我马上就办。"他瞅了侯卫东两眼，又道："修路是政府的事情，这事和你侯大学根本没有关系，何必瞎操心。"

侯卫东被白春城当面拒绝，心中颇为愤怒，暗道："平时你好我好，到了关键时候不帮忙，算什么朋友！"

高长江很快就得知了此事，把侯卫东叫到家里，道："侯老弟，你已经贴了五千块钱，你贷了款，用什么来还？由谁来还？"

侯卫东赌气道："公路修好以后，我就竖一根竿子收过路费。"

高长江听他说得天真，笑着摇头道："公路必须到达一定等级才能收过路费，国家对此有明文规定的，不是想竖就能竖起来。"他摇了半天蒲扇，终于下定了决心，道：“粟明分管基金会，我给他打电话，请他帮个忙。”

侯卫东总觉得步步都难，道：“不知道粟镇长肯不肯帮忙？”

高长江把蒲扇往桌上一放，道：“高长江在青林镇还是有几分面子，贷一万元钱想必没有多大的问题。”果然，他打完电话就面带笑容，道：“粟镇长同意了，让你明天先到白春城那里填表，然后下山找黄卫革签字。”

侯卫东为难地道：“我没有抵押。”

高长江爽朗地笑道：“粟明都发了话，还要什么抵押？”

难题就这样迎刃而解，侯卫东马上就给刘维打电话。当刘维听到侯卫东的名字之时，道：“你的心情理解，可是我实在无能为力。”侯卫东自豪地道：“刘工，基金会同意贷一万元出来，我把钱取出来后，就给你送过来，工程图纸请你准备好。”刘维在电话另一端沉默了一会儿，道：“侯卫东，你这人不错，以后有用得着我的时候，尽管来找我。”

秦大江得知此事，使劲地拍了拍侯卫东肩膀，道：“你还真是疯子！如果你继续疯下去，我在这里打包票，你小子以后肯定前途无量。”

第二天一大早，侯卫东打扫了办公室和会议室以后，就来到了上青林基金会门市。由于基金会的存款利息比银行高三个百分点，村民们都愿意将钱存到基金会里，赶场天存钱取钱的人很多。到了11点，基金会门市前的人群才渐渐地散去。

侯卫东站在基金会的窗口前，道：“白站长，昨天说的贷款，粟镇长同意了。”

白春城背靠着椅子，惊奇地道：“我不知道这事，黄卫革没有给我说过。”

“有这事，不信你问问黄主任。”

白春城给基金会主任黄卫革打了传呼。

侯卫东看着白春城不咸不淡的表情，心道：“都说基金会放款必须要给回扣，难道因为没有说回扣的事情，他们就不愿意办？”转念又道：“我是为上青林老百姓办事，又经过领导批准，这种事都要给回扣，肯定天理不容。”

田福深看着侯卫东趴在窗外，脸上满是汗水，道：“侯大学，进来吹空调。”侯卫东不愿意显得太拘束，进了基金会办公室。过了一会儿，电话响了起来。白春城接过电话，脸上立刻堆起了笑容，道："黄主任，侯大学贷款的事情，不知道你是否清楚？"放下电话以后，他热情地道："侯大学，你身份证在不在？填一张表。"

田福深从内心深处是赞成修路的，听到白春城的安排，立刻耐心地指点侯卫东填表。填到抵押一栏，田福深问白春城，道："抵押填什么？"白春城想了一会儿，道："就填侯大学现在住的房子的门牌号。"

事情办得如此顺利，而且抵押物居然是公家的房子，这让侯卫东开了眼界，他心道："难怪基金会的人都牛皮哄哄，他们手中权力太大，手续上又有漏洞。"

此时已是吃饭时间，侯卫东道："白站长，田会计，今天中午我请客，就在隔壁喝酒。"

白春城道："算了，早点回去睡觉。昨天在唐桂元家里喝酒，喝惨了，现在头还在痛。"侯卫东见白春城拒绝的态度并不坚决，道："反正都要吃饭，大家一起吃了，还可以到李勇那里去打牌。"

侯卫东去订了餐，见李勇、刁昭勇等人走了进来，干脆就把他们招呼在一起。如此一来就凑成了一桌，喝了五件啤酒这才结束。

付了钱，侯卫东荷包又开始瘪了。他领了三百七十元的工资，刚到9月中旬，就只剩下三百来块。

第二天，从基金会取了整整一万元，绿色的钞票沉甸甸的。这是侯卫东第一次拥有这么多钱，他只觉得这些钱就像会燃烧一样，很烫手。听说益杨汽车上小偷多，为了确保这一万元现金的安全，侯卫东把钱用一个大信封装着。又在短袖里穿了一件平时从来不穿的背心，再把信封放在了背心里，皮肤直接接触到信封，这样就可以万无一失。

到了益杨城里，汗水将信封全部湿透，三分之一的钱已被汗水打湿了。侯卫东很要面子，不愿意让刘维看出自己的紧张，他想了一会儿，来到了段英的住处。

段英在厂里实验室搞分析，上下班有规律。侯卫东等到12点30分，一身工作服的段英就出现在了眼前。

"钱是从基金会贷的，被汗水打湿了。我想等这些钱干了以后，再送到交通局去。"侯卫东自嘲道："以前认为自己很了不起，今天突然发现，一万元现金就让我紧张成了神经病。"

段英没有想到侯卫东会来主动找她，很是高兴，把桌上的东西收起来，道：“你一个月就只有三百七十元，一年四千多元。不吃不喝要整整存两年还没有一万元，心理紧张很正常。”

关掉风扇，侯卫东把钞票放在桌子上摊开，排成整齐的队列。两人坐在桌边，看着这些钱。

“要是我有一万元钱就好了，可以开一个小商店。”段英盯着钞票，脸上隐隐有些忧色。

“你工作得好好的，怎么想起开商店？”

“如今是商品经济，国营厂普遍效益不如私营厂。我听说浙江那边很多县属企业都破产了，益杨绢纺厂只怕也熬不了多久了。”

“我二姐也在厂里，她活得蛮滋润，没有听说这些事情。”侯卫东满脑子是修路大计，对于段英的担忧没有放在心里，只是随口安慰了几句。

段英调整了自己的情绪，笑道：“要来也不提前打个招呼，没有什么好吃的，早上煮了一锅稀饭，只能将就吃了。”

稀饭、咸菜、一碗鸡蛋炒番茄，倒也是有滋有味。

湿钱贴在桌子上，等着干，为了防备湿钱被风吹乱，没有开门，也没有开风扇，屋里就显得闷热难当。侯卫东脸上滚落下来的汗水，连头发也湿了。段英只觉满屋都是侯卫东身上的汗味，很好闻。她突然想起那天早上看到的帐篷，不禁心中有些慌张，脸上飞起一块红晕。

天气热，湿钱干得很快，段英细心地将钱一张一张地收了起来，递给了侯卫东，道：“我们同是天涯沦落人，以后你有什么事情，就来找我，千万别见外。今天你有困难想着找我，我很高兴。”

看着侯卫东离去的背影，段英暗道：“沙州和益杨的距离是侯卫东和张小佳很难克服的障碍，真希望他们早些分手。”想到这一点，她脸上飞起了红霞。

到了交通局，侯卫东和刘维就如地下工作者一样，在交通局大院一个绿树环绕的角落碰了头。刘维接过厚厚的一叠人民币，数了两遍以后，把剩下的图纸交给了侯卫东。他蹲在墙角，找了一块石头，随手画了几条线，道：“青林山地势陡，公路并不好修，有三个地方施工难度大，动工之前，你给我打个电话，我过来仔细说说组织施工的事情，平时施工我随喊随到。”

刘维说起工程上的事，原本平庸的人立刻有了神采。从下青林到上青林的路线上，何处有暗水，何处是硬石层，何处需要做堡坎，他如数家珍，令侯卫东不由得刮目相看。

侯卫东同刘维分手以后，刚走到交通局门口就遇上了刘坤。刘坤头发凌乱，满眼血丝，浑身散发着酒味，大声道：“侯卫东，你在这里干什么？”

侯卫东道：“办了点小事。”

刘坤拍了拍侯卫东肩膀，指了指交通局办公楼后面，道：“这一段时间跟着马县长跑交通。曾局长在交通局家属院里给我考虑了一套两室一厅的住房，房子大，就是没有家具。”他神情中有掩饰不了的得意，又道：“侯卫东，以后到益杨来，就住在我这里，反正宽得很，多住几个人没有问题。”

想到自己的处境，侯卫东心中不禁酸溜溜的。

“今天成津县领导带队到了县里，我喝得太多了，马县长亲自批准我下午不上班。只是科里事情多得要命，我怎么闲得下来，刚才叫了交通局派车送我到县政府。”

刘坤一脸兴奋地道：“前几天我在街上遇到段英，听说她与男朋友分手了，这下我的机会来了，她逃不脱我的掌心。”

在沙州学院之时，刘坤一直对丰满性感的段英垂涎三尺，在寝室“睡前10分钟”时经常说起段英，每次说起都要流口水。侯卫东当时没有什么感觉，不过此一时彼一时，此时听得这话心里很不痛快，恨不得一拳砸他个满脸开花。

正在这时，交通局小车开了出来。刘坤上了车，向侯卫东挥了挥手，一溜烟地开走了。

把所有图纸拿了回来，侯卫东想起尖山村和望日村几个村干部的表情，心里仍然有些担心。在这四个村干部中，以尖山村的曾宪刚最有积极性。

尖山村位于上青林山中部，中部多悬崖，无法修路上山，对于东部、西部之争，曾宪刚持两可态度，是侯卫东重点争取的对象。他的策略是建立统一战线，拉拢大部分人，孤立小部分人。

上了山，侯卫东抱着图纸就去先找曾宪刚。找到曾宪刚时，他正在鱼塘里忙活，侯卫东站在池塘边，有一句无一句地和他聊天。侯卫东诱导道：“听说县里准备大办交通，办交通就要用上石头，所以要趁这个机会，早些把路修好。这个消息绝对准确，是听县上刘维工程师说的。”

"我和秦大江都是石匠，巴不得早些把路修好，不用你来动员，我比侯大学认识还要深刻。"曾宪刚指着池塘边的小山，道："这座山就是一座石山，盖山不到一米，很容易开掘。"他弯下腰捡起一块石头，递给侯卫东道："青林山石头硬度很高，在益杨算是最好的建材。只要公路一通，青林山的人立刻就会发财。"

侯卫东来之前，早就想好了对策，他道："运送石材必须要考虑运距，从独石村修路下山到益杨县，傻儿也知道运距要近得多，运距就是钱。曾主任既然想开石场，就必须要考虑运距问题。"

青林山从来没有通过汽车，曾宪刚确实忽略了运距的问题。此时听了侯卫东的观点，越想越觉得有道理，想通了这一点，他痛快地道："侯大学，我支持走东线，以后公路修通了，我们联合起来办一个石场。我负责打石头，你搞销售，收入一人一半。"

侯卫东并没有想着开石场，随口道："这是好事，到时可以考虑。"

第三次开村干部会，高长江原原本本讲了图纸的故事。唐桂元、贺合全等人这才知道侯卫东为了修路借了五千，又贷款一万，是真正下决心要修路，"侯疯子"之名也在三个村里不胫而走。

在高长江的建议下，一位上青林风水先生择了一个良辰吉日，作为上青林公路的开工日期。

公路开工仪式不久，在青林镇党政联席会上，赵永胜捧着将军肚，道："听说上青林公路已经开工了，这是一件关系到七千人的大事，镇党委不能无所作为，必须参加并主导工程建设。我的想法是从国土办和农办各抽一个人，加上独石、尖山、望日三个村的驻村干部，成立青林镇修路领导小组办公室。粟明任组长，高长江任副组长，侯卫东任办公室主任。"

粟明没有思想准备，问道："修路由我来负责？"

赵永胜不容置疑地道："镇党委政府不去主导涉及七千人的大事，就是工作上的失职。现在他们自发动了起来，这很好嘛，但是我们一定要掌握工程建设的方向，这毕竟是百年工程，必须要纳入全镇统一规划。"

粟明道："镇里的这个财政状况，如果我们主动参加进去，等路修好了，镇政府多半要破产。如果我们镇里要成立修路小组，又一分钱不出，村里也不会服从镇里的安排。"

"高长江、侯卫东还是不是机关干部？秦大江、唐桂元还是不是村支书？他们这个身份决定他们必须听镇党委指挥。”赵永胜挥了挥手，道：“党委的责任是管做不做，至于如何操作，这是镇政府的事情。”

秦飞跃在一旁冷笑几声。

散了会，粟明找到秦飞跃，道：“秦镇长，关于修路这事，镇政府如何操作？”秦飞跃道：“镇政府的财政开支是由镇人代会批准的，今年没有这笔预算，我是巧妇难为无米之炊。”

粟明是夹在风箱里的老鼠，左右为难。不过在联席会上定下的事情，他又无法推脱。开完会，他就坐着车来到了上青林，找到了高长江和侯卫东。

粟明宣布了镇党委的决定，道：“我在青林镇事情多，不能每天上工地，这个组长的职责就是负责协调，具体工作我不管。高乡长是老领导，在上青林说话有威信，修路的事就由高乡长统筹协调。侯卫东是大学生，人年轻，有干劲，就多跑工地，负责一线的事情。”

高长江想着钱的事情，道：“修路还是需要必要的设备，要租用设备，买炸药，就需要钱。镇里既然成立了领导小组，多多少少还是得出一点。”

粟明头脑转得快，道：“镇里就是吃饭财政，难啊。我认为还是三点式，一是上青林三个村，每户出点钱，也是一笔大数字；二是由老乡长去沙州找一找高志远，只要他肯出面，一定能化到缘；三是我去给两位主要领导汇报，看能不能挪用一些钱。”

粟明走了以后，侯卫东的兴奋溢于言表。高长江泼了冷水，道：“侯老弟不要高兴得太早，修路是公益事业，赵永胜和秦飞跃不会明着反对，但是他们两人都不当指挥长，也就说明两人对此事并不热心。以后修路，还得靠三个村的力量，遇到麻烦事，还得三个村来处理。”

开工仪式第二天，麻烦事就出现了。

地头蛇的威力

秦大江到场镇找到了高长江和侯卫东："我遇到青林林场的杨场长，给他说了修公路的事情。老杨说是新来了一个场长郭光辉，要他同意才行。他原来在森林派出所工作，听说是个犟拐拐，何红国砍了两根棒子树，非要罚他二百元钱。"

侯卫东有些纳闷，问道："我们修路，和他们青林林场有什么具体关系？"

高长江对此事的前因后果知道得很清楚，道："青林山上除了三个村以外，还有一个国有林场——青林林场。上山公路有一公里多要经过这片国有林，以前的欧阳场长曾经答应只要修路就可以随便占地，由他去跑手续。今天听杨场长的说法，新来的郭光辉不一定同意这个方案。"

秦大江道："我们到林场场部去一趟再说。"

高长江原本不想去，被秦大江硬拉着下了楼。三人翻了几个山梁，就看到了青林林场。林场场部位于半山腰上的一块平地上，四周全部栽满了树，还有一片花卉园，火红耀眼。

高长江、秦大江是老青林，和青林林场的人大多数都熟悉，一路打着招呼，来到了副场长办公室。副场长杨秉章将三人带进了场长办公室，场长郭光辉道："欢迎高乡长到林场指导工作，我正在同杨场长商量，准备这几天上山拜访。"

寒暄一阵，郭光辉听说要占林场的地，脸色便严肃起来，道："公路林场段大约有好长？"

"不超过一千米。"

郭光辉面有难色地道："青林林场被划入了长江林保护地区。现在有了新规定，凡是占地一亩以上就必须要报县林业局。上山公路加上水沟和路肩，至少有十米宽，六十米就接近一亩，六百米就接近十亩，一千二百米就是二十亩，占地这么多，局里没有权力批准。"

秦大江见郭光辉打起了官腔，道："青林林场和青林乡各村向来是友好单位，每年都要聚好几场，欧阳场长曾经答应过，只要我们修路，他无偿支援。再说，以后路修好了，林场运木料也就方便多了。”

由于青林林场没有路，青林林场间伐木之时，总是将木料从山坡滑下去。由于距离过长，很是费力，若是通了公路，则运送木料要快捷许多，这也是老欧阳场长愿意无偿提供木林地的原因。

郭光辉刚从林业局森林派出所调到青林林场，情况还不熟，办事很谨慎，道：“今年是长江林封山工程的第一年，手续控制得很严。如果滥砍滥伐，肯定是严重违纪行为。当然上青林修路是好事，我抽时间专门向局里做一次汇报。”

秦大江听到郭光辉左推右挡，不快地道：“上青林三个村都对林场很是支持，去年发了春火，如果没有周围老百姓配合，林场早就被烧光了。独石村的一个社员还因为救火受了伤，如果社员知道了林场不让修公路，以后有些事情恐怕不好办。”

这番话就有了三分威胁。郭光辉以前是森林公安，向来只有他去威胁别人，很少有人威胁过他，便硬硬地顶回去，道：“我们是国有林场，上面有规章制度，总不能乱来。”

秦大江瞪着眼睛道：“规章制度是死的，人是活的。林场场部的那条小公路，占了我们村不少田土。如果这一次不让我们的公路通过，我们就把公路恢复成田土。”他所指的那条路，是下青林公路通往林场场部及货场的一条小公路。由于要占用独石村土地，欧阳场长多次协调，村里才同意此事。

郭光辉初来，不了解这一段历史情况。他见到杨秉章点头，话就委婉了不少，道：“请各位放心，我尽快给局里汇报。”

高长江见郭光辉与秦大江话不投机，打起了圆场，道：“郭场长，林场和青林镇是兄弟单位。林业局曾局长每年都要到山上来一趟，我们很熟悉。如果要汇报修公路占地的事情，我们可以一起去。”

郭光辉缓和了口气，道：“我初到林场，以后肯定要经常麻烦高乡长。中午就在场里吃饭。”他抱了抱拳头，道：“我老婆患胆结石正在住院，今天下午开刀，我得赶回去，让杨场长陪你们，实在抱歉。”

秦大江听到郭光辉要走，心里“哼”了一声，坐在竹沙发上喝水，不说话。

侯卫东资历浅，又是第一次和林场打交道，他没有多嘴，就在一旁观察着形势变化。

高长江不知郭光辉是真有事还是找借口，心里隐隐不快，道："郭场长，今天中午我们有事情，不在林场吃饭了。郭场长，修路是大事，麻烦你抓紧一些。"

郭光辉握着高长江的手，道："我家里确实有事情，高乡长第一次到林场来，无论如何也要吃了饭再走。"他对杨秉章道："老杨，昨天打了一只野兔，还有一些风干的野猪肉，弄出来请高乡长喝酒。"

郭光辉走后，杨秉章拉着高长江，急得青筋直冒，道："郭场长老婆确实要动手术，高乡长，你若走了，就真的不给面子了。"杨秉章是青林林场的老职工，大家关系挺好。看在杨秉章的面子上，高长江点头留了下来。

林场伙食团很有特色，不仅有野兔和风干野猪肉，还上了一盆蛇肉汤，是林场职工上班时逮住的。喝的酒也和野物有关，是一大罐蛇蝎酒，墨红色，入口有一股药味。

这一顿酒，吃到了下午2点。外面日头正毒，杨场长就找了一件屋顶很高的清凉屋子，大家坐在一起搓麻将。下午4点钟，高长江等人要走，杨秉章挽留道："吃了晚饭再走。"

"山路不好走，喝了酒要摔跟头。"秦大江亲热地拍着杨秉章的肩膀，道："老兄，修路的事情你给郭场长好好说说，这是欧阳场长答应的事情。我们两家人，不要因为这些小事情伤了和气。"

秦大江长得五大三粗，说话直来直去，一会儿称兄道弟，一会儿又赤裸裸地威胁。而高长江则和稀泥，两人一唱一和配合得极好，在气势上把林场诸人完全压住了。经过青林林场之事，侯卫东对村支书秦大江高看了一眼，心道："以前听说农村干部除了喝酒什么都不会做，这是偏见，以后要好好学习他们在实际工作中的招数。"

这一次接触没有什么实际效果。

过了两天，侯卫东和秦大江一起再次来到了林场场部。副场长杨秉章道："郭场长老婆动了手术，他请假了，我暂时在这里顶着，不好表态。"人吃五谷杂粮生百病，既然郭光辉老婆真是动手术，侯卫东和秦大江就悻悻地回到了山上。

这一拖就过了十来天，粟明了解此事以后，亲自出马到了林场。

此时郭光辉已经回来了，他到林业局汇报了此事，分管副局长态度挺硬，他态度就发生一些变化，道："长江天然林保护是国家大政策，占地二十亩是件大事，只有我们曾局长才能拍板，能不能再等几天？”他为难地道：“涉及二十多亩国有土地，我们没有权力处置，即便要处置，也得算账。”

秦大江听了这个说法，骂道：“狗日的郭光辉，真不是个东西！去年林场要修进场部和货场的公路，我们无偿支持至少有十多亩田土。他们林场占地这么宽，修一条公路又好大个事，而且他们林场也需要这条公路，惹毛了老子，把进场公路恢复成田土！”

眼看着就到了9月下旬，秦大江和侯卫东两人又到了林场一次，郭光辉还是没有明确答复。秦大江终于发火了，他嗓门如雷，道：“我要把小公路断了，让林场的车不能进场部，郭光辉自然晓得厉害！”

江上山主任是忠厚人，想到独石村和林场关系向来不错，道：“断路还是不太好，是不是还是请镇里出面？”

“请个鸡巴！再拖，这条路不知猴年马月修得成！我们把事情闹大，自然有人出面解决问题。”秦大江对侯卫东道：“侯疯子，你是修路领导小组办公室主任，敢不敢去挖路？”

侯卫东从法律专业角度分析道：“当年林场修路，村里是无偿支持，但是村里没有和林场签协议。小公路所占用的土地都是村里的，从法律上来说，我们是挖自己的田土，和林场没有任何关系。不论到哪里打官司，都不会输，更关键是，法不责众，只要是村民来闹，谁又能把他们怎么样？”

李勇是独石村的驻村干部，但是自从侯卫东被派驻到了独石村，他就当起了甩手掌柜，大事小事都让侯卫东去跑，已很久没有到村里面来了。村主任江上山对于挖路的决定多少有些担心，派人把李勇喊到了村里。

李勇听说挖路一事，摸了摸络腮胡须，不在乎地道：“挖就挖，怕个锤子！”又道：“这种事情镇里不太好出面，让社员自己去挖。”

秦大江瞪着牛眼道：“你是驻村干部，村里的事得参加，老是欺负侯大学。你这人就是狗鸡巴抹菜油——又奸又滑，没有侯卫东耿直。”

李勇也不恼，笑嘻嘻地：“老表从沙州过来，我们十几年没有见到他了，实在是走不开。”

最后，侯卫东、秦大江和社长朱老八带人去挖路。

朱老八带着人来到靠近林场的一个大山弯，指着那条小公路道：

“那条小路原本是何家的田土，以前是块大田，因为修公路而被隔成两块，我们就从这里挖开。”

秦大江道：“何家几兄弟都是无理闹三分的角色，让他们挖。”

过了一会儿，朱老八把何家人喊了过来，曾经被挑过谷子的何红富也在其中。何红富被强行挑了谷子，看到几个村干部，仍然横眉冷眼。但是当他听说是要修路，脸上表情就丰富起来，道：“林场凭什么不准我们修路？他们占了我二哥的田土，今天我不仅要把公路挖了，还要让林场赔损失。”

侯卫东心道：“何红富倒聪明，一点就透。”他鼓劲道：“这是分给何家的田土，林场没有征用土地，也没有使用协议，更没有补偿。无论走到哪里，他们都要输官司。”

何红富点头道：“对头，就是这个理，我们去找锄头，马上就挖。”

除了侯卫东，在场的人都用惯了锄头和钢钎。只见锄头飞舞，钢钎乱钻，一个小时的时间，泥结石公路路面就被挖开了一条一米多宽的大沟。

一辆林场的大车从林场场部开了下来，看到大沟，司机吼了一句：“你们干啥子？”

秦大江、侯卫东等人提着锄头钢钎，笑眯眯地看着司机。司机骂了几句，见对方根本不搭理自己，便道：“等着，我去找场里面。”

侯卫东心道：“李勇说得有道理，镇里面干部，挖路终究不妥当。”对何红富道：“路断了，这件事情镇里和村里就不出面了，你们几哥俩守在这里，跟他们评理。”

何红富对修路是百分之一百的支持，道：“我晓得怎么办。”

侯卫东、秦大江一行人从小道上了山。他们坐在半山腰，可以清楚地看到从林场冲出了几个人，他们站在挖出的大沟旁，和何红富等人理论起来。从远处，可以看到何红富比手画脚地和林场的人争辩。

秦大江笑得很开心，道：“何红富歪道理最多，林场的人肯定拿他没有办法。”侯卫东担心道：“林场人多，如果硬来，怎么办？”秦大江道：“独石村有近三千号人，林场才几十号人，要打架，早就把他们打扁了。”

在山林上坐了一会儿，就见到林场的人退了回去。侯卫东暗道：“地头蛇真他妈痛快。”

中午，几个人就到秦大江屋里，煮了一块老腊肉，痛快地喝了几杯。

高长江得知林场公路被挖断了以后，愣了好一会儿，才对侯卫东道："侯老弟，你太鲁莽了，林场和我们关系不错，怎么说挖就挖了？"侯卫东道："高乡长，林场占了何家的田土，是何家挖的路，和工作组没有任何关系，到时我和秦大江不会承认的。"

在青林林场，郭光辉接到了公路被挖断的消息，顿时火冒三丈。他把杨秉章叫了过来，道："你说高乡长很耿直，耿直个锤子！他们居然敢挖路。"他拨通了森林派出所的电话，道："我是郭光辉，你们派几个人过来。有几个土农民把林场公路挖了，木料全部运不出去，这是破坏生产。"

等到郭光辉打完电话，杨秉章道："郭场长，公安来了也解决不了问题，被挖断的小公路是占用村民的田土。何红富说得也有道理，田土是分给何家的，他挖自己的田土，犯不了王法。"

"以前为什么不征用这些土地？引来这么多后患。"

"欧阳场长和秦大江关系好，修公路的地是村里面免费让林场使用。欧阳场长不花一分钱，办成了这件事情，局里表扬过好几次。"

郭光辉听完，半晌不说话，一点脾气也发不出来。这是他来林场主持工作的第一件大事，如果处理不好，威信就要受到影响。他脑子飞速转了起来，还是觉得绕不过青林政府，道："我们去找粟镇长，请他出面解决。"

郭光辉找到了镇上，粟明装作火冒三丈，骂道："何家几兄弟真是狗胆包天，竟敢挖公路！这一次要好好收拾他们！郭场长，你放心，我会处理此事。"

挖断公路以后，林场和村民一直在对峙。

第二天上午，侯卫东、秦大江来到了镇政府。

粟明看着坐在桌子对面的侯卫东，心道："这小子倒有些魄力，敢作敢为。"可是嘴上却没有放过侯卫东，严厉地道："侯卫东，你竟然去挖林场的公路，胆子还真不小，这样做想过后果没有？"

侯卫东很无辜地道："这不是工作组的行为，小公路所占的地是何家兄弟的。林场没有任何手续，他们是争取自己的权利。"

正说着，院外吉普车响了起来，郭光辉和杨秉章就走了进来。粟明也故意装傻，道："老郭，刚才我问了秦书记和工作组，他们不知道何家兄弟挖路的事情。"

郭光辉向林业局汇报村民闹事之事，林业局感到了事情的棘手，紧急开了党组会，又听了欧阳老场长的意见，分管局长被一把手曾局长批评了一顿。

林业局一把手明确表态以后，郭光辉态度自然也就变化了。他道：“目前长江天然林保护工程启动了，不能随便占林地，我确实为难。昨天我请示了领导，今天来商量折中办法。”

经协商，镇里与林场达成协议：林场允许上青林公路穿过林场土地，而小公路要扩宽三米，所有权仍然归村集体，林场无偿使用。

得知了这个协议，侯卫东心头终于松了一口气。很快，林场公路毛坯就挖了出来，当公路进入独石村地界，又遇到了另一件恼人事。

谁敢动祖坟

进入独石村，在国有林和集体林交界处有一个大弯，这是整个公路重点建设地段之一。秦大江、侯卫东等人取出图纸，对着地形开始指指点点。

秦大江对着一个坟堆道：“这个坟是李老头家的祖坟，好几个阴阳先生都说这个地方风水好。李老头大儿子在沙州市统战部当副部长，小儿子在临江县政府，女儿在沙州中学教书。李老头以前说过，修公路不准动他家里的祖坟。”

侯卫东没有基层工作和生活的经验，虽然知道祖坟在人们心中的地位，可是并没有切身体会，也没有过于在意。高长江站在几个石碑前，看着打扫得干净的青石板砌成的墓地，道：“这事还真有些棘手。”

“别想在这修路。”一声巨吼在侯卫东耳边响起，震得他隐隐发痛。“这是我们老李家的祖坟，哪个人敢挖，我就要和他拼命。”一个瘦削的老头，裤脚挽在腿弯处，叉着腰，气势汹汹地道。

“老李，你看这地形，那一壁是石山，如果不拐弯，根本就上不了山。”

李老头的脑袋摇得如拨浪鼓，道：“这是我们李家祖坟，不管什么事情，都不能挖了我家的祖坟。青林山这么大，你们不能换个地方？”

侯卫东解释道：“这条路线是经过交通局勘察的，施工难度最小，路线最近。修公路是利国利民的好事，你要支持。”

李老头固执地道：“我不管什么利国利民，谁也不能动我家祖坟。”

不管几人如何劝说，李老头就是这一句话。与这个固执的李老头一时也说不清楚，高长江带着人离开了大弯处。

在秦大江家里，高长江道：“修公路肯定不止涉及一处坟地，我们得制定一个标准，统一执行，免得一碗水端不平，惹来更多的事情。”又道：“李光中是沙州市委统战部副部长，应该懂道理。大江和他是同学，能不能给他说一说？”

秦大江道：“李老头这个坟特殊，阴阳先生说他这个坟风水好，他肯定不愿意搬。李光中每年都要回来烧香，虔诚得很，通过他来做这个工作，很难。”大家商量了一会儿，也没有更好的办法。

第二天，正好国土办欧阳林上山办事。国土办长期搞拆迁，侯卫东和秦大江就拉着他一起前往独石村，做李老头的思想工作。

欧阳林道：“李老头无非就是想要钱，多给他几百就能解决问题了。没有钱，思想工作是白费力气。”

秦大江道：“欧阳大学想得简单了，李老头祖坟风水好，一家人出了两个干部一个老师，要想挖掉这个好风水，李老头肯定跟你打架。”

果然，李老头看见秦大江等人，提起锄头就朝坡上走，根本不和秦大江交谈。秦大江追上去，他丢了一句，道：“谁敢挖老子的祖坟，老子要杀人，大不了一命赔一命。”

李老头长着一副中国老农的典型相貌，身体瘦小，面皮如核桃，充满着坚硬的纹路。他发了狠话以后，就用锄头使劲地挖土，似乎这土地和他有深仇大恨。秦大江、侯卫东、欧阳林等人轮番给他做思想工作，他闷头干活，将这些劝解当成身边的蛛丝，根本不加理睬。

李家堂客也跟了过来，她是一个头发完全白了的农村妇女，脸稍有些浮肿，慈眉善目地跟在男人后面，默不做声。

欧阳林在国土办工作，这种事情见得多，他悄悄地把侯卫东拉到了一边，道：“这是一个倔老头，干脆多加一点钱，有钱能使鬼推磨，肯定能让李老头搬坟。”

侯卫东对加钱一事并不太赞同，道：“加了钱，以后遇到迁坟的事情，要价只能越来越高。这个李老头是个老迷信，认定他这家祖坟风水好，态度很坚决，给钱可能也达不到目的。”

欧阳林哼了一声：“没有钱办不到的事情，办不到，只是价钱不够，这是特例，我认为可以把价钱提高一些。”

秦大江等人磨了半天牙，而李老头还是在地里不紧不慢地劳动。秦大江终于发火了，声音也高了：“老李，你的儿子也是共产党员，还是领导干部，要带头作出表率。如果因为你家的祖坟，影响了修公路，上青林七千人，每天骂你祖宗一句，也有七千句，看你的祖宗受不受得了！”

祖宗，就是李老头的逆鳞。他立起身来，把锄头在地上敲得梆梆响：“秦大江，你好歹还和我家光中称兄道弟。这几年光中为村里做的事情也不少，可你怎么说出这样的话来？”

秦大江想着李光中给村里办的好事，口气软了，道：“李叔，修公路不容易，如果久拖，只怕修不成，你老人家明白事理，一定要支持工作。”他哄着李老头：“修路是造福上青林所有人的大好事，李叔肯定会支持的。以后公路修好了，光中的车就可以开到家门口，也方便你们一家。”

李老头还是不松口，又道：“修路我支持，出钱出力都愿意，反正有一条，不能动我家的祖坟。公路只要不过我家祖坟，我出双倍价钱，说话算话。”

欧阳林威胁道：“好话说了一箩筐，再不听，我们只有强行进场。”李老头眼一瞪，道：“只要我还有一口气，你们就别想打我家祖坟的主意。”欧阳林将李老头拉到一边，两人说了一会儿，李老头声音大了起来：“我给你一千块，挖了你家祖坟，你同不同意？”

第二次劝说工作就不欢而散。回到秦大江家里，大家一边喝酒，一边商量如何解决李老头的祖坟。商量了半天，解决问题的方法也就三种，一是耐心细致的思想工作，并通过其子女一起做工作；二是暗中增加迁坟费用；三是强制迁坟。这三种办法，或是没效果，或是不可取。

秦大江倒了一盆酒出来，道：“我给李光中打了电话，他表态支持修路，并答应去做李老头的思想工作。从今天这种情况来看，他纯粹是敷衍我。”

欧阳林虽然是修路小组的成员，但是他并没有将修路一事放在心上，道：“侯主任，我在下青林工作挺忙，上来一趟不容易。这事你盯紧点，如果实在是有事，给我打电话。”

修路一事是侯卫东坚持而来，遇到难题别人能溜，他不能溜，必须得硬扛着。他给大家打气道："办法是人想出来的，偌大一个工程，难道真能被一座坟挡住？"

大话好说，事情难办，送走了欧阳林等人，侯卫东带着心事回到了小院子，一眼就看见办公室旁边的小屋打开了。这是习昭勇的警务室，侯卫东还是第一次看见此门打开。习昭勇跷着二郎腿，坐在桌子旁抽烟，在他对面蹲了一个人。桌子上摆了几张纸币、一本烂书，从封面看是一本算命的书，还有一包不知道什么牌子的烟，以及一些破烂。

他看见侯卫东在外面探了一下头，喊道："侯卫东，这两天在干啥，怎么没有见到你？"侯卫东进屋坐下，道："还是修路的事，被一座冒烟的祖坟挡住了。"

习昭勇当过兵打过仗，胆子大，眼界高，一般的乡镇干部他还真没有放在眼里。在上青林乡，他唯独看得起侯卫东，道："修路的事你纯粹是瞎操心，今天有人捉来一条菜花蛇，三斤多重，晚上在我家里吃蛇肉。"

"你给我蹲着，你给我算一命，看你算得准不准！"

那个蹲在墙角的人想站起来，被习昭勇吼了一嗓子，又蹲下了。他胡子留得老长，想必平时也是仙风道骨，此时可怜巴巴地道："政府，算命是骗人的，我就是找点零花钱。"

习昭勇听到这里，知道这人肯定被劳教或是劳改过。因为从这两个地方出来的人才会动辄称"政府"，道："你被判过刑，是不是？"

算命人老实地道："前年才出来。"

"什么罪？必须老实交代。"

算命人不好意思地道："强奸罪。"强奸犯在监狱里是最低等的犯人，算命人为了这宗罪很是吃了些苦头，他道："出狱后，我就靠劳动生活。"

习昭勇笑道："算命也是劳动？"

算命人讨好地笑道："政府，我只会算命，算命是脑力劳动和体力劳动的结合。"在习昭勇炯炯有神的目光之下，他迅速蹲回墙角，偷偷地看了习昭勇一眼，小心翼翼地道："政府，我刚到这里，还没有来得及骗人，你就放我走吧，我保证以后不到上青林来。"

习昭勇皮笑肉不笑地道："你跟我来，我们到敬老院去，你的钱和烟就算孝敬五保户了。"

算命人一脸苦相，道：“我还没有吃饭，政府宽大，能不能给我留十块，我好吃碗豆花饭。”习昭勇怒道：“龟儿子还要讲价钱，信不信我关你小间？”

算命人不再言语，一张脸却变成了苦瓜，小眼睛滴溜溜转个不停。

侯卫东忍住笑，道：“既然会算命，就帮我算算。”算命人抬头看了侯卫东一眼，道：“这位政府天庭饱满，三年之内肯定要升官。”习昭勇踢了算命人一脚，道：“废话，三年之后，如果没有升官，到鬼地方去找你？”

经过算命人这么一闹，侯卫东心里也轻松了许多，回到房间，躺在了床上。“三年回沙州，真能回去吗？”想到了小佳，侯卫东就想起在沙州给陈庆蓉的承诺。尽管当时说得斩钉截铁，可是从现在的境遇来看，莫说回沙州，就算是调回青林政府，也不是一件易事。

“打扫办公室，修路，费尽心力做这些事情，到底有什么意义？”侯卫东在外人面前意志坚定，孤零零躺在床上之时，心灵中的软弱就溜了出来。

在梦中，他和小佳一起在湖边散步，湖光山色，风景如画。小道的前方，副院长济道林正狠狠盯着他，他分管学生工作，曾经多次告诫学院的主要学生干部在校期间不要谈恋爱。侯卫东是校系两级学生会干部，见到济道林站在前面，立刻要往后退。但是回头之际，又见到了陈庆蓉和张远征在后面，侯卫东和小佳慌不择路，扑通跳进了河里。

侯卫东见小佳慢慢地向下沉，拼命地向小佳游过去，想救她，可是他手脚无力，无论如何游，也到不了小佳身边，眼见湖里飘起了小佳的长发，他惊恐万状地喊叫着。

被习昭勇抓住的算命先生在岸边跳着脚拍着手，大笑：“侯卫东，我给你算一命。”

被吓醒以后，侯卫东猛地坐了起来，惊魂未定，冷汗直流。看到眼前的真实景物，侯卫东这才清醒了过来，想着梦中的情景，他心绪不宁，如一匹受伤的狼，在屋子里走来走去。

走了无数圈，他站在窗边，看着后院的落寞假山以及假山上同样落寞的小草，对自己道：“想这么多有屁用，无论如何要把手里的工作完成才行。”

早上起来，侯卫东一个人就朝李老头那里走去。站在山坡上，远远地就看到李老头破烂的石房子，石房子有一个中年人在进出。

由于上青林山上不通公路，修房子如果用砖，运输的费用就和材料钱相差不多。山上很多人家就地取材，用石头来修房子，石头房子当然就不太齐整，安全性也不如砖房。

侯卫东看着这座石房子和中年人，心道："这个中年人想必就是沙州统战部副部长李光中，既然能当上沙州的领导，想必也通情达理。"带着一线希望，他就朝李老头走去。

在房门口，侯卫东招呼道："李大爷在不在家？"李老头从屋里走出来，见是镇里面的干部，就气鼓鼓地道："这位干部，不要来劝我，没有用。"

李老头说了一句，就不再理睬侯卫东，径直回了屋。侯卫东厚着脸皮，道："李大爷，你听我给你讲。"

一位中年人从堂屋走了出来，问道："这位同志，有什么事情？"从中年人的穿着及相貌，侯卫东断定此人就是李老头的大儿子李光中，礼貌地道："李部长，你好，我是独石村的驻村干部侯卫东，给你汇报一件事情。"

李光中听说是驻村干部，脸上表情也没有多大变化。他站在门口，自顾自地抽了一口烟，道："请问有什么事情？"

侯卫东感受到了李光中的居高临下，他不卑不亢地道："上青林准备要修公路，公路要从青林林场往上走。"他指了指李家祖坟方向，道："得从这个方向上山。"

李光中四十来岁，穿了一件白衬衫，很有些领导风度，他淡淡地道："修公路是好事，我支持。"话未说完，屋里就传来李老头的声音，"他们修公路，非要从我们家里的祖坟经过。秦大江不是东西，欺负我们李家。"

李光中客气地道："中国人传统就敬重先人，如果要挖掉祖坟，我父亲会很难接受，能不能改一改设计，不从这里通过？"

侯卫东解释道："公路是请交通局来勘察和设计的，主要是考虑山形。你看这边山形，两边都有陡崖，而且是大块的硬石头，根本无法修路。如果要改道，工作量将成倍地增加。"

李老头走到了门口，道："这位干部，就算你说翻了天，都不得行。"在外地当官的儿子回来以后，他的底气更足了。

这时，屋里响起了一阵电话铃声。李光中转身回屋，从屋里取出来一个大哥大，他站在门外，当着侯卫东的面，拨通了一个电话："赵书记，你好，怎么想起我了？"

"难得赵书记有心，好，好，晚上我到益杨来，一定来。"

大哥大要一万多元钱一个，镇里面只有镇长秦飞跃和书记赵永胜两人才有大哥大。看着李光中打电话的淡定样子，侯卫东在心里骂道："有个大哥大就了不起？"李光中打完电话，很随意地道："益杨县委赵林书记真是客气，早上他的驾驶员看到我的车，就约我晚上吃饭。"

侯卫东在李家父子面前碰了一根软钉子，悻悻而回。爬上了山坡，他仔细看了看李家老屋，无奈地道："真是一根老四季豆，油盐不进。"

数次做工作都没有效果，激发起了侯卫东的好战情绪。他上了坡，也没有回家，径直跑到了秦大江家里。

秦大江穿一件背心，正在后山上打石狮子。这是一个半成品，狮子的头部形状已经出来了，地上还摆着两对小狮子，眼睛、皮毛等都颇为精致。

"怎么不打大狮子？大狮子可能还要值钱些。"

秦大江放下手中的工具，喝了一大口水，道："没有公路，这些狮子只能由马帮驮下山。狮子大了就没有办法，如果路修好了，我就开始做大狮子。在广东，一对大狮子要值几万元。"

侯卫东坐在石狮子上，道："我又到李老头那里去了，思想工作一点用都没有。"

秦大江也没有好办法，道："这李老头认死理，总认为他的祖坟风水好。我们现在是狗咬乌龟，找不到地方下口，实在做不通工作，老子就硬来。"

硬来，说起来轻松，做起来还真难。李光中是从上青林走出去的干部，在益杨县当农业局长的时候，曾经为上青林乡办过不少好事，真要挖他家的祖坟，还真下不了手。

"任何人都有弱点，这个李老头有什么弱点？"回到了自己的家，侯卫东做任何事情，都在想着如何解决坟地问题，却别无良策。

晚上，又做了一个稀奇古怪的梦。在梦中，他搂着长发女子在舞厅里旋转，慢慢享受着浪漫十分钟。这个梦十分真实、细腻，梦中他甚至能感受到那个女子的温润身体以及长发擦到脸上的瘙痒，只是女人的面貌不甚清晰。

“午夜的收音机，还在重复那首歌……”舞厅播放着一支熟悉的老歌，旋律中有一丝忧伤，侯卫东与梦中的女人越抱越紧，眼看着就到了喷发边缘。突然，习昭勇和那位算命人神秘地出现在侯卫东面前，随后一队日本兵挺着刺刀从舞厅外面冲了进来。侯卫东拉着长发女子拼命地跑，到了一个山口，毫不犹豫地纵身往下一跳，身体就在空中飘啊飘，落在了数百米远的地方，安然无恙。

只是落地以后，那白衣女子却没了踪影。从梦中醒来，侯卫东独自在发呆，这个梦在情节上如此的荒诞，细节上却无限接近真实。而且，一天两梦，小佳和长发女子各出现一次，算命人的肮脏身影却接连出现两次。

“这个狗日的算命人，总是扰人清梦。”侯卫东骂了一句，突然，他灵光一闪：“李老头既然是一个老迷信，那我们以毒攻毒，以迷信对付迷信，找那个算命人去劝说李老头。”

侯卫东兴奋地下了床，在屋子里走来走去，开始策划方案，思路渐渐清晰起来。第二天一大早，侯卫东还是耐着性子将办公室打扫干净。等到9点，他终于看到习昭勇的房门打开了。

习昭勇只穿了一件短裤，他在房间里做着俯卧撑，听到侯卫东的请求，奇怪地问：“什么，要找那算命的，找他干什么？”

等完侯卫东解释，习昭勇忍不住笑了起来：“侯老弟，你还真有性格，不达目的不罢休。那个算命的刘半仙，早就被我放了，现在也不知在什么地方。”

侯卫东有些失望，道：“不知这附近还有没有半仙？”

习昭勇用毛巾揩了揩身上的汗水，道：“这附近的半仙，多半和李老头熟悉，要想办成这事，只能找外地人。”看着侯卫东失望的表情，他笑道：“今天下青林赶场，这家伙是老油条，说不定会溜到了下青林。”

“习哥，我们这就下去找他。”

习昭勇有些不愿意，侯卫东抱拳道：“习哥，帮帮忙吧，这李老头只有半仙一类的人物才能对付，中午我请你喝酒。”习昭勇是爱恨不假于颜色的人物。他看得起侯卫东，也就不掩饰对他的友好，“我刷了牙就下山，侯老弟的事情，我一定帮到底。”

下青林场，人来人往，热闹得紧。赶场的人们将公路堵得死死的，拉煤的大车在人群中缓慢地穿行着，速度就如爬行的蚂蚁。

习昭勇和侯卫东两人在人群中穿来穿去，到了最偏远的场口。习昭勇眼尖，一眼就看到了算命人，他似乎洗了澡，脸上的长须看上去很是飘逸，正拉着一个年轻女子的手掌，一脸高深地侃侃而谈。

等到他接过女子递来的钱，习昭勇和侯卫东就出现在他的背后。习昭勇拍了拍算命人的脑袋，道："邢半仙，今天生意如何？"

邢半仙摸了年轻女子的手，还赚了二十元钱，正在高兴的时候，头上被人从背后重重地拍打了两下。他恼怒地抬起头，就看到"政府"皮笑肉不笑的脸。

"我没有做什么，坐在这歇脚。"

按照事先计划，习昭勇取出手铐，哗地套在了邢半仙的手上，道："你这个139，又在做什么？"

刑法139条是强奸罪，在监狱里，139就代表着强奸犯。139在监狱里地位也极低，凡是被命名为139的犯人，除了被欺负以外，还干着监狱里的脏活、累活。邢半仙被揭了短，垂头丧气地跟着习昭勇，来到了场外的一片竹林里。

习昭勇数了数邢半仙的钱，调侃道："半天时间，就骗了四十三元，你这生意倒好得很。"他提高声音："全部没收。"

邢半仙还是老一套，道："政府，给我留十元饭钱，我现在早饭都没有吃。"习昭勇道："这位政府有话给你说，你认真听好，事情办好了，这些钱全部还给你，包括昨天的。"

邢半仙是老江湖，他知道和公安打交道占不到什么便宜，仍然哭丧着脸。

侯卫东仔细地讲了事情经过，道："俗话说，卤水点豆花，一行服一行。你的任务就是说服那人迁坟。"习昭勇在一旁威胁道："这事你不要乱说，你只要把这件事情说出来，以后就别想在益杨混了。各地派出所我都有熟人，一个电话过去，够你喝一壶的。"

"岂敢，岂敢。"听说是这事，邢半仙心里就轻松下来。这正是他的老本行，凭着三寸不烂之舌，说服一个迷信老头，还不是一件易如反掌之事。但是，他并不想轻易答应，叫苦道："政府，我已经改邪归正，这些事还是另找高明。"

算命人一向老实，侯卫东没有想到他居然会拒绝，就看了习昭勇一眼，等着他说话。习昭勇上前就给了邢半仙两脚，道："你他妈的少给我来这一套，这事必须办好，办不好，让你脱一层皮。"邢半仙本想讲条件，没有想到这个公安态度如此蛮横，比狱警更厉害，只得讨饶道："政府，我这就去办。"

邢半仙垂头丧气地上了山，他在一块水田里重新洗脸，又梳理了头发，整理他的仙风道骨。

三人鬼鬼祟祟地出现在山顶，指着李老头的房子，侯卫东道："李老头的祖坟就在房子左手面那个石坡前面，你一定要说服他搬走。"

邢半仙仔细地观察了一会儿李老头的房子，道："政府，这家祖坟的风水还真是好，子孙后代当官又发财。"

习昭勇道："少说废话，你快点下去。"

邢半仙蹲在草丛中，又看了一会儿，道："要让我做这事，我也有条件，否则，我宁死不屈。"听到最后一句话，习昭勇差点笑了起来，"什么条件？只要不过分，我可以考虑。"

邢半仙眯着眼睛，道："正所谓盗亦有道，我要到山上去寻一寻，找一个与那家风水相当的坟，这样我才劝他迁坟，要不然要损了阴德。"

习昭勇点头道："这个可以。"然后还给邢半仙五元钱，道："我也不怕你溜走，昨天十元，今天四十元钱，我都扣了，这家人如果将坟搬走，我就把钱还给你。"

侯卫东真的害怕他逃跑了，就道："如果成功了，我再给你二十元钱。"邢半仙讨价还价道："这事不容易办，五十块钱。"侯卫东咬了咬牙，道："三十五块，不讲价了。"邢半仙笑眯眯道："好，就这样说定了。"

习昭勇恶狠狠地道："明天上午10点钟，你必须到李老头家，我再说一遍，必须完成这事。否则，你就别在益杨混了。"等到邢半仙背影消失，他道："侯疯子，这三十五元没有地方报账的，何必为公家办事如此认真。"

侯卫东道："只要把事情办好，这点钱又算什么？"

利用算命先生来做工作，这不符合政府办事的程序和规矩，算得上是歪招。若是上纲上线，就是严重的违纪，只有侯卫东这种半脱离组织的人才想得出来。

第二天，侯卫东一早就把习昭勇拉起床，又不由分说，将他拉到了豆花馆子。他虽然来到上青林的时间不长，却也算上青林的名人了。两人离开的时候，姚瘦子热情地招呼道：“侯大学，今天中午过来吃饭，我弄了一笼新鲜的肠子。”

“给我留下来，中午我和刁公安过来喝酒。”

刁昭勇当过侦察兵，身体极好，侯卫东身体也不弱，两人都走得极快。不一会儿就来到了前天来过的山顶，找了一个可以俯视李老头家的坡顶。两人就坐了下来，一边聊天，一边观察着李老头家。

9点50分，一条人影出现在李老头的家门口，站在山顶往下看。由于距离原因，只能看见邢半仙大概的样子。

邢半仙穿了一件长衫，长长的胡须和衣衫随风而动，很有些仙风道骨的模样。他在屋外走了一圈，也不知说了几句什么，李老头就从屋里走出来。

两人站在屋外说了几句，就进了屋。

见两人进了屋，侯卫东笑道：“看来这事多半成了，邢半仙其实长得还可以，如果精心打扮一下，还有几分得道之人的样子。”

刁昭勇手里提了一个陈旧的军用水壶，随意地喝了一口，道：“这事办成了，算是瞎猫碰上了死耗子。如果办不成，老弟还得再想其他的招数。”看着山下，他显得很沉静，眼神遥远，和平时凶巴巴的样子完全不一样。

“刁哥，听说你打过越南？怎么分到了青林派出所？”

半空中，几只老鹰在盘旋。

刁昭勇又用军用水壶喝了一口水，道：“我们33军是第一批参战，打了好几场血战。我们连顶在最前面，百多精壮的小伙子丢在了老街。后来转业到益杨公安局，到了青林派出所。”

两人聊了一会儿，邢半仙和李老头走了出来，到山上转了一圈，然后李老头又将邢半仙送下山。

侯卫东很有些高兴：“李老头肯定被邢半仙蒙住了，此事成了。”刁昭勇点点头，道：“如果事情办成了，就让邢半仙拿钱滚蛋。”

第二天，侯卫东和秦大江到了李老头家里。令秦大江意想不到的事情发生了，李老头爽快地同意迁坟，只是提出了具体迁移地点，这个迁移地点正是邢半仙看上的风水宝地。

第五章
马县长表扬人不点名

汇报工作

侯卫东忙于修路大计，经常吃住在村民家里。村民们对修路表现出了极高的热情，这位“修路的疯子”得到了村民的善待。每天劳动结束，就有村民邀请他到家里去吃饭。村民们多数都在前院后山里放养着山鸡，这也是制作风干鸡的原材料，自从村里开始修路，丧生于侯卫东口中的山鸡直线上升。

10月3日早上，侯卫东正要出门，高长江把他叫住，道：“老弟，你到工作组也有些时间了，我怎么没有看到你到镇里去？”侯卫东手里拿着图纸，道：“没有时间，工地上事情多得很。”

高长江语重心长地道：“老弟，你在山上做这么多的事情，不到镇里去汇报，镇里没有人知道，你做得再好也是白费力气。”

侯卫东接受了高长江的意见，道：“我先到工地上去看一看，然后再到镇里去找粟镇长报告工作。”

高长江指点道：“你要给粟镇长汇报，更得给主要领导汇报，一把手才起关键作用。”

侯卫东带着图纸到了工地，原本想10点钟下山，结果到了11点才脱身，下了山已是临近下班。

杨凤正在吃瓜子，剥下来的瓜子壳堆得满满的，见侯卫东在门外探头探脑，笑着招了招手，道：“侯大学，来吃瓜子。”

侯卫东笑道：“杨姐，我看大楼都空了，只有你还在坚守岗位。”

杨凤嘴里飞出来的瓜子壳就如跳水女皇高敏，在空中翻出了一个漂亮曲线，落在了桌子上：“办公室的人命苦，每天都要坚持准时上下班。上个月，县政府抽查值班情况，好几个单位被通报了。”

得知镇领导都不在，侯卫东夹着图纸一时不知朝哪里走。杨凤神神秘秘地道：“侯大学平时得提防小人，上青林工作组有人在镇政府说过你的坏话。”

侯卫东头脑发懵了，道：“说我的坏话？我就是一个小办事员，干吗说我？”

杨凤撇了撇嘴，道：“有些人不办正事，唯恐天下不乱，专门挑拨是非。说你屁股没有坐热就要修路，是出风头，还说你和池铭在耍朋友，晚上住在池铭家里。”

前面的事还有些影子，后面的事则完全是诬蔑。侯卫东气愤地道：“工作组这么多人都在伙食团吃饭，难道都是和池铭耍朋友？杨姐，是谁这么坏，给我说说，让我有所防备。”

杨凤和田秀影历来有矛盾，顺势就将田秀影出卖了：“侯大学，我今天说的话千万别让田秀影知道，你心里明白就行了。”

侯卫东气不打一处来，他到了青林山上，只和田秀影见过三次面，说过的话也不超过十句。这人毫无缘故地在办公室说坏话，真不知她心里到底想的是什么！

他本想骂田秀影几句，可是想起杨凤的快嘴，把骂人的话咽进了肚子里。等到正式下班时间到了，侯卫东主动邀请道：“杨姐，我请你吃饭。”

“有心请我，就另找时间，今天儿子回来了，我得为他做好吃的。”

侯卫东一个人就到街上吃豆花饭。经过一个小卖部时，粟明恰好从小卖部走了出来，见到东张西望的侯卫东，道：“侯卫东，你找谁？”

侯卫东老老实实地道：“我从山上工地上来，准备给粟镇长汇报修路进展。”粟明扬了扬手里的益杨红，道：“跟我走，到我家吃饭。”

粟明的家布置得很平常，与青林镇其他人家差不多，只是在客厅有一个书柜，里面有几十本书。粟明见侯卫东注意力在书柜上，道：“那是以前买的书，这几年很少看书了。”

进了里屋，镇长秦飞跃、副镇长晁杰、计生办黄正兵、农经站黄卫革正在搓麻将。侯卫东恭敬地打了招呼。秦飞跃点了点头，继续摸牌。计生办黄正兵看见侯卫东抱着图纸，就道：“侯大学，抱的啥子宝贝？”

“公路图纸。”

秦飞跃听说是图纸，哼了一声，道：“刘维这人钻到钱眼去了，没有一点知识分子的样子。如果不是高志远的关系，谁会理他！”

侯卫东恭敬地道：“能拿到图纸多亏了粟镇长和黄站长关心，如果不是在基金会贷了一万元，刘维也不会给图纸。”

基金会贷款并不需要秦飞跃签字，但是他来到青林镇以后就订了规矩，凡是大笔贷款都要报告。秦飞跃听到侯卫东贷款一万元，而自己并不知道，就用眼角瞟了粟明一眼。

粟明眼观六路，将秦飞跃的眼神看得清楚，解释道：“侯卫东在家里借了五千元，只拿到了独石村那一段图纸，尖山和望日就不愿意动工。我看这不是办法，和黄卫革商量以后，让侯卫东以私人名义从基金会贷一万元，算是预付款，这事还没有来得及给秦镇报告。”

“什么叫做以私人名义贷的款？修公路的钱最后还是要由镇财政解决。”

粟明笑道：“秦镇，我这可是按照你的观点办事，放水养鱼，必须先把塘子筑起。上青林资源丰富，修路就等于筑堤，堤坝筑好了，才能更好更多地放水。”

秦飞跃一边摸牌，一边道：“修路是上青林七千人民共同心愿，可以作为青林镇政府1993年的民心工程上报县政府，马县长正在提倡全县办交通，说不定还可以争取到资金。”他对站在一边的侯卫东道：“这小伙子不错，很有想法，又有干劲，是个做事的料。”

下山一次，侯卫东和一个镇长和两个副镇长吃了饭，基本上达到了预期目的。等到秦飞跃等人去上班，他高高兴兴地返回了上青林。

小佳上山

走到小院，杨新春站在邮政代办点门口，道："侯大学，张小佳打电话过来，说是星期六下午她要到山上来。"由于侯卫东接过了她手中的扫把，让她有更多的时间去经营小店和打理邮政代办点，她对侯卫东很有善意。

侯卫东没有掩饰他的喜悦，闻言一跳八丈高。

星期六恰好是赶场天，侯卫东买了菜，东转转西转转，好不容易才磨到吃午饭时间。吃了午饭，一溜烟地下了山，然后在青林镇场口等待。每来一辆客车，他都紧盯着车厢，结果一次又一次地失望。等待是幸福的煎熬，下午6点，望眼欲穿的侯卫东又见到了一辆客车。客车很挤，除了在县城上车的人有座位，其他人都站着。他跳上客车，站在车门口，一眼就见到身穿红衣的小佳，他如推土机一般用力挤了进去，惹来了一片抱怨声。

小佳看着脸色黑红且只知道傻笑的侯卫东，眼睛有些湿润了，与侯卫东手拉着手下了车。

"怎么晒这么黑？"

"怎么这么晚？"

两人基本上异口同声，问完以后，同时笑了起来。小佳挽住了侯卫东的胳膊，道："原本计划上午出发，结果单位临时开会。散会以后我就去坐车，午饭都没有来得及吃。"

听说小佳还饿着肚子，侯卫东心痛万分，马上牵着小佳到了青林场镇饭馆。青林场镇饭馆只在中午营业，晚上全部关门闭户。被侯卫东敲开以后，餐馆老板从冰箱里拿肉解冰。侯卫东和小佳相对而坐，只顾互相看着，并不在意餐馆做菜的速度。

吃完饭，已过7点，侯卫东和小佳来到了山脚。夜幕下的群山很是深沉，阵阵风来，树林发出的声音就如大海的波涛声。

小佳没有见到过这等景色，既惊奇又有些害怕。侯卫东紧握着小佳的手，自豪地道："强盗都被我们抓干净了，不用怕，我们只管欣赏大自然的美景。"

到了青林山顶，天已黑尽，站在山顶回望山下，只觉得森林如海，深不可测，不知隐藏着多少强盗、野兽或是鬼怪。小佳从未见过如此景色，畏缩地拉着侯卫东，道："还有多远？我们赶紧走。"

在此起彼伏的狗叫声中，侯卫东牵着小佳，一脚深一脚浅地来到了小院子。看到这一幢小楼以后，小佳这才感到了文明的痕迹，她松了一口气，道："幸好还有楼，否则我真以为时光倒流了。"

杨新春刚从邮政代办点走了出来，见到侯卫东和一个年轻女子站在昏暗的路灯下，道："侯卫东，这是你的女朋友？怎么才回来？"

侯卫东骄傲地道："杨大姐，这是我的女朋友张小佳。"

杨新春走到近处，看了张小佳的穿着打扮，夸道："好漂亮的沙州妹子。"她热情地道："你们吃过饭没有？我煮了一大锅稀饭，你来端一盆。"

侯卫东没有客气，道："谢谢了，我等一会儿就来端稀饭。"

上了二楼，见高长江家里关了门，侯卫东就把小佳直接带回了家。进了门，他关紧房门，打开前屋的灯，然后抱着小佳进了黑暗的后屋。

小佳被侯卫东拦腰抱了起来，她摸着粗硬的头发，呢喃道："我想你。"长吻之后，侯卫东和小佳已倒在了床上。小佳安静地躺在床上，她的衣裤很快就被脱了下来，听到"哗"地解皮带的声音。她突然觉得口干舌燥，腹中如着火一般。当同样的火热进入身体以后，小佳长长地"啊"了一声，这让侯卫东如痴如醉，他猛地加大了冲击的力度。

结束了爱之旅，他们仍然紧紧地搂在一起。两地分居的生活，让他们格外珍惜短暂的相聚时光。

躺了一会儿，侯卫东道："今天晚上你住这里，我去睡招待所，这个地方封建，有人专门饶舌，我必须要注意影响。"小佳没有想到侯卫东还要去住招待所，很是失望，不过考虑到特殊的环境，还是点头同意了。

穿过了后院的假山和花园，侯卫东在池铭隔壁找到了田秀影。田秀影声音很大，笑得很是暧昧："现在是什么时代，女朋友来了还住招待所，想得出来。"

侯卫东解释道："我们还没有结婚。"

池铭听到动静走了过来，她与田秀影是面和心不和，道："刚才杨新春说侯大学的女朋友来了，明天早上我做包子，给你们两人留几个。”田秀影并不急于拿招待所钥匙，说着些调侃的话，看到侯卫东狼狈的样子，心里有了强烈的满足感。

拿到招待所钥匙，侯卫东这才知道招待所就在四楼，心道：“住招待所真是脱了裤子放屁，不过有小人在旁窥视，没有办法。”

他到杨新春家里端了一盆绿豆稀饭，两人就着咸菜喝稀饭，只觉稀饭的味道好极了。喝完绿豆稀饭，侯卫东来到四楼，他打开招待所的电灯，又点上蚊香。站在窗边看了一会儿，然后回到二楼。他用电饭煲烧了一锅开水，让小佳在走廊左侧的洗澡房里洗了热水澡。等小佳洗完，他提了两桶冷水进去，“哗哗”地冲了一个痛快。

两人清清爽爽地站在走廊上，吹山风，品青林茶，在不知名的小虫伴奏下，欣赏着上青林干净而纯粹的夜色。

“今天上午，我在沙州遇到了蒋大力，把你的电话留给了他。”小佳头发还是湿的，空气中有着洗发水若隐若无的香味，以及小佳特有的气息。

在沙州学院，侯卫东最好的朋友就是蒋大力。毕业之后，蒋大力便南下深圳，一直没有消息，听到这消息，他高兴地道：“哇，这小子在干什么？这么久了，一直联系不上他。”

“他给了一个传呼机号码，让你给他打电话。”

传呼机虽然不断在降价，可也要两千多元一个，在县政府工作的刘坤就有一个。如今听到蒋大力也配上了传呼机，侯卫东连传呼机怎么用都不知道，心里就有了失败感，他暗下决心，“自古华山一条路，我在上青林，一定要努力拼搏，早日配上传呼机，早日调回沙州。”

凉风顺着山沟吹了上来，远处的森林发出阵阵涛声，就如一曲雄壮的交响乐，极富表现力。当人处于黑暗的森林之中，风声会让人不寒而栗，但是远离了森林，处于安全环境之下，森林、山风、兽吼皆让人心神俱醉。

小佳把头靠在了侯卫东的肩头上，道：“我想调到青林镇工作，我觉得只要两个人能在一起，在哪里都一样的。”

侯卫东心里感动，道：“你这傻女人，人往高处走，水往低处流，调到青林这种穷乡僻壤做什么？不仅你父母不会同意，我也通不过。”他紧紧握着小佳的手，道：“给我三年时间，我一定能调回沙州，你要相信我。”

如何能调回沙州，侯卫东一点底都没有，但是他要在小佳面前表现出强烈的信心。聊了一会儿，莫名的情愫又在身上荡漾，他拉了拉小佳的手，道："进屋吧，外面蚊子多。"

小佳闻弦歌而知雅意，她故意道："屋里热，外面凉快，就在外面多站一会儿。"话虽如此，她还是主动朝屋内走去。

小佳洗了澡以后，换上了侯卫东的宽大T恤衫，休闲而随意。这也方便了侯卫东，他的手顺着衣服轻松地探了进去，只觉触手处一片火热。

到了凌晨1点，侯卫东才依依不舍地离开了二楼小屋，上了四楼招待所。招待所很久没有人住，灯光昏暗，散发着浓重的霉味。他站在窗前，俯瞰伙食团旁边的住宿，道："若不是田秀影，我何必从天堂搬到地狱。"

一大早，侯卫东来到了伙食团，田秀影用意味深长的眼光打量着他，道："侯大学，昨晚睡得好吗？我看到你12点才关灯，怎么起得这么早？"

侯卫东在心里骂道："这个长舌妇，吃多了没有事干。"嘴里却是一本正经："招待所蚊子太多，下一次建议打点药水。"

田秀影撇了撇嘴，道："现在大学生都是住在一起的，没有人像侯大学这么傻。"

侯卫东在伙食团借了盆子，端起热气腾腾的稀饭和包子，脚上如安了风火轮一样，噔噔地格外有力，几步就蹿上了二楼。

小佳对着化妆用的小圆镜梳头，见侯卫东进门，便嗔怪道："怎么屋里镜子也没有一个？"女人梳头，男人刮胡子，这是区分性别的典型动作。侯卫东见到了梳头的小佳，禁不住又蠢蠢欲动，将小佳抱到了怀里。

"别动，让我梳头。"

"等一会儿梳头，反正会再乱的。"

又是一屋春色。

青干班

毕业以后，国事和天下事太缥缈，想管也管不了。在生存压力下，侯卫东只能把注意力集中在现实问题上，这是每一个心怀理想的年轻人必然要经过的心路历程。

侯卫东暂时没有长期目标，中期目标是三年内调回沙州，短期目标是修好公路。

有了这个短期目标，侯卫东在上青林场镇的生活也就不觉得难过。星期一早上他在姚家馆子吃了豆花饭，回到办公室就开始打扫卫生。他一边打扫卫生一边自嘲道："刚刚参加工作，就有一间单独的办公室，还有一间会客室，我比县长还要牛。"

高长江从杨新春的邮政代办点出来，站在办公室门口，道："刚才接到蒋书记的电话，让你到益杨党校参加青干班，时间一个月。"

"这是哪根神经发了，让我去青干班。"侯卫东觉得这青干班莫名其妙。

"能够参加青干班的，都是有前途的年轻人。侯老弟，这是好事，赶紧去准备。"高长江话虽然这么说，他心里却纳闷："这是怎么回事情，听蒋有财说，赵永胜对侯卫东很不感冒，为何又要送他到青干班？"

侯卫东心里全是工地的事，道："我马上到工地上去，把修路的事情交代给秦大江和曾宪刚。"

听说侯卫东要去青干班，曾宪刚道："秦书记，把几个兄弟伙约起，今天中午到我家去，我们给侯疯子饯行。疯子到了青干班，肯定要当官，我们先祝贺再说。"

旁边一位正在搬片石的村民道："侯领导，你是个实诚人，早就应该当官了。"工地上一片热火朝天，侯卫东已经融入其中，他与村民们有说有笑，极为融洽。

有村民大声道："侯疯子，刘工来了！"

见到刘维，侯卫东指着一处弯道，道："这是最大的一个大弯，刘工快来看一看，符不符合标准？"

秦大江目光直接越过了刘维，对其身后人热情地道："高书记，你回来了。”

上青林历年来走出去的领导干部并不多，高志远职位最高，沙州市人大主任，正儿八经的正厅级干部。这次他回到家乡扫墓，并没有惊动县委县政府的领导，从小路上了山，回到老家扫完墓以后，就来到了修路工地。此时他穿着一件夹克衫，敞开着，很随意的样子，看着火红的劳动场面，不觉回想起当年红旗飘扬修水库的岁月，很感慨地对身边随行人员小周道：“那些年虽然做了很多可笑的事情，可是当年搞的水利建设，在今天仍然发挥着重要的作用。所以，我们看问题得有历史眼光。”

高志远认出了秦大江，道：“你是秦二娃，你爸爸还好吗？”

“我爸前年就走了。”

“走了？你爸身体很好啊，现在也就七十岁，怎么就走了？当年你爸可是一条好汉，修下青林水库时，带着上青林一千民兵，奋战了七天七夜！”高志远听到故人离开，不禁有些唏嘘。

看完毛坯路，高志远表扬道：“秦二娃，这条路当年我想修而没有修成，你们把我的梦想实现了。”

秦大江是真心对侯卫东好，他明白政府官员最想什么，就趁机向高志远推荐道：“高书记，修路最大的功臣是侯卫东。没有侯卫东，这条路还要拖上几年。”

高志远转过头看了一眼侯卫东，道：“你是新分来的大学生，我听刘维说过你的事。”刘维是高志远娘家亲戚。国庆之时，刘维带了一些益杨老山菇到高家，顺便说起了上青林修路的事情。高志远就把此事记在了心头，这次扫墓之后他突然提出去看修公路的现场。

侯卫东恭敬地汇报道：“我是沙州学院法政系1993年毕业生，今年参加了益杨公招，考了第二名，分到了青林镇政府。修路是上青林干部群众的心愿，我只是跑跑腿。”

上青林没有通公路，这是高志远心中难以忘记的遗憾。听说一个新毕业的大学生，竟然想修上青林公路，这让他既欣赏又有三分怀疑，问道：“你在镇里任什么职务？”

“我今年才分到益杨镇，现在是青林政府驻上青林工作组的成员。”

高志远自然明白工作组的意义，他没有再说什么，道：“带我去看一看工地。”他一边走，一边询问修路的具体问题。侯卫东这一段时间天天泡在工地上，对整个公路的修建情况和地形地貌烂熟于胸，对高志远的问题基本上是脱口而出。

“你是学政法的，怎么对修路的技术这么熟悉？”

“业务知识都是刘工教给我的，其实我也没有完全掌握，是半罐子水。”

虽然公路等级很低，可是已经基本成形，这让高志远很是高兴。他兴致勃勃地又要上山，随行的沙州人大办公室小周就劝道：“我给小艾打个传呼，让他把车开过来就是了，再走上山，身体会吃不消的。”

高志远摆摆手，道：“这青林山上空气新鲜，爬爬山，对身体有好处，你就不必管我了。”

高志远是上青林人，又在山上工作多年，一路上，都有修路人跟他打招呼。而侯卫东这一段时间，天天泡在公路上，与这些修路的村民关系处得好，村民都热情地跟他打招呼，还有人大声叫着“侯疯子”的绰号，开着些粗俗的玩笑。

看完工地，众人都走出了一身汗。高志远看到远处一片郁郁葱葱的森林，心情十分舒畅，对周围的村民干部道：“公路修好以后，我一定要过来看看，修路是当年上青林乡所有干部的心愿，终于在你们手里变成了现实。我们老了，这个时代属于年轻人。”

侯卫东想着修路的资金实在短缺，大着胆子道：“高主任，镇里财政紧张，修路资金上有缺口，碎石铺好以后，请您想办法解决部分资金。”

高志远想了想，道：“我在这里也不打官腔了，青林山是我的家乡，我也应该为家乡做点贡献。我去给交通部门打一个招呼，免费或是低价提供压路机。至于钱，我去找找沙州交通局，看他们有没有支持乡镇公路建设的专款。”听到高志远的表态，侯卫东高兴得拍起手来。村里干部在他的带动之下，也跟着拍了起来。

高志远下山之际，把侯卫东叫到了身边，道：“农村工作很锻炼人，要在基层好好干，一定能够大有作为。侯疯子，这个绰号好，说明你和青林人民打成了一片。”

高志远走后，侯卫东激动的心情久久不能平静。关于“心情久久不能平静”这句话，经常在七八十年代的文艺作品中看到，在没有具体感受前，以为是虚言。可是今天见到了沙州市人大主任，得到几句鼓劲的话，自己就热血上涌，结实的心脏也就“扑通扑通”地跳个不停。

“至于吗？虽然高志远官大，也没有必要这么激动，看来还是修炼不够。”侯卫东还是忍不住想起了高志远和蔼的面容、亲切的谈话：“难道，这就是上天掉下来的机遇？我的努力终于取得了回报！”

交代了公路上的事情，侯卫东到青林镇政府取过报名通知。在路上颠簸了三个多小时，他这才风尘满面地下了客车。

益杨党校位于城南，是一个老党校。党校院子不大，典型的政府机关样式，一溜大楼，四平八稳，左右对称。大楼前面是一个操场，有两个篮球场，右侧是几张用水泥砌的乒乓台子。

报到以后，侯卫东取过党校发的搪瓷杯子、笔记本和学习资料，来到寝室。

一个年轻人躺在床上抽烟，见到侯卫东走进来，如老朋友一般扔过来一根烟，道：“你是侯卫东？久闻大名了。”侯卫东有些糊涂，问道：“我有什么大名，请问你是？”

“我叫任林渡，李山镇的。我也是公招考生，你是沙州学院法政系的，考了第二名。”

来人是自来熟，侯卫东也就不拘束，笑道：“原来我的老底都被人摸光了。”

任林渡道：“我有十名公招人员的名单及详细情况。这十个人就是以后益杨的政治明星，这关系我得留着。现在关系就是生产力，有九条关系就有了九条路子，不用好天理难容。”

对于这期青干班的规模、意义、组织单位等情况，侯卫东很茫然。他见任林渡很健谈，问道：“听说这一期青干班是团委组织的，我又不是团干，不知为何把我通知来？”

任林渡惊奇地看了侯卫东一眼，道：“你真的不清楚，还是揣着明白装糊涂？”

“我真不明白。”

“我现在是镇团委副书记，你在镇上做什么？”

“我在上青林工作组，现在都不知道属于哪一个部门。这一段时间主要工作就是修路。”侯卫东又问道：“镇团委还设有副书记吗？青林镇就只有一个团委书记，没有设副书记。”

任林渡彻底晕了：“老兄，你是怎么混的？不少镇并乡以后都有工作组，工作组远离政治中心，领导看不到你，不了解你，如何提拔你？”

侯卫东在青林山上，天天就泡在工地上，和村民混在一起，聊的话题除了公路就是喝酒，好久没有和外界接触，虚心地问道："青干班具体怎么回事？我不明白，你给我说说。算了，到吃饭时间了，我请客，到外面炒两个菜，边吃边聊。"

任林渡神神秘秘地道："隔壁两人也是公招的，我把她们叫上。"他出去不久，就带着两名女子走了过来。

党校外面馆子不少，任林渡选了一个鱼馆。两男两女皆刚刚走出校园，又同样分配在了乡镇，共同话题很多，坐下不久就聊得热火朝天。

杨柳个子娇小，长相一般，气质还不错，她举着酒杯，道："我们十名公招生，这一次终于见面了，敬两位大哥。"

任林渡喝了酒，脸色红红的，道："这一次青干班主要以后备干部为主。我们十名公招生是破格参加青干班，这说明组织部门对我们很重视。这是一次好机会，我们要好好表现，争取在县领导心里留下好印象。"

秦小红说话颇为爽快，道："你们有大理想，唯独我的想法很简单，先进城，找个好单位，嫁个好男人，其他暂时不管。"

在酒桌上，任林渡叫喊得最凶，可是酒量很一般，很快就醉了，被侯卫东扶回寝室。回到寝室，任林渡如一条米袋子一样砸在床上，连鞋子和衣服都没有脱。侯卫东帮任林渡把鞋子脱掉以后，又给他盖上被子，就坐在桌边发呆。

喝酒的四个人，任林渡是团委副书记；杨柳是民政办工作人员，同时是镇里的妇女主任；秦小红在企办室工作；侯卫东被扔在山上，远离了镇里的政治中心，如被抛弃的孤儿一般。"我这么努力，为什么就混成了这样？"他心里觉得特别憋屈。

第二天，青干班正式上课，县委常委、组织部长柳明杨做了开班动员。

柳明杨是益杨城内不多的北方人，高大威猛，说话字正腔圆，铿锵有力，很有些威势。青干班的学员都是各地各单位骨干，前途有望，对管帽子的组织部长自然尊敬无比。柳明杨讲话之时，个个聚精会神，整个会场只听见柳明杨宏亮的声音和钢笔移动的哗哗声。

柳明杨做完动员，党校校长陪着他离开了教室。教室里立刻就响起了一片嗡嗡声，如一群突然起飞的苍蝇。

第一堂课是由党校副校长讲《再读东风吹来香满园》，沙州学院副院长济道林曾经主讲过系列课。党校副校长与济道林相比，口才与学识都有差距，侯卫东听得索然无味。忽然，他在第一排角落里看到了一个熟悉的身影，刘坤身穿着一件藏青色西服，正一本正经地在记着什么。

侯卫东心道："他怎么也来了？"很快又释然，刘坤是县政府办公室的工作人员，参加青干班太正常不过。看到刘坤正儿八经的样子，他心里想笑："在学院时，这个家伙每次上政治课必定逃课，现在是鸡脚蛇戴眼镜——充起正神了。"

下课之时，一位五官精致的短发女子走上讲堂，她落落大方地道："我叫郭兰，在组织部综合干部科工作。这一次青干班培训，我为大家服务。"

美女突然出现，让无精打采的众学员不由得精神一振。侯卫东总觉得郭兰似曾相识，却想不出在哪里见过。

中午，侯卫东和任林渡躺在床上闲聊。任林渡对郭兰很感兴趣，道："郭兰也是今年毕业的大学生，分到组织部以后就勇夺部花称号，益杨县委县政府的年轻人成天都盯着她。我以前只听见名声，今日一见，果然名不虚传。"

"这些分到大机关的大学生，近水楼台先得月。按照正常情况，这些人混不了多久就是科长、副科长。只有我们这些乡镇干部最倒霉，每个镇都有好几十人或是上百人，想见一面县领导难于登泰山。所以，我们要想办法尽快调进城，最好能调入中枢机构，这是上上之策。"

和任林渡相比，侯卫东被发配到了上青林，远离了镇领导视线，发展前途更是不妙。他道："条条大路通罗马，谁走得更远，还说不清楚。"

任林渡对侯卫东的说法不屑一顾，道："谁走得远其实很清楚，领导身边的人走得最远，刘坤和郭兰都不是公招生，但是他们两人发展起来肯定比我们容易一些，不信我们打赌。"

"这不是一天两天能见到的，必须要以时间来检验。我们不赌，到时走着瞧。"侯卫东不服气。

下午课程结束之时，任林渡用手肘碰了碰侯卫东，道："我们去找郭兰吃饭。"侯卫东迟疑道："我们不认识郭兰，太冒失了。"任林渡道："你这人胆子小，试一试才知道。"

来到办公室，任林渡推开门，镇静地走到了郭兰身边，道："郭兰，你好，我和侯卫东是青干二组的，今天晚上想请你吃晚饭，向组织部领导汇报思想，不知你有空没有？"

郭兰有些摸不着头脑，正想拒绝，眼光扫过侯卫东，她突然愣了愣，随即道："那恭敬不如从命。"

出了办公室，任林渡跳在空中，做了一个球星的动作，兴奋地道："郭兰没有男朋友，我宣布，我将发动最猛烈的爱情攻势。"

晚餐选在距离党校不远的知味馆。任林渡点了牙签兔肉、珍珠糯米骨、泡椒童子鱼三个主菜，配上了豌豆尖汤、红海椒炒牛皮菜和麻婆豆腐，色、香、味俱全，令人食欲大开。任林渡有了追求郭兰的动机，吃饭之时话就特别多，妙语连珠，郭兰笑了好几次。侯卫东很低调，不太说话，他只觉得郭兰面熟，却总也想不出在哪里见过。

谈话间，郭兰冷不丁问道："侯卫东还在上青林工作组吗？"

侯卫东很是惊讶："你怎么知道我在上青林工作组？"到了青干班，与各地各单位工作骨干交流以后，他对在上青林工作组工作这个事实有了新认识，除了在任林渡等少数人面前，他对工作困境闭口不谈，免得引人侧目。

"我和肖部长在9月份到了青林镇，和赵书记见了面，了解你在青林镇工作的情况。"

侯卫东反应很快，道："难怪青林镇突然莫名其妙给我安了一个工作组副组长的官衔，原来是你们到了青林镇。"

任林渡迫不及待地问道："你到李山镇来没有？镇里对我有什么看法吗？"

郭兰道："部里对公招生评价普遍都不错，如实给赵书记作了汇报，赵书记很高兴。"

任林渡继续追问道："郭兰不能保密，镇里对我是什么看法？还有，部里对我们十人的使用有没有统一安排？"

侯卫东想着自己的境遇，心情就有些压抑，只是不断地吃菜，让任林渡尽情发挥他的口才。

郭兰眼角余光总是有意无意地扫视着默默无语的侯卫东。刚才在办公室，她一眼就认出侯卫东正是在学院后门舞厅遇到的年轻人。

6月2日是郭兰永远不会忘记的日子，当时她正在积极准备考研，收到了相恋多年的男友从美国寄来的一封信。信很短，只有一页，男友大概受了美国人影响，在信中直截了当提出了分手，连理由也没有。

郭兰深陷爱河，她顾不得太多，给男友打了国际长途。男友支支吾吾说不清楚，被逼急了以后，道："美国不是天堂，而是地狱，我一边读书一边打工，日子过得太艰难了，其中的痛苦空虚你在国内难以想象。我现在和一位北京女孩同居了。"

"你出国前说了什么，还记得吗？"郭兰咬着嘴唇道。

"我是真心爱你，所以不想骗你，分手吧。"

信上所得终觉浅，如今听到男友的无情表白，郭兰由失望变成了绝望。挂断电话以后，她大脑一片空白，呆坐了一下午。到了晚上，脑袋里突然迸出了放纵一次的想法，来到了沙州学院后面新开的舞厅。

舞曲开始以后，一名长相还算不错的男子请她跳舞。谁知刚下舞池，那人就试着把脸贴了过来，郭兰虽然心里想放纵，可是真到了放纵之时，她又惊恐万分，忙用手紧紧抵住。

随后的舞曲，郭兰一直不肯接受邀请。正准备离开，来了一位相貌英俊的年轻人，她神差鬼使地接受了邀请，没有想到两人跳舞竟然很是默契。柔情10分钟之时，听着熟悉的爱情歌声，她突然情不能自禁，伏在这个年轻人怀里痛痛快快地大哭了一场。

郭兰的父亲是沙州学院教授，她家就在学院里面，离开了舞厅，她从后门回到家中，关着灯在黑夜中坐了一夜。天亮之时，她擦干眼泪，将一头漂亮的长发剪成了短发。这是挥剑剪情丝的意思，她要与负心人彻底决裂。

对于舞厅里遇到的那位英俊而沉默的年轻人，郭兰心存感激。正是由于他的出现，无意中安慰了陷入悲伤的自己，让自己能够勇敢地跳出感情的泥潭。

这以后，郭兰下意识在留心那天在舞厅里出现的小伙子，却再也没有能见到此人。谁知踏破铁鞋无觅处，得来全不费工夫。这个年轻人如天上掉下的林妹妹，出现在青干班。

郭兰剪了短发，形象变化极大，侯卫东虽然觉得面熟，却无法把组织部综合干部科郭兰跟舞厅里的长发白衣女子联系在一起。郭兰观察侯卫东的表情，知道他没有认出自己，就把这个秘密深深地埋在了心头。毕竟，那天晚上的亲密举动是一件让人脸红之事。

晚餐快要结束的时候，郭兰提醒道："前年益杨搞了小乡合并工作，两乡或是多乡合并以后，干部人数相对多了，各地成立的工作组主要功能是安排干部。侯卫东要想尽快办法回到镇上，否则不利于今后的发展。”

侯卫东被郭兰戳到痛处，道：“我分到了工作组已有四个多月，前一阵子秦飞跃镇长准备把我调到计生办，不知什么原因，没有办成。”

郭兰在组织部门，信息灵通，知道赵永胜和秦飞跃有矛盾，她隐晦地道：“你要多向赵书记汇报工作，镇党委书记才是真正的一把手。”

吃完饭，任林渡不容分说地充当护花使者，送郭兰回家。侯卫东不愿意凑热闹，一人来到了益杨新百货。

习惯了上青林晚上的黑暗，此时看着益杨城的灯光，就有流光溢彩的感觉。而在沙州学院读书之时，侯卫东从来没有觉得益杨城内的灯光明亮过。

走过步行街，侯卫东朝步行街东侧的新华书店走去，这个新华书店是侯卫东每一次进城的必到之处。刚刚走进书店大门，就迎面看见段英拿着一本书从店里出来。

段英穿着紫色的长大衣，成熟而又端庄，学生气已很少了。此时骤然在书店门口相遇，她脸上露出惊喜之色，道：“你在青干班学习也不来找我。”

侯卫东问道：“你知道我在青干班学习？”

段英脸色微红，道：“小佳和我通了电话，知道你在参加青干班。”其实和小佳通话之前，刘坤给她说了此事，她在侯卫东面前下意识回避了刘坤。

侯卫东看着段英手里厚厚的书，道：“毕业以后我只看了一本书，路遥的《平凡的世界》，你还真是爱学习。”

段英苦笑道：“现在饭碗不稳当了，不学习更要落后。”

“为什么说饭碗不稳？”

“厂里全年亏损了四百多万，已有两个车间关门了。车间工人们放起长假，实际上就是下岗了，我随时都有可能下岗。”

侯卫东天天温习《岭西日报》，对党的大政方针了解不少，道：“我们国家实行的是有计划的商品经济，既然是商品经济，县属企业破产就很正常。”

“侯卫东，你有什么好办法没有？若真是失了业，让我怎么办？”

侯卫东有心帮助段英，可是他现在是泥菩萨过河自身难保，哪里有能力帮助段英，只能安慰道：“车到山前必有路，现在想太多也没有用处。”

这时，陆续有人从书店出来，段英道：“早知如此，当初无论如何也要进国家机关。我的专业冷僻，厂里真要破产了，我就成流浪女了，到时恐怕无立锥之地。”她感叹道：“现实真是残酷，要是我们永远不毕业，生活该多么美好。”

侯卫东鼓励道：“你不必太担心，办法是人想出来的，路是人走出来的。其实我的处境也挺难，但是我坚信，坚持到底，胜利一定属于我。”

段英倾诉了几句，心里也好受了一些，道：“你陪我走一段吧，我心里乱得很。”

夜风缓缓吹来，两人并排而行，影子拖得很长。段英真希望回家的路能再长一些，往日挺长的回家路变得太短，没有走多久就到了楼下，侯卫东止住了脚步，道：“从国家大政策来说，县属企业破产将是平常事，你要做好应对准备。”

在路灯下，侯卫东格外英俊，段英很渴望他能主动上楼，眼见着他转身而去，心里充满着惆怅和失望。进屋以后她没有开灯，站在阳台上，看着侯卫东在路灯下拉着长长的身影，渐渐远去了。

侯卫东回到了寝室，任林渡还没有回来。他躺在床上，抽着烟，细想着自己的尴尬处境，段英的饭碗问题，刘坤的春风得意，任林渡的八面玲珑，这让他感慨颇多。

现实真的很残酷，在离开学校的刹那间，现实就撕下了温情脉脉的面纱，露出了冷冰冰的真相，让人不由得重新反思在校期间受过的教育。

任林渡折腾到晚上12点过了才回来，他喝得有些多了，坐在侯卫东床前，道：“刚才遇到秦小红和杨柳，我们去喝了些啤酒。”他站在房中间，大声道：“现在我再次宣布，我将正式对她发起爱情攻势，郭兰，是我的爱人。”

侯卫东心情不爽，也不想理他，自顾自睡了。

青干班的日子过得很快，似乎才开班就结束了。侯卫东原来对青干班还怀有幻想，期待会出现奇迹或者转机，直到结束，奇迹都没有出现，他从哪里来还得回到哪里。除了多认识几位美女外，青干班的日子平淡无奇，远没有在上青林修路有趣。而且，同班上的后备干部相比，侯卫东的处境是最糟糕的，这让他产生了不可抑制的沮丧。

交通建设年

1993年12月底，益杨县召开了“交通建设年”动员大会。县委书记祝焱将交通建设提到了前所未有的高度，亲自审定了动员大会方案。因此参会人员层次很高，包括在家的所有县领导，各局行一把手，各镇党委书记、镇长和分管领导，还有县属企业负责人、沙州市驻益杨各单位负责人，会议时间则是罕见的两天。

青林镇在召开动员会以前，不等不靠主动开始修路。祝焱亲自点将，让秦飞跃镇长在会上作了交流发言。交流材料由粟明亲自执笔，着重阐述了镇政府一班人对于修路的认识，并提出了“要致富，先修路”的口号。

尽管这个口号平淡无奇，仍然得到了马有财县长的充分肯定，作为1994年大办交通的标准口号。马有财在会上表扬了青林镇三次，还特意奖励青林镇二十万元。

专项会议的第二天，县委书记祝焱作了重要讲话，他和马有财一样，充分表扬了青林镇不等不靠的思想：“也许有人说，修条泥结石路有什么值得表扬。确实，泥结石路上不了档次，可是这条路解决了七千人的通车问题……更为可贵的是青林镇党委政府一班人不等不靠、自力更生的精神，有了这种精神，我们什么事情办不成？”

赵永胜和秦飞跃在大会上大大地露了脸，镇里又得了二十万元的实惠，心情自然不错。

面对着兄弟乡镇的祝贺和调侃，书记赵永胜挺着大肚子，始终面带着微笑，不停地谦虚着。可是当无人注意的时候，他的脸就阴了下来。散了会，赵永胜没有与秦飞跃打招呼，只对粟明说了一句：“老粟，回镇。”

粟明笑道：“赵书记，我要到交通局去一趟，暂时不走。”赵永胜手捧着将军肚，道：“那你忙，我先回青林了。”说完，迈着沉稳的八字步，掉头出了会场。

等到赵永胜走了，粟明跟着秦飞跃出了会场，秦飞跃对司机小吴道：“你回去吧，今天我来开车。”秦飞跃在乡镇企业局经常开车，技术也不差，他开着车直奔益杨宾馆。

农经站黄卫革、白春城带着企业老板周强在益杨宾馆开了个大雅间，专门等着镇长秦飞跃。秦飞跃满面春风地来到了益杨宾馆，坐下来以后，他道："专项会议能开两天，少见，可见县政府对交通建设的重视。"

粟明见秦飞跃心情不错，建议道："上青林修公路，侯卫东功不可没。他在县党校参加青干班，听说今天是结业典礼，干脆把他叫过来一起吃顿饭。"

秦飞跃在兴头上，点头道："这个小伙子不错，让他过来。"

白春城开着秦飞跃的小车到了党校。青干班的同学们刚好在党校院子里照完结业相，拿着行李陆续汇集在党校操场。侯卫东正与任林渡、郭兰等人说话，白春城开着小车就闯了进来。

看着桑塔纳绝尘而去，任林渡对郭兰道："谁说侯卫东混得差？我们青干班结业，只有他是桑塔纳接送。"他又对郭兰道："我跟你到部里去，组织部是干部娘家，我要去汇报思想和工作。"

侯卫东跟着白春城到了雅间，除了镇属火佛煤矿厂厂长周强，其他人都认识。

青林山资源丰富，山下通公路的地方有不少煤厂，有煤厂自然就有老板。秦飞跃以乡镇企业局副局长的身份出任青林镇镇长。他到了青林镇，重点抓了镇属企业和基金会，这两块向来是赵永胜的领地，两人所有矛盾皆因此而起。

周强三十来岁，一脸的精明强干，坐在秦飞跃身边，叫苦连天地道："今年煤厂效益太差，火电厂一再压价。镇里如果不降承包费，我只能辞职不做了。"

秦飞跃道："少废话，年初定承包费的时候，我考虑到这个因素，降了二十万，再降真的说不过去了。"

"年初谁知道煤价会大幅下跌，这不是经营问题，而是市场行情的问题。不是我周强不努力，而是市场太烂。"

秦飞跃知道周强所言不虚，道："你写个报告，送到我办公室去。"

晚饭之后，周强不准秦飞跃离开，道："马上要过元旦了，各位领导忙了一年，大家好好耍一盘。"

这两年，益杨县兴起了不少歌厅，唱一首歌两元，酒水、小吃另算。侯卫东只是闻其名，还从来没有到所谓的量贩式歌厅去玩过，带着见识一番的心理就跟着秦飞跃等人出了楼。

两辆小车出了城，左拐右转，进了一条盘山道。侯卫东纳闷道：“唱卡拉OK怎么出了城？”他和白春城、周强坐在一个车里。周强在社会混了多年，积累了一肚子黄段子，一路上都没重复的，最后连侯卫东都对其记忆力和口才深深佩服。

小车拐进了一个大厂房，周强带着白春城、侯卫东进了一道木门。

侯卫东悄悄问道：“这是什么地方？”

白春城笑道：“这是前进厂的一个车间，前进厂垮了，现在叫望城山庄。”

周强对迎接的中年女人讲：“找两个漂亮的妹子，这是贵客，一定要找最漂亮的。”中年女人笑道：“放心吧，我给你找两个正宗的沙州妹子。”

侯卫东见秦飞跃和粟明都没有进来，问道：“秦镇长和粟镇长他们没有来？”白春城老练地道：“别管这么多，放心耍。”

从门口鱼贯进来七八个年轻女孩子，她们在昏暗的灯光下站成一排。中年女子道：“各位老板，看上哪位就选哪位。”

侯卫东心里一阵紧张，他看到白春城很潇洒地坐在沙发上，也故作老练，坐了下来。他已经明白了，这就是传说中的小姐。带着好奇，他打量着小姐们，这些小姐们平淡无奇，也就是寻常女子的模样。

白春城毫不掩饰地挑选着，最后选定了一位身材高挑的女子。那个高个女子走了出来，站在白春城身边。

周强对侯卫东道：“你挑一个。”

侯卫东犹豫了一会儿，既害怕又有莫名的期待。他不愿意在众人面前露怯，随手点了一个女子，点完之后，心道：“怎么像是菜市场买鸡，明目张胆地挑选，哪里还有女人的尊严？”

三人选好了女子，屋里原本昏暗的灯就关掉了，只剩下电视屏幕的微光。那个女子走到侯卫东身边，倒了一杯茶，嗲声道：“老板喝茶。”然后坐在侯卫东身边。侯卫东手脚没有地方放，也不知应该说什么话。那女子头朝侯卫东肩膀上蹭，问道：“老板，我帮你点歌。”

侯卫东点了一首《水手》，唱歌的时候，那女子黏在侯卫东身边。等到侯卫东唱完歌，回头只见一片黑暗，已没有了白春城和周强的身影。

侯卫东尴尬地坐回到沙发上，女子主动地道：“我们跳舞。”女子选了一首慢四步的曲子，跳了几步，她的身体就紧紧贴住了侯卫东。侯卫东想把她推开，可是身体却不受控制，他半推半就地将女子抱在怀里。

在大厅里跳了几圈，女子道："我们到里面去跳。"然后就朝一个半圆的门洞移了过去。进了门洞，侯卫东适应了一会儿，才借着外面电视的微弱光线，看清楚了周围环境。

这是最多二十平方米的房间，没有灯光，墙角有几张沙发。女子见侯卫东手脚老实，道："老板，出来玩要放开，我保证你玩得开心。"侯卫东被女子的嗲声激起了鸡皮疙子，等到外面音乐响起，女子贴过来跳舞。里面的小小厅没有灯光，黑得可以用伸手不见五指来形容，女子双手抱着侯卫东的腰，用胸前一对大乳顶着侯卫东，胯上有意无意与侯卫东摩擦着。

侯卫东心里在剧烈挣扎，他觉得这是对小佳的背叛，也是对二十年所受教育的背叛。另一方面，他对女性身体的渴望，又使身体不断发生着变化。他正在欲望与道德之间挣扎，那女子吃吃笑着，突然伸手碰了碰侯卫东胯下的长剑。

侯卫东没有想到这个女子如此大胆，他如练了金钟罩的武林高手，突然间被人点了命门一样，防线顿时出现了漏洞。他的手伸进了女子的衣服，隔着乳罩将女子丰满的乳房抓住。女子一只手阻抗侯卫东的侵袭，另一只手却紧握侯卫东的要害不放，道："我晓得老板很大方。"

侯卫东明白了女子的意思，他的理智瞬间恢复了回来，推开女子，道："我要上卫生间。"

在门外冷风中吹了一会儿，侯卫东心道："难道这就是传言中的风尘？"心情复杂地点燃了一支烟，在一棵大树后慢慢地抽着。

"侯卫东。"黑暗处传来了粟明低低的声音。侯卫东连忙走了过去，见确实是粟明，低声叫了一声："粟镇长。"

"给我一支烟。"

侯卫东赶紧递了一支过去，又把火点上。

粟明美美地抽了一口，笑道："戒了三个月，还是开戒了。都说烟是坏东西，可是许多长寿老人也抽烟，最终还是基因决定命运。"

印证自己的经历，侯卫东猜到了粟明为何出现在这里。他深为自己悬崖勒马而高兴，也为自己差点受不了诱惑而汗颜。

粟明深吸了两口，道："明年是交通建设年，上青林公路已在县里挂了号，说不定哪天县里领导就会上来看。你回去以后把公路盯紧点，一定要按照设计图纸组织施工。"

聊着工作，两人各自抽着烟，火星在黑暗中闪闪发光。

粟明问道："你到青林镇来报到的时候，怎么没有组织部门或是领导送你？"

"拿到人事局的介绍信，我就直接过来了，组织部门没人送。"侯卫东心里有些疑惑，道，"这种情况，组织部门要派人送吗？"

粟明道："你在青干班学习过，应该认识任林渡。他到李山镇报到的时候，是由组织部副部长肖兵亲自送下去的。"

任林渡长袖善舞，社交能力强，侯卫东自愧不如，但是能让肖兵副部长亲自送到镇里面去，这意味着任林渡家里也有关系。他心情很复杂，道："我才从学校毕业，很多事情不懂，希望粟镇长多多批评帮助。"

对于侯卫东被分配到上青林的原因，粟明心里清楚。

赵永胜有个侄女是今年大学毕业，他准备给其侄女弄一个行政编制，做了一些工作。可是不知道哪个环节出了问题，其侄女虽然如愿到了交通局，却是事业编制，而且在养路段。为此，赵永胜颇为不满。

正在这个节骨眼上，侯卫东被分到了青林镇，组织部门事前没有给镇里面打招呼。于是，侯卫东成了赵永胜的出气筒，被一脚踢到了青林工作组。后来秦飞跃想把侯卫东调到计生办，赵永胜趁着秦飞跃开会之际，在组织部肖兵副部长面前给侯卫东安了一个工作副组长的头衔，实质上否决了秦飞跃的提议。

赵永胜发配侯卫东的做法，粟明心里一直颇有微词："一个初出校门的学生，面对逆境，不气馁，不抱怨，充分发挥主观能动性，将上青林公路这个老大难问题带入了正常轨道，确实了不起。"他在心里感慨："赵永胜心胸实在是窄了些，现在又把侯卫东当成了秦飞跃的人。如果老赵不走，侯卫东很难出头，真是可惜了这样一个人才。"

这些隐秘的事情，他不能与侯卫东明说，只是委婉地出主意道："听说你爸爸和哥哥都是吴海公安局的，看他们能不能找些关系，争取调进城，或者调回吴海去。在官场发展，没有人照应，难上加难。"

侯卫东道："我父亲和哥哥都是普通民警，办调动有难度，既来之，则安之。我相信在青林镇也能干出成绩，以后还请粟镇长多多关照。"

这时，周强匆匆走过来，道："两位在这里，秦镇长要离开了。"

侯卫东和粟明到了长着许多大树的院子，秦飞跃已经坐上了车。粟明上了秦飞跃的那辆车，侯卫东则上了周强的车。两辆车的车灯雪亮，刺破了夜空。

青干班结束，侯卫东的生活又回到了正常状态之中。

继续修路

元旦前三天，粟明带着国土办欧阳林等人来到了上青林。等到高长江、李勇、郑发明、段胖娃等人来到会议室，粟明清了清嗓子，道："我是受秦镇长委托来开这个会，星期六，祝书记主持召开了大会，传达了沙州市委周昌全书记的指示。周书记指出，沙州作为地级市，交通状况与其地位极不相称。市里要投入巨资，修建沙州的外环线，这条线将益杨、成津、吴海、临江连成一个大圈，形成交通环状结构，实现一小时沙州。"

粟明说到这里，看了侯卫东一眼，道："针对上青林公路问题，秦镇长特地向马县长作了汇报。马县长强调这是惠及七千人的大好事，同时也是开发青林山的大事，要求青林镇要把上青林公路作为一项大事来抓。昨天下午，镇里召开了党政联席会，专门研究了上青林公路建设问题。"

"镇党委政府研究决定，公路建设必须依据图纸严格施工，从独石村上山，然后到尖山村，过了场镇，再到望日村。然后，再从望日村往下连接下青林的公路，形成我们青林镇的环路，这是青林镇的一小时工程。"

侯卫东暗道："做成了环路，尖山村和望日村的积极性就会提高。现在他们虽然支持修路，肚子里还有小九九，这一下应该放心了。"用眼睛寻去，尖山村和望日村的头头们已经开始交头接耳。

秦大江第一个放了大炮，道："我们不需要镇里制定规划，规划侯疯子已经花钱买来了。关键是钞票，镇政府成立了领导小组，却不拿一分钱，我们不需要领导小组。"

"你这个秦大江，听我说完好不好？"

粟明说了秦大江一句，不等其他人开口，道："现在镇财力不足，并不代表以后。我去年到南方和山东走了一趟，他们的公路建设搞得如火如荼，我们迟早要朝那个方向发展。青林山上多石头和煤炭，以后重车肯定多，所以，我们工作要有前瞻性，虽说修的是机耕道，但是一定要严格按图纸施工，路的宽度最好能有六到八米，路肩、路沿和水沟都要齐全，这样就为将来硬化打下基础。这一点要给社员讲清楚，免得舍不得土地，做起事来小手小脚。”

等到粟明讲完，高长江还是忍不住问起钱的问题，道：“建设环线的工程量太大了，镇里是否出钱？如果镇里不出钱，很难实现这个目标。”

“镇里已向县政府打了修路的报告，请求财政解决一部分资金。不过上青林公路目前只能算是乡道，县里是否出钱还是一个未知数。镇里研究决定在明年拿出一部分经费，采取以奖代补的方式来补助修路。”

粟明强调道：“修路主要还是得依靠上青林老百姓，集一部分资，动用一些积累工和义务工，争取早日把公路基础拉出来。”

侯卫东心道：“县里奖励了二十万，能否将我的一万五图纸钱给了？”他只是这样想，但是不好意思向粟明开口。

秦大江听说可以在明年动用积累工和义务工，这才觉得稍稍满意，道：“粟镇长，你绕了半天，直接说钱的事情就行了。”

粟明对秦大江也有些无可奈何，道：“秦书记，你这人也真是大炮筒子，少说两句憋不死你。”

秦大江呵呵笑道：“粟镇长总算是弄了点实在货，今天中午我请您喝酒。”

以前村干部就想动用积累工和义务工，高长江对此事不敢做主。今天粟明代表镇政府主动提起了此事，各村积极性挺高。中午在秦大江家里吃饭，由于粟明在，伙食就比平时开得好一些，秦大江屋里人专门去池塘打了两条鱼，做了一道流行的火锅鱼。

粟明和秦大江都是好酒量，两人数次喝酒都没有分出胜负。今天两人心情不错，不准其他人帮忙，一对一较量酒量。

侯卫东和欧阳林坐在屋檐下聊天，侯卫东感慨道：“秦书记真是大公无私，每次我们下村，都是在他家里吃。这样吃下去，他一年的工资恐怕早就被吃完了。”

欧阳林脸上笑得灿烂无比，道：“你没有搞懂，到村干部家里吃饭，村里是要付钱的。江上山家里那位做菜水平太低，村里来人来客都是安排在秦大江家里。”

侯卫东再一次恍然大悟，不好意思地道："我才到青林镇，很多事情不懂，你要多指教。"

欧阳林喝了三两多酒，已经有些兴奋，看了看屋内，小声道："你莫小看了青林镇，人事关系很复杂。你认识苟林吗？他才到镇里工作，得罪了某个领导，结果在镇里无事可做，无人理会，变成了一个影子人，被边缘化了。边缘化意味着镇里有他不多，无他不少，他的仕途算是完了。"

侯卫东知道苟林在镇上的印象不好，可是没有想到他处于这种地位。他不禁对苟林很是同情，道："苟林到镇上工作也就一年多，到底做了什么错事，会被领导边缘化？"

"说到底也就是一些小事，苟林的主要问题是还把镇政府当成大学，自由散漫，迟到早退，发牢骚当愤青，工作丢三落四。去年镇里发起计生战役，他当时还在计生办工作，不请假，陪女朋友跑出去耍了三天，把分管计生的晁镇长气得暴跳如雷，随后就被踢出了计生办，如今在农技站里混日子。计生办虽然工作辛苦，却是待遇比较好的部门。而农技站这几年日渐走下坡路，苟林由计生办调到了农技站，也算是一种惩罚。"

欧阳林说到这里，暗道："不仅是苟林，侯卫东其实也被边缘化了，只是这家伙能力出众，虽然远在青林山上，却是混得风生水起，在镇里有了名声。"

侯卫东心里很不是味道，暗道："我被发配到上青林乡，何尝不是一种变相的边缘化？"想到了这一点，他如鲠在喉，心情沉重了起来。

伤感就如一场春雨，来时不知不觉，去时则慢条斯理。侯卫东在心里不断地给自己打气："人死卵朝天，不死万万年。"说了五遍以上，忧郁却始终盘在心里的某个角落。

吃过饭，侯卫东将粟明等人送到了山口。在下山之际，粟明拍了拍欧阳林的肩膀，打了一个酒嗝，道："欧阳林工作不错，但是和侯卫东相比，还缺乏点闯劲，你要向侯卫东学习。"

欧阳林原来是笑眯眯的，见粟明说得严肃，慢慢地就不自在了，道："我以后多向侯卫东学习。"

过了元旦，时间到了1994年，上青林一切依然照旧。森林茂密如初，山路依然难走，太阳亦照常升起。

侯卫东睁开眼睛，暗灰的房顶在头脑中盘旋了一阵，才最终停了下来。在床上坐了一会儿，他揉着欲裂的脑袋，摇摇晃晃起了床，他甚至自己也能闻到满屋子酒味。

“他妈的秦大江，一定要找机会报仇。”

侯卫东过完了元旦，刚回到了上青林，就被秦大江看见了，秦大江如老鹰捉小鸡一般将侯卫东抓住，嚷道：“侯疯子回来了，中午整一桌。”

安排了伙食以后，秦大江就拉着侯卫东来到公路施工现场。

“水沟窄了，一定要加宽加深，公路没有涵洞，必须要在几处山沟里做涵洞，刘维来过没有？他应该能发现这些问题。”侯卫东在修路初期，天天看图纸，早已将公路的立体图印在了脑中，而且刘维工程师数次交代，对于山上的泥结石路面，水沟和涵洞必须要完整。走了一圈，他立刻看出了问题。

秦大江如跟班一样走在侯卫东后面，不停地解释，道：“刘维工程师来过一次，他说必须要做十几个涵洞。做涵洞费时费力费钱，江上山他们几个反对。”

“秦老大，这条路以后要过重型车，基础设施必须扎实，否则后患无穷。”这些都是刘维多次强调的观点，侯卫东听得多了，也就记住了。见村里没有按照图纸来施工，他开始苦口婆心地劝说。

俗话说，一把钥匙开一把锁。秦大江属于那种好恶分明的人，看不顺眼之人，即使是领导他也敢放大炮。他独独对比他还要“疯”的侯卫东另眼相看，虚心接受了意见。

看过公路，支书秦大江、村委会主任江上山、文书陈达川、民兵连长兼团支部书记杨柄刚、妇女主任朱姚芬以及驻村干部李勇就在基金会的馆子里办了一桌，顺便把隔壁的白春城也喊到了一起。

村里面热情，让侯卫东也有些感动。心里一感动，行动就豪放起来，一杯接一杯，也不知喝了多少。最后与秦大江碰了一个大杯，侯卫东大醉着被抬回了寝室。

早上一身酒气地出了门，在走廊上遇到高乡长，高乡长指着侯卫东道：“侯老弟，你呀你，又被秦大炮喝醉了，下回别这样干了。”

侯卫东头痛欲炸，道：“再也不喝酒了，我发誓。”

高长江笑道：“这种誓，我年轻的时候至少发过一百次，没有用，该喝还得喝，只是要控制量。一个人总是喝醉是愚蠢，不值得交往。

一个人总是不喝醉是虚伪，也不值得交往，这是老高几十年对喝酒的经验体会。”

又问：“这次青干班学完了，有什么安排没有？”

“还能怎么样？回来继续修路，没有听说其他安排。”

高长江给他支招：“你从青干班回来，又刚刚过了元旦，一定要到镇里面去一趟，给赵书记、秦镇长汇报一下学习心得。你要主动，不要等着领导来了解你，要主动接触领导，理论联系实际，密切联系领导，才能不断进步。我在这方面有教训，如果当年有人指点我，我说不定还在县里哪个衙门坐着。”

打扫完办公室，侯卫东暗道：“赵永胜和秦飞跃矛盾日深，我一介白丁，最好是躲得远远的。”转念又想：“长期远离领导确实不是办法，这一方面要向任林渡学习，不能长袖善舞，也要学着短袖而舞，舞了总比不舞好。”

“杨姐，你好，我是工作组侯卫东。”侯卫东先给党政办打了电话。

青林镇党政办杨凤正在剥瓜子，接到电话，开玩笑道：“侯大学，听说你的新绰号叫侯疯子，这个名字好难听。”

侯卫东就在电话里笑道：“杨姐，我带了几包吴海瓜子，改天给你送过来。”趁着杨凤高兴，他又道：“镇里的头头在不在办公室？”

杨凤吐了瓜子壳，道：“秦镇长去县里开农网改造的工作会了，赵书记在办公室。”

侯卫东心里就有数了，他在党校设计了一份“上青林公路建设进度表”。他找到高长江签了字，誊写了七份，然后提着在益杨县城买来的吴海瓜子，奔向青林政府。

到了青林政府，侯卫东先到了党政办公室，抽空将吴海瓜子送给杨凤。杨凤接过吴海瓜子，圆脸笑得格外灿烂。

“这是公路进度表，我交一份到党政办公室。”

杨凤接过表格，见上面列着公路进度、人员安排、资金情况、困难问题等几个大项，下面还有一些小项，非常清楚，忍不住夸道：“不愧是大学生，这表格做得真漂亮。”

到了赵永胜办公室，侯卫东有节奏地敲了三下。

“进来。”赵永胜正在看财务报表，见进来的是侯卫东，低头继续看表，把侯卫东晾在一边。

按照相对论的说法，时间会随着人的感受而变化长短。和美女在一起时间就过得快，和野兽在一起就度日如年。侯卫东对这个理论深信不疑，与小佳在一起的快乐时光总是如飞一般逝去，今天站在赵永胜办公室，二十多秒过得如此之慢，让人痛苦不堪。

赵永胜故意不理侯卫东，又翻了几页报表，这才抬起头看着侯卫东。侯卫东连忙弯下腰，道："赵书记，我想给您汇报上青林公路的情况。"

赵永胜后背靠着大班椅，摆了一个很舒服的姿势，一只手捧着将军肚，瞅了进度表看了几眼，问道："公路已经修到场镇，才用了四万多元，怎么这么少，算对没有？"

侯卫东解释道："四万块钱是实际支出现金，其他支出未算进去。为了修公路，三个村投入了一千二百多劳动力，他们都是自带饭菜，也没有发误工补助。发生的费用主要有三大块，一是炸药钱，这个必须要出；二是图纸钱，现在还差刘维工程师五千元；三是工具钱，特别是从青林林场上山的路，前一段全是旺子石，特别硬，工具耗费特别大。"

赵永胜暗道："侯卫东比欧阳林和苟林强得多，只要他不跟着秦飞跃跑，还算得上可用之才。"他表情温和了些，又问道："青亩费如何解决？这么长的公路，这一笔赔偿费也不是小数。"

侯卫东站在沙发边上，腰杆挺得笔直，道："这一次修路，在镇党委的领导下，三个村都进行了充分的动员，青亩费都不赔，占用的田土由各村自行进行调剂。"他原本想说在镇党委政府的领导下，话到嘴边，他将政府两个字扣压在肚里。

赵永胜难得地夸奖了一句，道："小侯工作做得很仔细。"他看到侯卫东还在桌旁站着，道："你坐吧。"

交代了几句万变不离其宗的废话，赵永胜又低头看财务报表，侯卫东便知趣地告辞。等到侯卫东离开之后，赵永胜靠在大班椅上，闭目沉思："县里很重视这十名公招生，长期把侯卫东放在工作组里，只怕会引来争议，得找一个机会把他调到镇里来。"

离开了赵永胜办公室，侯卫东又去找到粟明，汇报了工作，递上了进度表。

上山的路上，侯卫东一直在回想着赵永胜的表情，反复地思考："赵永胜和秦飞跃有矛盾，我夹在中间，应该如何相处？是保持着距离，还是投靠一方？"从感情上来说，侯卫东自然跟秦飞跃要走得近一些。可是就乡镇体制来说，党委书记才是真正的一把手，这让侯卫东下不了决心。

上了山顶，山风习习吹来，无数美景跃入眼前。侯卫东感到天地和心胸都变得开阔起来，他高举着手臂，使劲地吼了两声，焦躁之情似乎随着狂吼而远去了。

走进小院，邮政代办点的杨新春喊道："侯大学，有两个电话找你，一个是你女朋友，让你下班给她回过去；另一个说是你的同学蒋大力，他留了一个电话，让你回家以后打过去。"

"喂，你好，请找蒋大力。"

电话另一端响起一句粤语，随后又变成了蒋大力粗粗的沙州腔："东瓜，怎么不和我联系？"侯卫东吼道："蒋光头，狗日的，回沙州也不过来找我，太不够朋友了。你在广东哪里？做什么？"

蒋大力话音中很有些志得意满，道："东瓜，听小佳说你去当山大王了，到底混得如何？如果不行，干脆到广东来，我们哥俩创一番事业。沿海地区和内陆大不一样，经济发达，机会很多，退一步海阔天空，你别在山上耽误了青春。"

侯卫东好奇地问道："光头，你到底在做什么？"

"我是医药代表，说白了就是药厂的推销员，专攻医院。我现在负责一个片区，片区经理。你过来，凭我们哥俩的能耐，过不了多久，又会诞生一个百万富翁。"

"呵呵，光头，你现在收入如何？"

"刚到的时候也就一千多块，现在每月我能拿五千以上，最高一月上了万。"

侯卫东工资不过三百七十块，他听到蒋大力的收入，差点连下巴都掉了下来，吼道："这是邮政代办点的电话，就在我办公室隔壁，你狗日的工资高，给我打过来。"

挂了电话，侯卫东心潮难平。蒋大力的话如一块石头落到了平静的水面，泛起了阵阵波纹。他甚至有些失魂落魄，连《岭西日报》也没有心情去阅读。

到了中午下班时间，侯卫东又拨通了小佳的电话。电话线里传来小佳兴奋的声音："卫东，告诉你一个好消息，今天我得到通知，我被借调到了市建委办公室。"

到了建委，接触面就大了，特别是可以接触到建委的领导。侯卫东被发配到上青林，距离官场很遥远，对于距离特别敏感，他高兴地道："这是好事，办公室天天在领导眼皮底下工作，容易出成绩。小佳，祝贺你，亲一个。"

小佳也在电话里积极回应着，道："这事还没有给爸爸妈妈说，他们肯定高兴。"

"他们高兴倒高兴，恐怕更不会同意我们的事情。"

小佳闷了闷，马上转换了话题．道："段英给我说，刘坤正在追求她。你和刘坤是一个寝室的，他为人如何？"

想起段英的性感、温柔和体贴，侯卫东暗道："倒便宜了刘坤这小子。"心里莫名其妙有些酸溜溜的感觉，他知道这种感觉实在很没有道理，赶快调整情绪。

"刘坤家庭环境好，爸爸是县委常委、宣传部长。他如今在政府办工作，是李冰副县长的秘书，为人处世也没有大问题，就是有些虚伪。"侯卫东加了一句："他在学校就对段英垂涎三尺。"

小佳真诚地道："段英运气不好，毕业前男朋友分手，工作以后单位效益又差，这一年来她的运气不好，但愿这次选择能给她带来好运。"

第六章
引起市常委领导注意

芬刚石场

打了两个电话，侯卫东情绪再一次低落。毕业以后，社会就撕掉了大学时的温情面纱，许多现实问题就必须由自己的肩膀扛住。而初出校门的学子肩膀实在稚嫩，又能扛得起多重的压力？

正在彷徨间，屋外响起曾宪刚的声音："侯疯子，元旦回来了也不打声招呼，到我家里去，今天喝酒。"

听到喝酒，侯卫东就是一哆嗦，道："曾主任，酒就免了，现在我的头还在爆炸。"曾宪刚不容分说地道："今天是我私人请客，只有我们两人，一个外人都没有喊。"

到了曾宪刚院子，他老婆正在院子里面剖鱼，侯卫东连忙道："嫂子，给你添麻烦了。"曾宪刚老婆笑声很大，道："大学生硬是不一样，说话这么客气，曾宪刚从来不知道说句客气话。"

曾宪刚的儿子拖着鼻涕，在院子里和两条黄狗追来追去。

等到满满一盆鱼端了上来，曾宪刚道："我老婆曾经到重庆鱼馆打过工，她弄的花椒鱼是上青林最好吃的了，你尝尝。"

花椒鱼是名副其实的花椒鱼，红海椒和花椒浮在表面上，厚厚的一层，鱼肉嫩而香，味道好极了。酒过三巡，二人微醺，曾宪刚开始说正题了："疯子，今天有一件事情想和你商量。"

“你别客气，有事就说。”

“照目前这个进度，四五月份，大车就可以上山，我有一个想法。”曾宪刚曾经到广东打过工，他是石匠，曾在江门的一个石场干过。当年日夜开工，片石和碎石仍然供不应求的场景，深深地留在了他的脑海中。此时公路修通，当年的场景就浮现出来。

“我妹妹嫁到了独石村，就在林杨上面不远的地方，公路刚刚从她们家门口经过。她家自留山是一个石山，上面盖层只有几十公分厚。我想投些钱开一个石场，今年是交通建设年，开石场肯定赚钱。”

侯卫东道：“既然能赚钱，就赶紧开。”

曾宪刚面露难色，道：“我去年才盖了新房子，钱用得差不多了。石场开起来了，我也没有销路，我的想法是同你合伙干。”

侯卫东暗道：“我同样没有钱也没有销路，和我合作，这对象似乎是找错了。”他的工资是三百七十块，平时打电话、吃饭、车费，有时还打牌，这三百七十块是月月花光。不过，看着曾宪刚充满着希望的眼神，他不忍当面拒绝，问道：“启动资金需要多少？”

曾宪刚并没有干过石场，同样是两眼一抹黑，道：“应该花不了几个钱，主要是人工钱，补偿青亩钱和炸药雷管钱，其他钱还想不出来。”他诚恳地道：“侯疯子，我信任你，只愿意跟你一个人合作。如果石场开好了，有可能改变我的生活，娃儿才能到城里去读异价书。”

曾宪刚久在大山，对外面的世界感到很陌生，因此一门心思想要拉侯卫东入伙，道：“疯子，我们一起搞，你不参加，我心里没有底。”

侯卫东暗道：“我到上青林是来做事业的，而不是放弃城里生活来乡镇当个小老板。要是在这里当了石场老板，被蒋大力知道得笑掉大牙。”转念又想：“如今这个样子，一点希望都看不到，与其坐着等死，还不如痛痛快快地干一场。”

曾宪刚坐在侯卫东对面，搓着手，仿佛等着侯卫东的判决。侯卫东犹豫了一会儿，道：“现在不能决定，明天去看现场，如果确实可以，我们再来说这件事情。”

晚上，侯卫东在床上翻来滚去，总是想着石场的事情：“三年之内调回沙州，照目前这个状况，我看三年之内调到青林镇都难。当不了官，我就要赚钱，条条大路通北京，活人不能被尿憋死。”

侯卫东看了现场以后，觉得在这个地方开石场，从地理位置到资源量都很合适，而且盖山不厚，开采起来也方便。看到如此好的条件，他也有了些积极性，给高长江请了假，中午提前下了山。从青林镇到益杨县用了三个小时，从益杨县到吴海县又用了三个小时，到了吴海父母的家，已是晚上八点。

刘光芬一个人坐在客厅里看电视，见侯卫东回来，高兴地道："小三，怎么才回来？吃饭没有？"说着把拖鞋递了过来。

侯卫东走进自家客厅，心里完全放松下来。他在刘光芬面前永远是长不大的孩子，不客气地抢过遥控器，不停地换台，道："老妈，你的欣赏水平太低了，又看琼瑶的连续剧，爸在哪里？"

刘光芬这两天都在和侯永贵争夺客厅彩电控制权。刘光芬要看台湾的连续剧，侯永贵要看动物世界。当然，每次都是刘光芬胜利，侯永贵只得到里屋去看那台小电视。听到儿子说话，侯永贵已经走了出来。他穿了一件棉袄，这是以前军队里发的，已经披了好多年，看上去就有些臃肿。

侯卫东道："屋里太冷了，我建议去买一个冷暖空调。"

刘光芬从厨房里探出头来，道："买空调可以，你们三兄妹一人赞助两千。"

厨房里飘出了令人垂涎三尺的香味，这是侯卫东最喜欢吃的红烧肉。刘光芬手脚麻利地将饭菜端了上来，道："回来也不打个电话，要不然给弄点好吃的。今天中午你姐回来了，我给她烧的肉，你将就吃点剩菜剩饭。"她坐在侯卫东对面，看着儿子几乎是狼吞虎咽，心里特别高兴，嘴上却说："发了工资，没有给你爸爸和我买一块钱的东西，养儿子有什么用？当年你姐姐第一个月的工资，给家里每个人都买了礼物。"

说起二姐，侯卫东想起了段英，问道："我听说益杨县丝厂效益不好，已经关掉了两个车间，二姐厂里效益如何？"

刘光芬道："我正准备跟你说这事，你二姐正式下岗了。幸好你姐夫收入高，要不然就惨了，还是在政府机关保险。"

"上半年厂里还景气，怎么一下就不行了？"

"下半年国际丝价下落，厂里的问题来了一个大爆发，一下就垮了。那些当官的，只知道吃喝，厂子垮了，看他们吃什么喝什么。"

侯永贵趁着母子俩聊得热闹，就将电视换成了动物世界，然后坐一边津津有味地看着。刘光芬注意力全部在儿子身上，也没管他。

“公路修得如何？图纸钱怎么解决的？”

听说是以私人名义贷的款，侯永贵开始教训道：“公私分明，是两层意思，公家的钱物不能拿，私人钱物只有这么点，也不要轻易贴进去，除非单位给你出书面的借据。”

侯卫东心里还藏着事，没和父亲计较。吃完一碗饭，刘光芬又连忙给他舀了一碗。侯卫东将红烧肉的浓汤倒到碗里，这种吃法，能将红烧肉的精华全部收入碗中，是他的最爱。刘光芬忍不住揪了揪侯卫东脸颊，道：“你看你，脸上肉都鼓起来了，是不是天天都到村干部家里大吃大喝？”

侯永贵在一旁道：“村干部喝酒凶得很，下村要少喝些，能耍赖就耍赖。”

吃完饭，侯卫东把母亲刘光芬拉进里屋，说了开石场的想法，道：“沙州市委书记周昌全号召全市大办交通，益杨县委县政府就把1994年定为交通建设年。这将使沙州市掀起交通建设的高潮，碎石和片石都是修路的必备材料，而上青林山上的石材是益杨全县最好的。所以，开石场肯定没有问题。”

刘光芬皱着眉头，道：“这不是开石场能否赚钱的事情，中央一直强调干部不准经商。你是编制内的行政干部，若是经营石场就是违纪。我认为你刚刚参加工作，还得在镇里面老老实实地干。这些事情都是旁门左道，你最好不要做，免得以后在单位影响不好。”

侯卫东迫不得已，将自己在青林镇遇到的事给母亲讲了。刘光芬抹着眼泪，把镇领导骂了一通，道：“小三，你爸这人一辈子都在公安一线工作，尽做得罪人的事情。他在益杨没有什么熟人，你还是要依靠自己。”

“现在是什么时代了，牟其中用积压的轻工副食品就换回了苏联的大飞机。当官不是唯一的出路，老妈得支持我，让我闯一闯，否则我不甘心。”

刘光芬摸着儿子硬硬的头发，道：“你的人生路才开始，遇到了小小的挫折，没有必要这样灰心丧气。”

侯卫东有些火了，道：“妈，你就支持我这一次，我一定会把石场做好，我现在只需要一万块钱的启动资金，你要相信我的决心。”

刘光芬在侯卫东面前向来心软，见儿子急了，她的心就软了，道：

“要做石场可以，我有一个条件，不能用你的名字。我是退休老太婆，用我的名字发挥余热。”

“用你的名字，以后办执照、税务登记很麻烦的。”

刘光芬坚持道：“麻烦些怕什么，我得给你留条后路，万一以后你当官了，经商就是你的尾巴。我当妈的不能给你留个把柄。你别不服气，虽然我没有你文化高，但是我见的事情比你多，小心驶得万年船，一定要给自己留条后路。”

侯卫东知道母亲说得在理，点头同意了。

刘光芬叮嘱道：“这事别让你爸知道，他的脾气绝对不会让你去办石场。”侯卫东开玩笑道：“妈，你还有私房钱，那多给点。”刘光芬笑道：“再加码，你妈要反悔了。”

谈完了正事，刘光芬问：“小佳家里还在反对吗？”

“小佳借调到建委办公室，现在是建委的红人了，她父母当然反对得更厉害。”

刘光芬意味深长地道：“我看你们两人的事情有点玄。小佳在沙州建委办公室，接触的人和事不一样，眼界自然就高了。你如果不尽快调回县里，这桩姻缘肯定成不了。”

侯卫东最怕听这个问题，他和小佳母亲陈庆蓉约好了三年之期，如今已经过了半年，而调回沙州的目标却如此的遥不可及。他对母亲刘光芬道：“天要下雨，娘要嫁人，谁又管得了，我只要对得起自己的良心就是了。”原本这话说起来慷慨激昂，可是想起自己跟着秦飞跃去了望城山庄，和那里的小姐搂了抱了，良心已被抹了一丝黑色，说话也就没有那么理直气壮了。

晚上睡觉的时候，刘光芬亲自给侯卫东换了干净的床单。她看着小三儿就高兴，坐在床边和侯卫东有一句无一句地聊天。

“你二姐和你姐夫想搞一个小丝厂，他们在丝厂干了这么多年，有许多业务关系，找点工资钱肯定没有问题。”

“益杨那边的丝绸厂恐怕也不行了，已经关了两个车间。”

刘光芬坐在床边，习惯性地给儿子理了理被角，嘱咐道：“二姐要开公司，也差钱，我没有借给他们，开公司有风险，我得防着点。今天给你钱的事情，你千万别给你二姐说，免得她不高兴。”

第二天，侯小英回到了家，听说弟弟在家里，就把他从床上揪了起来，道："小三，听说基金会手续不严，好贷款，你给二姐贷个五万，我现在公司开业，差钱。"

"我刚刚从基金会贷了一万元，修公路要图纸，而且基金会只贷给当地人，外地人不能办。"

侯小英道："基金会管得不严，只要有关系，又懂规矩，什么事情办不成？你把我引见给基金会的人，其他的事情由你姐夫搞定。"

侯卫东想着白春城的脸孔，同意了二姐的说法，道："好吧，我去试一试，只是我在镇上无职无权，基金会的人不一定会买我的账。"

"你不去试又怎么能够知道？现在这个社会，胆大的骑龙骑虎，胆小的骑鸡母。爸胆小了一辈子，还不是在基层办傻事？"

刘光芬对女婿何勇总有些信不过，她躲在门口听了一会儿，回到客厅，故意喊道："小三，太阳晒屁股了，快起床。"

吃过早饭，刘光芬和侯卫东一起出门。在车上，她再次告诫道："你二姐夫生意不稳当，你别帮着他贷款，否则要受拖累。"

侯卫东和母亲刘光芬一起来到了上青林，先去曾宪刚妹夫家里看盖山。曾宪刚妹妹和妹夫都是老实巴交的农民，带着几人来到了后山，几锄头下去，就挖到了硬硬的石头。

曾宪刚妹夫用锄头敲着石头道："这石头厚得很，至少十米以上，离山下的公路也近。"

刘光芬见到了曾宪刚以后，一脸严肃地道："这个石场是我和你合作，侯卫东最多算个帮忙的，是我的代表。"

她当惯了老师，此时故意端起架子，还真把曾宪刚镇住了。曾宪刚跟在老太太后面，真如小学生一样。

回到了上青林场镇，刘光芬亲自动手，给侯卫东宿舍做了彻底的大扫除。又张罗着买了泡菜坛子，找刘阿姨要了老坛水，做了一坛子泡菜。第三天，刘光芬才离开上青林。

在具体经营石场的理念上，侯卫东与曾宪刚发生了分歧。

曾宪刚的想法，根本用不着办工商执照，把盖山揭开，申请点炸药，石场就算开张了。有人来买，一手交钱一手交货，简单而实在。

侯卫东认为，开石场，小打小闹没有意思，还是要办工商执照，进行税务登记，这样才能和大企业打交道。虽然前期有些投入，最终却能赚得更大利润。

曾宪刚是把全家所有的钱都投入了石场中，把这个石场看得很重，不肯轻易让步："现在八字还没有一撇，有没有人来买也说不清楚，花这些冤枉钱不值得。我的意思还是先把场子拉起，等到有了生意，再补手续也不迟。"

侯卫东也没有真正做过生意，他想的东西多是来自书本："不办手续，拿不到发票，这是违法行为，被查到是要被罚款的。而且和益杨县的大企业打交道，我们一定要正规，这是从长计议的做法。"

曾宪刚摇头道："山上石头到处都是，我们两人把石场开起以后，肯定有许多人也跟着开。他们肯定不会去办手续，如果我们的费用比他们高，就没有生意。"

侯卫东坚持着自己的意见："我还是主张把手续办好，名正才能言顺。我们一定要盯住大用户，小敲小打没有多大意思。"

最后两人都退后一步，先借着修公路之机，把石场开起来。与此同时，逐步把手续补齐。

乡道变县道

到了1月中旬，从下青林公路连接到独石村办公室的公路毛坯已经出来了。铺上片石和碎石，压实以后就可以通车，只是到了这一步就必须用压路机等机械，单凭人力无法解决了。

侯卫东找到粟明，递上了有刘维工程师建议的申请表，想到镇里争取一些资金。粟明仔细看了进度表，道："如果铺片石和碎石，费用不低啊。"

侯卫东道："整个公路其实分为两段，一段是上山公路，另一是山顶公路。山顶路是平路，可以暂时不铺片石。但是上山路是盘山路，不铺片石和碎石，这路根本不能通行。"他笑眯眯地对粟明道："粟镇长，这一次县里奖励了二十万，能否用一点在公路上？"

镇政府实行的是财政一支笔审批，粟明是副职，没有签字权。况且这个修路领导小组并没有得到一分钱的使用授权，粟明道："你在这里等一会儿，我去找秦镇长，看他的想法有没有变化。"

秦飞跃看了申请表，道："这事先放一放，我刚刚得到了准确消息，还没有来得及给大家通报。交通局编制了全县乡村公路规划，四大班子集体听取了汇报，原则上同意了这个规划。在规划中，上青林有一条公路，不仅要与下青林相连，而且还要朝西走，将李山镇、吴滩镇、来龙镇这一大片联结起来。”

李山镇、吴滩镇、来龙镇是益杨的几个建制镇，与青林镇、赤梅镇隔山相望，直线距离不过四五公里。但是，从青林镇到李家镇等镇，由于互相没有通公路，则必须先到益杨县，然后再从益杨转车。也就是说，从青林镇步行到李家镇，翻山越岭也就只要一个小时，而坐客车至少需要两个半小时，比步行还要慢。

秦飞跃道：“上青林公路就成了名副其实的县道，县道就应该由县级财政来投资，镇里不要急于投资进去，免得花冤枉钱。”

粟明脑袋转得快，道：“规划是规划，真正落实还有一段时间。1994年是交通建设年，各镇都不傻，一定会各显神通，争取县财政在当地投钱修路。”

秦飞跃胸有成竹地道：“镇里目前不能投钱，等到上青林到三个村的全路段毛坯挖出来再说。毛坯挖出来，这是青林镇最有利的竞争条件。县里马上要开人代会了，我准备找马县长汇报此事，争取把上青林公路纳入县政府的重点工程。真要是修通了上青林公路，上青林资源就被盘活了。”

他又道：“这个消息最好不要跟上青林干部说，说了，很有可能引起变数。”

尽管秦飞跃封锁了消息，侯卫东却无意间从刘维那里得到了这个消息。他心里既高兴又紧张，找到高长江合计，道：“县道的等级比乡村道要高得多，幸好当初修公路毛坯的时候，严格按图施工，如果当时偷工减料，说不定就要返工，实在是万幸。”

高长江想到了另一个严重问题，道：“侯老弟，如果县里把上青林公路升格为县道，村干部恐怕就不愿意义务修路。”

侯卫东仔细考虑以后，道：“这事瞒不住村干部，我想开个村干部会，把事情讲透。这条路绝对不能停下来，停下来变数极大。”

上青林三个村为了修好公路，充分发挥了主观能动性，有人出人，有力出力，青亩费分文不付，田土的调整也由各村自己处理。这些开支，若按照部颁标准来说，是一笔大数目。由于村民们修路的心情很迫切，实际上就由三个村七千人共同承担了这笔费用。但是乡村道路升格成了县道，理论上修路的主体就变成了县政府，再让三个村的干部无偿支援，恐怕有些困难。侯卫东天天与这几位村干部在一起，也很了解他们肚子里的小九九。高长江指出问题以后，他便明白过来。

果然，村干部们知道了这个消息以后，三个村的六位主要干部表情各异。在贺合全等人的要求下，工作组又开了一次会。

望日村的书记贺合全态度很坚决，道："现在公路已经到了尖山村。望日村里投了工出了钱，我不管是不是变成县道，先把毛坯修到望日村再说。"

侯卫东没有想到贺合全是这个态度，顿时喜出望外。

秦大江打起了小算盘，公路毛坯已经将独石村全村贯通，如果县里接手，独石村就可以不用投资投劳了，而且就算县里暂时不投资，用块石、片石铺一层，汽车已经能够上山了，道："公路升格成县道，就不是我们三个村的事情了，县里肯定要出钱，我们继续无偿投资投劳就是傻子，白花钱。"

秦大江的说法引起了大部分村干部的响应。修公路所用资金不在少数，如果能让县财政出钱，村民不仅可以不出劳，而且或多或少都可以获得一些补助。

看着村干部纷纷附和秦大江的说法，侯卫东心提到了嗓子眼上。不等大家充分讨论，他立场鲜明地道："我的意见很明确，如今公路已经修到了尖山村，大家再努力一月，就能修到望日村。如果这次停下来，以后的事情就说不清楚了。"

通过修路之事，侯卫东在上青林各村中有了威信。他表了态以后，贺合全立刻附和道："修独石和尖山那一段，望日村一个人没有少，一分钱也没有少出。现在秦大炮想不修，绝对搁不平。如果真要把工程停下来，我要组织人把前面的公路挖断；要想停工，大家谁都别想通车。"

秦大江和江上山就不太好唱反调了。

尖山村支书唐桂元道："侯大学，县里是否明确要修上青林公路？"

侯卫东道："我得到的消息，县里现在只是做了规划，还是落在纸上的东西，是否动工，谁也说不清楚。而且全县乡村道路规划，涉及全县所有乡镇，先修哪一条也没有明确。我的意思是按照原计划继续修路，现在把公路停下来，再修就难了。”

江上山与秦大江抱着同样的心思，道：“侯疯子，如果县里面真要同意修路，我们三个村继续投劳，算起来亏惨了。”

高长江一直没有说话，见大家议论得差不多了，道：“我们把公路毛坯修出来，将会增加上青林公路的竞争力。再找高志远书记出面做工作，县里投资的希望就很大，你们不要看眼前利益，要看长远算大账。只要通了公路，还怕收不回投资？而且，只要县里确定要修上青林公路，就要打水泥路面，前期的投入又算得上什么？”

高长江的话入情入理，大家都不说话，各算各的账。

散了会，这些村干部又三三两两地聚在一起，议论着公路之事。过了一会儿，各村干部就陆续走了，没有如往常一样聚在一起喝酒，他们急着回去找村里其他干部来一起合计此事。

这半年，侯卫东一直在和这些村干部亲密接触。村干部给他最深的印象是“现实性”，他们接触的都是具体事，玩虚的解决不了问题，往往注重实际利益。

此时，侯卫东感到了巨大的压力。他算了算，各村为了修公路，按每天出工五百人计算，每人每天误工费十元，就是五千块，十天就是五万，百天就是五十万。这还不算侵占了田土的补偿和青亩费用。面对这么一笔巨大的费用，秦大江等村干部怦然心动，产生各种各样的想法，完全可以理解。

可是，如果突然停工，但是县里规划又迟迟没有落实，则会造成公路烂尾。村民修路积极性受挫以后，再次动员就很有难度。

侯卫东感到了肩上沉甸甸的担子，在心里骂道：“他妈的，这么重要的事情，怎么就让我这个平头老百姓来做，未免太瞧得起我了。”

他翻来覆去地想着这事，总觉得不踏实，又来到高长江家中，道：“我在办公室实在是坐不住，刚才虽然把会开了，村里干部的思想没有统一下来，至少秦大江和江上山还有小算盘。”

高长江怕冷，家中就烧了一个铁皮炉子。铁皮炉子外面有一根铁管子，能把煤烟全部接走。屋里空气倒也不难闻，还有一股子飘来荡去的烤红苕香气。他看见侯卫东为难的神情，道：“先坐下来烤火，心急吃不了热豆腐，我们两人好好合计合计。”

火炉烧得很旺，一阵热气扑来，比在冷清清的办公室坐着舒服得多。来找高长江之前，侯卫东心中对镇领导很有些腹诽，可是坐下来之后，想到修路之事纯粹是自己找的，也怨不得别人，便将抱怨压了下去。

“如果县里投资，上青林公路所有的问题就迎刃而解了。高乡长能否代表上青林去找一找高志远主任？只要他肯帮忙，县里就会更加重视上青林公路。”

高长江想得更多一些，道：“我已是退居二线，代表青林山去找老书记不太合适。秦飞跃或是赵永胜亲自出面才显得正式，也是对老书记的尊重。”

“上青林一直想修路，几年来，却总是说来说去没有动手。这一次动了工，侯兄弟起了很大的作用。”高长江话锋一转，“你能起大作用的主要原因是初生牛犊不怕虎，胆子大，做事没有顾忌，反而把修路这件大难事情弄了起来。”

侯卫东品了品这话的意思，有些哭笑不得。上青林公路动工以后，他一直暗自得意，觉得自己能力非凡，可是在高长江眼中却是傻大胆，这让他多多少少有些沮丧。不过，面临着公路何去何从的重大问题，他很快将小小的沮丧抛到一边，盯着炉火，暗道：“三年之内调回沙州，如果循规蹈矩，纯粹是痴人说梦。不管别人怎么说，修路一定不能半途而废。”口里道：“初生牛犊也有好处，就是不管不顾往前冲，我这就给粟镇长打电话，说后天我们要到高志远书记家去拜访，随便镇领导去不去。”

高长江看着侯卫东一副不达目的不罢休的神情，道：“侯老弟，你还真是不愧侯疯子的光荣称号，老哥开始佩服你了。”

侯卫东拨通了粟明电话，道：“粟镇长，我是侯卫东，跟你汇报一下修路的事情。”

粟明没有料到上青林诸人这么快就知道了此事，他详细问道：“村里对这事是什么态度？”

“工作组刚刚开了会，村里意见并不统一。贺合全想继续修路，秦大江想停下来，尖山村是两可之间。”

这些情况粟明是料到的，道：“我明天争取上山找秦大江、贺合全谈谈，我同意你的观点，上青林公路还是要继续修。”

侯卫东很郑重地道：“粟镇长，上青林七千人为了修路付出了艰辛努力，现在涉及县里决策，我建议由镇里出面去拜访高志远主任，请他说几句话，将上青林公路纳入大办交通的重点工程。”

听到侯卫东开始指挥起镇领导，粟明调侃道：“侯大学已经有了安排，我们商量以后再给你汇报。”挂了电话以后，他想了想侯卫东的建议，觉得很有道理，便在党政联席会提出了这事，当然他没有说这是侯卫东的提议。

秦飞跃对粟明的做法很有些看法，心道：“这事你先给我说一声，暗中操作就行了，根本没有必要提到党政联席会上。”

赵永胜也有着同样的想法，他狠狠地瞪了粟明一眼，然后道：“粟镇长的想法很有道理，高志远是沙州市人大主任，在县里能说得上话。我和他在一起工作过，比较熟悉，明天就由我带队去拜访高主任。”

他想了想，补充道：“高长江与高志远很熟悉，他跟我去。侯卫东一直在施工现场，熟悉情况，他也去。”他这样安排也存了心思，尽量不让秦飞跃、粟明等人与高志远直接联系。

赵永胜的理由摆得上桌面，秦飞跃不好去争，心道：“你去找高志远，我就去找马县长汇报工作，县官不如现管，他们两位才是真正的父母官。”

等到粟明回了电话，高长江不停地摇头，道：“侯兄弟，你真是傻大胆，居然能够指挥起党委书记来了。你是一员福将，总是能心想事成。

“老书记特别喜欢吃上青林望日村的风干野鸡，让我们去弄十只风干野鸡，记住，一定要选最好的风干野鸡。明天，你、我还有赵永胜一起到沙州。”

侯卫东没有耽误时间，他从高长江火炉下面掏出来一块烤得喷喷香的红薯，边吃边走，很快到了望日村。

见到了贺合全，侯卫东单刀直入地道：“贺书记，给我找十只风干的野鸡，要最好的。”

“侯疯子，风干的野鸡要五十块钱一只，你弄这么多来干什么？哪个出钱？”贺合全头顶上没有多少头发，有个绰号叫做贺绝顶，来自于聪明绝顶这个成语。据说这个绰号的创作者还是铁柄生校长。

“这条路不能停工，但是县里的钱不要白不要。赵书记准备带队到沙州去一趟，找高志远老书记出面，争取将上青林公路纳入县里的规划。”

上青林山的人都把高志远看成了力量的化身，听说是去找高志远，贺合全道："我马上就去找，这钱是不是由镇里面解决？十只就是五百元，村里面负担不起。"

侯卫东道："明天要把野鸡收齐，钱的问题等我们回来再说。镇里面解决不了，就让三个村平摊。"

贺合全愤愤地道："秦大江那个锤子人，独石村上山的路拉出来了，他想打退堂鼓，绝对搁不平。"

为了不让公路停修，侯卫东这一段时间就如外交官一样，穿梭在三个村的干部家中。他不断游说各村，让他们仍然按照原计划继续投入劳力，不能让工程停工。

秦大江等人还是给了侯卫东三分薄面，没有马上让工程停下来。

第二天早上，高长江和侯卫东6点30分就起了床。此时天仍然黑沉沉一片，两人打着手电，在一片狗叫声中往下青林赶去。到了青林场镇，天空才慢慢地亮了起来，两人在青林镇外面的面馆，一人要了一碗炸酱面，"吸吸溜溜"地吃了起来。

侯卫东脚边放了一个竹编背篼，里面是用蛇皮袋装着的风干野鸡，这是从望日村收来的礼品。尽管是冬天，背着这一筐东西下山，他额头上还是微微有些发汗。

在镇政府大门等到8点，一辆桑塔纳滑了过来。司机小张平时对人是一副爱理不理的样子，他把车停在了院中，拿了一个水桶，开始洗车。

高长江走了过去，道："小张，来抽烟。"小张又擦了几把，这才接过烟抽，怨道："高乡长，又有啥子事情，跑沙州来回好几个小时，硬是整死人。"

侯卫东把风干的野鸡提了过来，礼貌地道："张师傅，能不能把这个东西放到后备箱？"小张继续抽烟，视侯卫东如无物，正眼也没有瞧一眼，更没有反应。

侯卫东提着蛇皮袋，尴尬地站在一旁，耐着性子道："张师傅，这是带到沙州去的望日村野鸡。"

小张仍然没有反应，他吸劲抽了两口烟，提起水桶，又开始擦汽车，嘴里道："拿到一边去！"

这一下，侯卫东脸上就挂不住了。因为对方是赵永胜的司机，他忍着怒气。如果眼神是刀，侯卫东已经将小张杀死了无数遍。

小张仗着是党委书记的专职驾驶员，向来眼高于顶。有一天，侯卫东在粟明家中吃了饭，当时秦飞跃、粟明、晁杰、黄正兵都在场。此事不知被谁传到赵永胜耳中，他在车上骂道：“侯卫东到镇里不好好工作，成天钻营拍马，素质真是太低了。他还是党员，也不知怎么入的党？”

小张天天跟着赵永胜，对其好恶了解甚深，此时见到了侯卫东，就给了他一个下马威。

看着故意给自己难堪的小张，侯卫东心中发誓：“君子报仇，十年不晚。狗日的小张，你要为今日的傲慢付出代价。”他毕竟是二十来岁的年轻人，修身养气的功夫很不到家，脸上已带出些怒色。

高长江在一旁看不下去了，他知道小张是臭脾气，担心侯卫东控制不了情绪，便故意无话找话地对侯卫东道：“你到了沙州，可以抽空去看一看张小佳。小佳虽然是大城市的女孩子，一点都不娇气。”

正在这时，赵永胜走了过来，身边还跟着一个中年妇女和一个二十出头的年轻人。

赵永胜和高长江说了几句，高长江来到了侯卫东身边，神情很无奈地道：“老弟，你今天不去了，到领导家里去拜访，人多了效果反而不好。”

侯卫东没有想到赵永胜不让他去沙州。本来去不去沙州也无所谓，只是赵永胜这种做法太伤人自尊心了。他的血使劲地往上涌，恨不得一拳打在赵永胜的脸上。

赵永胜坐在副驾驶的位置，中年妇女、年轻人和高长江坐在了后排，小汽车屁股冒着烟，骄傲地离开了镇政府大院子，将孤零零的侯卫东扔在一旁。侯卫东眼中有了隐隐的泪光。“男子汉，要坚强。”他握紧了拳头，在心中给自己打气。

陆续有人进了院子，侯卫东不想见到镇上的人，他昂首阔步地走出政府大院，仿佛又充满了斗志。

一条小路，指向上青林，一条公路，去往益杨县城。侯卫东站在十字路口彷徨，赵永胜、小张两人的面容就在脸前飞来飞去，让他愤恨不已，与此同时，他对前途也有了莫名的灰心。

“我要把石场好好办起来，老子水路不通走旱路，仕途不通我就走商路，老子找刘维通关系，交通局修路要碎石，这是发财的大好时机。”打定了主意，充满愤怒的侯卫东就上了前往益杨的公共汽车，在中午11点的时候，他来到了益杨县交通局。

侯卫东经常来找刘维，科里面的同志都把他认熟了。一名短发男子道：“刘维升官了，换了办公室，在隔壁科长办公室。”

科长办公室只有一张办公桌，还有一排书柜，另外还配置了一台电脑。刘维坐在旋转椅子上，人虽然丑点，却也是人模狗样。

侯卫东道：“刘工，当了科长也不通知一声，今天中午我请客，以示祝贺。”

上青林开始修路以后，刘维已上了六次山，和侯卫东颇为熟悉了，道：“侯疯子，你小子不在公路上盯着，跑到这里来干什么？”

“我是来了解全县交通大形势。”

刘维兴致勃勃地拿了一幅地图，道：“你看这地形，只要修通了上青林公路，南部的五个乡镇就连成了片，上青林山上的资源也就可以大开发。上青林公路肯定要修，只是什么时候修还没有最后定下来。当然，其他乡镇也各有优势，不少乡镇的头头已经约了局长们吃饭。青林镇领导反应最迟钝，居然只派了你一个小虾米过来探听虚实。”

侯卫东知道刘维和高志远是亲戚关系，没有隐瞒他，道：“赵永胜和高乡长今天到沙州去找高书记，请他出面做工作。”

刘维听说镇里有了行动，道：“只要高主任愿意出面，县里会考虑他的意见的。而且上青林公路的毛坯已经拉了一大半了，对于捉襟见肘的县财政来于说，这是一个有利的竞争点。”

下班时间到了以后，侯卫东把刘维拉到了馆子里，点了一大桌子菜，边吃边聊。

侯卫东敬了酒，道：“我有位亲戚在独石村开了一家石场，既然全县大办交通，碎石和片石用量肯定很大，你到时介绍些工程过来。”

刘维明白是侯卫东办的石场，他用劲拍了侯卫东肩膀：“侯疯子很有商业头脑，上青林石头是极佳的修路材料，以后用量一定很大，你现在可以尽量扩大规模，到时只怕你供应不及。”

上青林石头到处都是，谁也无法做垄断生意，侯卫东开始诱导刘维，道：“你在交通部门，熟人多，干脆我们合伙再办一个石场。”

“如果是前一段，我肯定会跟你一起做这个生意。我现在刚接手工程科工作，休息时间又要帮人画图，没有精力去搞石场。不过，侯疯子你放心，到时我会帮你介绍业务。”他还有一个原因没有说出来，高志远已经表态要把他调到市交通局，因此他暂时没有考虑青林镇的事情。

吃饱喝足，刘维自去上班，侯卫东在街上闲逛。突然他心里涌起了对小佳的思念，就到公用电话上给小佳拨通了电话。

小佳借调到建委以后，她就和另一个女孩子两人一个办公室，而另一个女孩子长期不在。因此，侯卫东和小佳两人通话方便了许多。接通了小佳的电话，侯卫东满腹心事却不知从何说起。在他心目中，办石场是很低档的一种选择，意味着在镇里混得不好，更意味着三年内调入沙州已成泡影。侯卫东怕小佳对自己失望，有意无意向小佳隐瞒了这件事情。

小佳毕业之后一直很顺，没有体会到侯卫东在偏僻乡镇所经历的痛苦，道："你在哪里？你昨天说要到沙州来，什么时候到？"

想起早上的事情他就冒火，侯卫东自尊心强，没有给小佳说起这件窝囊事，道："今天有事来不了，改天来。"

小佳抱怨了几句，问道："现在大学毕业慢慢开始搞双向选择了，还有好几个月大学才毕业，办公室已经收到了不少自荐信。对了，你们镇里的书记是不是叫赵永胜？"

"你怎么知道赵永胜？"

"他儿子今年6月从武汉大学毕业，想进沙州建委，把自荐书寄了过来。我看他的简历上说父亲是青林镇党委书记，他条件不错，我准备把他的自荐书送给柳副主任。"

侯卫东一下就明白过来，赵永胜肯定是带着老婆儿子到沙州去找关系了，心道："难怪他不让我跟着到沙州，老天有眼，现世现报。"他就将赵永胜如何阻止自己调到计生办，以及今天之事原原本本地讲给了小佳听。

小佳听说心上人受了委屈，眼泪差点流了出来，愤愤地道："我这就把他的自荐书扔到厕所去。"

侯卫东连忙道："那小子寄的是平信还是挂号？"

小佳道："是平信。"

侯卫东听说小佳要把信毁了，觉得这样做不道德，可是想起早晨的遭遇，心肠又硬了起来，道："小佳，谢谢你，替我出了一口恶气。"

"你是我的老公，谁欺负你，我就跟谁急。"小佳道，"这封信落在我手上，这是善有善报，恶有恶报。"

挂了电话，侯卫东一直压抑着的心情终于有些好转。他沿着街道朝书店走，想找一找有关建筑材料方面的书。

忽然，一辆车停了下来，车窗打开，镇长秦飞跃道："侯卫东，你不是到沙州去了，怎么还在这里？"

侯卫东道："赵书记说用不着去这么多人。我刚从交通局出来，找刘工问了个技术问题。"

秦飞跃招了招手，道："上车。"

等侯卫东上了车，秦飞跃问道："马县长下午3点30分要听我汇报上青林公路的建设情况，你跟我一起去。这是你送来的进度表，数据是否准确？"

侯卫东心里一热，道："这些数据都核实过多次，一点水分都没有。"他坐在后厢，看着秦飞跃的后背，心道："秦飞跃比赵永胜好，居然能够带我去见县长。"

到了县政府，秦飞跃叮嘱道："马县长很细心，如果我有什么数据或是问题答不上来，你要赶快提醒。"

侯卫东回想了一遍公路的事情，由于所有事情都是亲力亲为，所以很有信心。

七品官，在说唱文学中向来要加上一个前缀——芝麻，表示对县令等七品官的轻视。侯卫东在学生时代深受说唱文学的毒害，将益杨县长看成了七品芝麻小官。此时被秦飞跃带着去面见县长，他在上楼的时候居然有些慌乱，暗自为自己打气道："县长也是人，两只眼睛，一个嘴巴，紧张个屁。"

县长办公室房门关着，是那种做工精致的防盗门。秦飞跃正准备敲门，门却打开了，一人走了出来，他神情颇为严肃，道："秦镇长，你稍等一会儿，马县长正在和李县长谈事情。"

秦飞跃满脸是笑容，道："桂主任，什么时候到青林来视察工作？"

桂主任叫桂刚，县政府办公室主任，三十四岁，是益杨县的后起之秀。他一边走一边道："秦镇，等春天来了，我带几个人到青林山上去打野鸡。"虽然县政府办公室主任和镇长都是正科级，可是府办主任长期跟在县长身边，其分量自然不是镇长所能相比的。

秦飞跃道："一言为定，到时我给桂主任打电话。"

在门外等了约半个小时，秦飞跃这才进了马有财办公室。

侯卫东第一次见识了县长的办公室。办公室约有四十个平方，一张宽大的办公桌，后面是一排书柜，摆满了厚厚的大部头。办公桌前面摆了几张沙发，屋角放着几盆茂盛的室内植物。一侧墙上挂着一个条幅，有几个龙飞凤舞的大字——“宁静致远”。

马有财并没有坐在办公桌前，他和李冰副县长坐在沙发上看着一些交通建设的效果图。对于先修哪一条路，县里意见并不统一。李冰分管交通，已经做了两套方案，其中一套是在1994年修通上青林公路。

“秦镇，说说上青林公路的情况？”马有财背靠沙发，眼睛余光似乎看了侯卫东一眼。

秦飞跃显然经过了精心准备，汇报得很是流畅，也抓得住重点。

汇报结束后，马有财道：“现在看来，修上青林公路无非就是两个优势，一是将青林、李山等五个镇连接了起来，二是盘活了上青林的矿产资源。”

他话锋一转，道：“大办交通建设，并不是全县每个镇都同时修路，应突出重点，集全县之力，先将连接沙州和吴海等地的干线上档升级。公路等级一定高，修一条就要成一条，彻底改变益杨县对外交通不便的现状。至于上青林公路，虽然有很多优势，但是毕竟是局部问题，先放一放，就不纳入九四公路建设年计划了。”

侯卫东心里大急，看着秦飞跃，希望他能多汇报两句。

秦飞跃是行政一把手，他知道马有财喜欢听什么，道：“马县长，上青林山上有石灰石和煤，储量很大。如果开发出来，五年之内，至少可以增加五百万税收，对益杨城的建设有益处。”

马有财不为所动，很舒适地靠在了沙发上，道：“县里经费捉襟见肘，有所为有所不为，先修通干线，这个大方针不能变。”

听马县长这样说，秦飞跃也就不好多说。

侯卫东急了，在一旁大着胆子道：“马县长，上青林独石、尖山和望日三个村投劳五十万人次，已经将上青林公路基础挖出来了。县里不用投资太多，就可以得到一条很好的公路，不仅能盘活资源，而且连通五个镇，有百利无一弊。”他天天泡在上青林公路上，此时情急之下说出来，一下就讲到要害处。

马有财反问道：“五十万人次，这个数据怎么来的？”

侯卫东对于修路的各项数据烂熟于胸，道：“上青林总人口七千五百六十二人，三个村每天出劳力一百五十多人，每天就有近五百人。从10月初开始修到现在，除去下雨天，有近九十多天，出劳也就有五十多万人次。”

马有财不动声色地问道：“误工费等费用如何解决？”上一次秦飞跃在会上发言，主要讲镇里如何决策如何组织，并未对村民投劳讲得太具体。

秦飞跃连忙道：“由于没有路，上青林守着宝山受穷，所以镇里组织修路，上青林群众一呼百应，都愿意无偿投劳，误工费、青亩费一分钱都没有要，而且中午自带伙食。镇里解决的主要是炸药、图纸费以及必要的工具费。”

马有财点了点头，道：“青林镇这种不等不靠的做法很值得肯定。有些乡镇道路破烂不堪，也不想想办法派人维护，眼睛就只盯着县财政。”他又夸了侯卫东一句：“这个小伙子头脑很清楚。”

秦飞跃这才介绍：“他是侯卫东，去年公招的大学生，是镇里修路领导小组办公室主任。”

得到县领导亲口表扬，侯卫东只觉一股热血从脚底直冲脑门，虽然是冬天，背上已经渗出了汗水。

“我这个人，喜欢鞭打快牛，更喜欢给快牛吃草，既然青林镇修路的愿望这样强烈，又有这样的基础，县里可以考虑一部分资金。李县长，到时你制定一个方案，在常务会上研究。”

李冰道：“上青林公路是山岭重丘道路，公路计划修多长？”

秦飞跃一时语塞，侯卫东接过话头，道：“目前准备修十六公里，如果修到最远的望日村以西，就在二十公里左右。”

李冰道：“我的初步想法是由交通局组织专业施工单位来铺路面，我估计得有上百万。镇里要保证提供片石和碎石，村里则免费出劳力，具体方案拿出来以后，拿到政府常务会上研究。”

秦飞跃脸有喜色，他还想为镇里多争取一些，道：“铺路要用大量片石和碎石，这笔费用也不得了，镇里承担有些困难。”

马有财基本同意了李冰的方案，定了调子：“就按照老李所说的方法办，这条路，县里已经以奖代补给了二十万。等常务会议通过以后，让曾昭强早日介入，把这条路修成样板路，公路通车以后，我要带领全县乡镇的一把手来参观。”

郎才女貌

从马有财办公室出来，秦飞跃很是高兴，他对侯卫东的表现也很满意，夸道："侯卫东表现得好，今天这事很有成果，今天中午你要多喝几杯，我检查你的酒量。"

侯卫东听了这活，禁不住就想起了望城山庄的事情，他心口一阵乱跳。

上了小车，秦飞跃就取出一部大哥大，道："喂，我是秦飞跃，找个地方喝酒。"打完电话，他对司机道："到益杨宾馆。"

到了宾馆，火佛煤矿的周强已经等在里面。桌上摆了几个花式冷盘，一个年轻的女孩子打开了一瓶五粮液，站在一旁等候，周强道："秦镇，今天整一瓶还是两瓶？"

秦飞跃想起一个问题，道："周强，我在车上打电话，没有耽误就直奔这里，你怎么来得这么快？"

周强头上还冒着热气，道："我本来就在宾馆里，宾馆顶楼新修了健身中心，我在上面跑步。"他拍着自己的肚子，"这几年，也不知怎么搞的，这肚子一天天就朝外鼓。再不锻炼，恐怕就要三高了，高血脂、高血压、高血糖都是富贵病，十年前，哪里听说过三高症？所以从这个角度来看，改革开放确实是好政策，我们终于患上了美帝国主义才得的病，也算从得病这方面提前实现了赶英超美！"

虽然这是歪理，可也歪得有几分道理。大家想想也是，笑了起来。

一瓶五粮液，用高脚玻璃杯恰恰能倒四杯，秦飞跃感叹道："我们喝酒必须要实行改革了，上青林就是一个大酒窝子，每一次喝酒都要搞得死去活来。这种喝法已经落伍了，以后我们内部人不要拼命地喝，今天我定个量，只准喝一瓶，侯卫东除外。"

只喝一杯酒，这顿饭就吃得轻松，谈笑间，美食就灰飞烟灭，一瓶酒，侯卫东喝了一半。

周强意犹未尽地道："宾馆新开了一间歌厅，设备好，我们去吼几声，出出酒气。"

听说不去望城山庄，侯卫东松了一口气，他心道："外面的世界发展真是快，毕业前还流行大舞厅跳舞，现在跳舞就落后了，最时髦的是唱卡拉OK。”

上了六楼，见到一些闪亮的满天星，满天星后面写着三个暧昧的艺术字——今朝醉。艺术字外面是一圈追光灯，就如女人会说话的眼睛一般。一个穿着红色制服的侍应生走了过来，周强不等侍应生相询，道：“到帝皇大包。”

侍应生就将周强等人带到了一个房间，里面设施一应俱全。侯卫东是第一次来这种包间，就藏拙，坐在一边不说话。

周强在里面如鱼得水，很老练地对侍应生道：“找几个漂亮的，来一打啤酒。”

随后又进来了一个穿着学生服的女侍应生。她身上穿着学生服，但是学生服却只到腰间，露出了一截白生生的腰身，很刺眼。

周强在侯卫东耳边暧昧地笑道：“这种女孩在这里面叫做公主，只能看不能摸。当然只要肯花钱，摸摸也可以。”

过了一会儿，侍应生就端来了果盘和酒杯，穿着学生装的小妹妹就开始放音乐。侯卫东没有想到，她放的第一曲，就是那首略显忧伤的《明天你是否依然爱我》。

一个侍应生带了四个打扮妖艳的年轻女子走了进来，年轻女子站了一排，高个子恭敬地对周强道：“先生，这四位小妹你满意吗？”

侯卫东偷眼看坐在一旁的秦飞跃，见他安之若素，心中暗道：“看来秦飞跃是真好这一口。”转过心思又想：“他带我来做这些事情，看来把我当成了心腹手下了。”想到了今天给自己难堪的赵永胜，秦飞跃对自己的重视就显得格外的珍贵。

见秦飞跃没有提出反对意见，周强打了一个响指：“OK，就这几人。”周强主动把一位最性感的女子拉到了秦飞跃身边，把一位略青涩的女子带到了侯卫东身边。有秦飞跃在一旁，侯卫东无论如何也放不开。他在沙发上挪一挪，与那女子保持了一定的距离，那女子随即又移了过来。

“送战友，踏征程……”小厅里回荡着秦飞跃雄浑的声音，他毫不顾忌地搂着身边的女子放声高歌。在沙发的另一端中，周强把那女子弄得“格格”直笑，也不知他对那个女子说了什么。

秦飞跃数次喝酒都带着侯卫东，这让周强对侯卫东重视起来。他摸了小姐几把，拿着两个小杯，走到了侯卫东身边。碰了酒，周强凑在侯卫东耳边道："兄弟在青林镇讨饭吃，多多关照。"

侯卫东道："周总客气了，你要关照我。"

两人随口说了几句，周强突然道："赵永胜是笑面虎，你以后和他打交道要多留些心眼。他办事手太黑，如果把我惹急了，一封信寄到检察院，他吃不了兜着走。"

侯卫东虽然对赵永胜的感觉也不好，可是他与周强没有深交，只是敷衍着。

周强格外亲热地道："你以后有发票就拿给我，当哥哥的给你处理。企业办、派出所的头头都在企业报账，老弟别太老实。"

涉及这些敏感问题，侯卫东更不愿意谈得过深。去点了两首歌，唱完歌，秦飞跃和周强不知所踪，陪他的女子就想把他拉到黑屋子去。侯卫东只是和她跳舞，不肯进那间黑屋子，让那女子颇为不满意。

几个人离开益杨宾馆的时候，已经是9点过了。侯卫东谎称在城里有亲戚，便在宾馆门口与秦飞跃分了手。

"秦飞跃耍得太肆无忌惮了，这样下去，迟早要出事。"侯卫东想到秦飞跃的行为不断地摇头。可是想到秦飞跃镇长的身份，侯卫东不禁又开始怀疑自己："难道是我的胆子小了，落后于时代？"

等到秦飞跃和周强的小车绝尘而去，侯卫东就准备打出租车到沙州学院的招待所。他站在路边刚刚朝左看，却吃惊地见到了两张熟悉的面孔——刘坤和段英。

两人并排走着，一边走一边谈笑着。刘坤穿了一件黑色风衣，黑色大衣没有扣，里面是一件藏青色西装，很有青年才俊的派头。段英穿了一身灰色长大衣，头发就和小佳一样，烫了一个时髦的小卷发。

郎才女貌，颇为般配。

"刘坤到底将段英追到了手。"

侯卫东见段英和刘坤走在了一起，心里觉得酸酸的。这种感觉就如自己的东西，虽然平时没有用，也不愿意被他人取走。

刘坤看见了侯卫东，快活地道："侯卫东，你在这干吗？"

侯卫东这才装作发现了两人，道："刘坤，段英，是你们！"

刘坤一脸的幸福，道："我和侯卫东是一个寝室，段英和张小佳也是一个寝室，我们还真有缘分。等小佳到益杨来的时候，我们一起玩。"

面对着侯卫东，段英内心就微微地起了波澜，这一段时间她与侯卫东多次见面，不知不觉之中心里有了他的影子。可是侯卫东是泥菩萨过河自身难保，如今绢纺厂破产在即，她必须进行自我救赎，刘坤的家庭就是救赎的捷径。

刘坤继续道："侯卫东，新的交通规划出来以后，各镇都想争取财政资金，竞争得厉害。李县长正在分管交通，有什么事情，你尽管和我联系。"

侯卫东看不惯刘坤志得意满的神态，淡淡地道："今天马县长和李县长已经对上青林公路有了决定，至少要给我们一百二十万。"这话他是在吹牛，因为一百二十万只是李冰的估计数，并不是最终的数字。

刘坤瘪了瘪嘴，做出不屑一顾的神情，道："修一条路，至少是几千万，一百二十万算什么，只是毛毛雨，小意思。"

侯卫东忍不住刺了一下，道："马县长亲口答应，上青林公路完工之时，他要亲自去剪彩。"

刘坤原本就想在段英面前逞能，没有料到侯卫东根本不配合，他不高兴地道："修一条乡道，好小的事情，马县长现在答应了，到时未必要去。"

段英知道侯卫东为了这一条路费尽了心思，还贷了款才拿到了图纸。她不满意刘坤的居高临下，帮腔道："上青林公路是侯卫东的心血结晶，事关七千村民，怎么算是小事？"

刘坤正在追求段英，把段英的话奉为圣旨，听到她发话，立刻道："好好，不说这上青林公路。侯卫东，走，我和段英请你去唱歌。"

刚才在益杨宾馆唱得很不爽快，因此，侯卫东听到有人请他唱歌就腻味。更何况是刘坤携段英请他唱歌，道："今天喝多了，头昏得很，改天再说。"

段英知道侯卫东在益杨没有落脚之处，一个人肯定要去住旅馆。想到此，她心里没来由生出些同情，还有丝丝柔情，擦身而过的时候，她禁不住回头看了一眼。当侯卫东上了一辆出租车，她心里隐隐有些失落。

刘坤兴致很高，他对段英道："星期天到沙州去玩，我去找交通局借辆车。"

段英没好气地道："我星期天要睡懒觉，哪里也不想去。"

在段英面前，刘坤脾气和耐心都是一流，道："那中午，我请你去吃鱼，交通局附近新开了一家鱼馆，味道还不错。”段英对于刘坤的追求是半推半拒，也就不再拒绝，道：“我知道那家鱼馆。我11点直接过去，你不用来接。”

马王爷三只眼

侯卫东很快回到了沙州学院的招待所。招待所有些年头了，设施陈旧，但是胜在安静和整洁。他躺在招待所的床上，望着天花板发了一会儿呆，烦躁的心情渐渐地安静了下来。

“今后的道路到底应该如何走？我到底追求的是什么？”他默默地思考着自己的人生问题。离开学校半年来，他如一只断线风筝，在空中飘来荡去，没有根基，失去了目标。

“修身、齐家、治国、平天下。”这是中国知识分子的人生目标。侯卫东自觉算不上知识分子，可是潜意识中还是有强烈的入世之心。在益杨、吴海这种经济不太发达地区，一个男人的成功，最重要的衡量指标是官当得多大。侯卫东参加益杨党政干部公招，就意味着他将在官场实现人生的价值。

如今大半年过去了，他一头栽进了上青林的深水池里，拼命地游啊游，却根本看不见彼岸，始终踏不上实实在在的陆地。

反反复复想了半天，侯卫东再次明确了思路：“我只是一个渺小的人物，治国平天下太过遥远。现在只能修身齐家，最迫切的目标是想办法在三年内调到沙州去。而要调动沙州，除了走官道，还需要发财。”

这是一个很实际的目标，虽然调到毫无头绪，侯卫东却不想放弃。第二天，侯卫东有意放纵了自己，痛痛快快地睡了一个懒觉，直到10点30分才起床。等他坐着老牛般缓慢的客车回到青林镇时，已经是下午2点。

侯卫东准备找粟明汇报工作，虽然马有财有了表态，但是没有在政府常务会上通过，毕竟还算不得数。下一步到底如何操作，还是要先问问清楚。他在青林镇外面的馆子里炒了两个菜，狼吞虎咽地吃了，然后进了镇政府。

粟明办公室里坐了好几个人，里面烟雾缭绕，他见到侯卫东出现在屋外，道：“侯卫东，来得正好，我正想找你。”

粟明向侯卫东介绍道："这是红河坝村的晏道理支书、刘勇主任，这是修公路的侯疯子。"

晏道理长着黑红的面孔，扔了一支烟给侯卫东，又对粟明道："红河坝村不通公路的主要原因虽然是要修一座桥，这座桥实际上只有十二三米的跨度，费用不超过二十万。既然上青林盘山公路都修得起来，镇里也要考虑修红河坝村的公路。手心手背都是肉，镇里要一碗水端平。"

粟明看着情绪激动的晏书记，道："修上青林公路，镇里实际上一分钱都没有出。修路的事情侯卫东最清楚，让他给你们讲一讲。"

侯卫东这才明白，红河坝的村干部们也想修路。上青林公路是他一手一脚弄起来的，他如数家珍把修路的过程向村干部一一道来。

介绍完情况，粟明道："镇里确实经费紧张，上青林修路主要靠社员们投工投劳，包括青亩费，都是村民们无偿贡献。"

晏道理半天都没有说话，抽了几口烟，才道："昨天我带着村干部沿着上青林公路走了一遍，这公路修得确实可以，涵洞都修了八个。"

侯卫东很有成就感，笑道："涵洞是公路必不可少的设施，主要用于排水。上青林山上有许多山沟，只要下雨就会产生大量山水，涵洞必不可少，八个实际上还远远不够。"

晏道理打量了侯卫东好一会儿，才道："粟镇，我有一个要求，等到上青林公路修好了，就让侯卫东驻我们村。他到我们村里来，我们争取在1995年把红河桥修起来。"

村里有这个劲头，粟明很高兴，道："等到上青林公路完工，把侯卫东调到红河坝村来。"

受人重视和尊重，是每个人的精神需要。听了晏道理的话，侯卫东也产生了心理上的满足感，道："多谢晏书记看得起。"

等到红河坝村干部走了，粟明把办公室房门关上，道："昨天到底是怎么一回事？"看着粟明突然严肃的表情，侯卫东一时没有摸清头绪，道："粟镇长，你说什么，我不太清楚。"

"昨天秦镇长和你去见了马县长，到底谈了些什么？"

侯卫东就把昨天的经过说了一遍，粟明抱怨了一句："两个领导做事不互相通气，现在弄成这样，真是麻烦。赵书记刚刚给高乡长打了电话，让你无论如何在4点钟要赶到镇政府。等一会儿要商量上青林公路的事，你要有心理准备，赵书记脾气不太好。”

会议在下午4点钟准时召开。会议室安了一张椭圆形的桌子，赵永胜、秦飞跃、蒋有财、粟明、晁胖子、唐树刚等人围坐在前排。这是侯卫东第一次参加镇政府的党政联席会，他没有资格坐上圆形桌，而是坐在墙壁前的一排椅子上。

赵永胜和秦飞跃脸上都裹着一层寒霜，这让侯卫东心里没来由地紧张起来。

赵永胜主持了会议，他先说了两件无关紧要的事情，就直奔了会议的主题：“昨天，我和高乡长去拜访了沙州人大主任高志远，请他出面做工作，将上青林公路纳入1994年县里的交通建设重点工程。高志远是青林镇老领导，他没有犹豫就答应了此事，当着我们的面给县委祝焱书记打了电话，提出了由县政府全额投资的要求。祝焱书记答应将此事纳入全年计划。”

说到这，他提高声音，道：“今天上午桂刚主任给我打电话，同一天，同一件事，书记、镇长分别找了县委书记和县长，提出了差异很大的要求，桂主任问青林班子有没有统一的意见。”

秦飞跃冷笑道：“我是行政一把手，到县里争取资金，这是很正常的事情。”

赵永胜火气很大，道：“秦镇长，你知道我去找高主任，为什么不多等一天，非要当天去找马县长，这是什么意思？我们两人有不同意见，那是工作中的不同看法，可以在班子内部协商。你这样做就是把意见暴露在县领导面前，还讲不讲团结？顾不顾大局？”

“高主任提出的方案将为上青林公路带来极大的好处，而你不经党委研究，擅自提出另一套方案。上青林各村至少要多投入数百万元，这些损失得由秦镇长来负责。”

秦飞跃冷笑道：“好大一顶帽子，我可承受不起。”

赵永胜铁青着脸，扭头看着侯卫东，毫不留情地斥责道：“侯卫东，年轻人要老老实实工作。你知道我到沙州去做什么，却阳奉阴违，成天想着钻营，见缝就钻的人最终没有好下场！”

侯卫东根本没有料到赵永胜会突然向自己开火，他血猛地上涌，很想当场反驳，却强忍着，用钢笔使劲地戳着笔记本。

赵永胜批评侯卫东，实际上是敲山震虎，道：“蒋书记，明天下文，免去侯卫东工作组副组长的职务。现在的大学生，太不像话了，没有规矩，不讲道德。”

侯卫东到底是年轻人，他再也控制不住自己，抬起头，一字一句地道：“我是什么样的人，群众自有公论。你作为党的书记，没有调查就没有发言权，滥用职权，很威风吗？”

粟明从内心深处喜欢侯卫东，见他出言不逊，急忙站了起来，厉声道：“侯卫东，你出去！”他走到侯卫东身边，拉着侯卫东的手使劲捏了捏，低声道：“少说两句，先回上青林。”

侯卫东这一番火气，其实在心中积累了许久，今天终于找了一个口子，发泄了出来。

赵永胜被侯卫东的几句话气昏了头，对秦飞跃道：“青林镇党委、行政是一个整体，重大决定必须征得党委同意。涉及全镇的大事，政府不能擅自决定，必须要经过党委会研究。”

秦飞跃心中一片雪亮，赵永胜发这么大的火，昨天的事只是一个诱因。最实质的问题还是在乡镇企业和基金会上，赵永胜要趁机加强他党委书记的权力，重新掌握对乡镇企业的决策权。

他轻飘飘地道：“赵书记，今天在党政联席会上，我们有事论事，你把一个年轻人扯进来做什么，太没有党委书记的风度。这件事情你若真的认为我做得不对，我可以写检查。不过，检查内容写什么，我搞不清楚，请赵书记帮我参考。”

他一字一顿地道：“我，秦飞跃，青林镇政府的镇长，没有征得党委书记赵永胜同意，擅自向马县长汇报工作，严重违反了组织原则。是否需要我将这封检查书送到县政府办公室，请马县长过目？”

自从赵永胜和秦飞跃撕破脸面以后，在会上的公开争执也就越来越多了。但是如此直接而激烈，还是有史以来的第一次。

副书记蒋有财低着头，在纸上随手画着圈，一句话也不说，恪守沉默是金的信条。

见两位领导都失了风度，粟明实在看不下去了，道：“我建议改时间再开会，大家都要冷静。”

赵永胜闷着头喝了一杯水，拿着茶杯就离开了会议室。他回到办公室，犹自愤恨难平，关上房间门，就在屋里转来转去，如一只困兽。

“侯卫东，原本想给你一点机会，你却自作孽不可活，不给你教训，不晓得马王爷三只眼。”赵永胜想着侯卫东的顶撞就怒火冲天，可是侯卫东工作组副组长被撤掉以后，就是无职无权的普通白兵，而且已被发配到青林镇，根本就没有可以剥夺的东西了。

他把蒋有财叫到办公室，道：“侯卫东人品有问题，暂停他的工作，深刻反省以后才能上班，你去办这事。”

蒋有财见赵永胜把事情办得过激，道：“侯卫东在上青林修路，如果停职，估计要引起一些不好的反应，而且停职的理由不太充分。”

稍稍冷静下来的赵永胜，回想起侯卫东的言行，心里也觉得对他过于严厉和苛责了。可是，侯卫东最后所说的几句话深深地伤害了他，他心又变得如上青林的石头一样硬，道：“不处分也可以，就让他永远待在上青林，只要我在，他就别想调回到镇里来。”

青林镇一山难容二虎，赵永胜是土生土长的干部，是由老县委书记一手提拔起来的。如今老书记调到沙州去了，他在县里就失去了靠山。而秦飞跃是县委赵副书记的嫡系，从乡企局调到青林镇，走的是曲线救国的路子，有赵副书记的背景，秦飞跃并不怕地头蛇赵永胜。

这一次党政联席会的事很快就在上青林传遍了。村干部最讲究现实，侯卫东为了修路，左奔右跑，做了大量扎实有效的工作。秦大江、江上山、曾宪刚、贺合全、唐桂元等村干部看在眼里记在心上，暗地里都为侯卫东鸣不平，便不声不响地轮流请他喝酒，工地上有什么事情也仍然找他商量。

经历了这个风波，侯卫东对仕途进步灰心了。以前他大部分时间都扑在公路上，如今，公路毛坯完成了大半，他只花一半的时间在公路上，另一半的时间花在了新开的石场上。

开办石场需要的手续颇多，侯卫东最终说服了曾宪刚，在开业之前就开始办主要手续。

秦飞跃在担任镇长前曾是乡企局副局长，他看了刘光芬的身份证以及有她签字的材料，就知道这是侯卫东打的擦边球。他已把侯卫东看成自己人，这次因为他受了委屈，便给县里相关部门去了电话，请求他们帮忙。

有了秦飞跃的帮助，侯卫东石场的主要手续办得极顺利，费用基本上减半。只是春节之前，派出所为了安全，冻结了雷管炸药，因此石场只能在节后开业。

1994年春节前，公路的毛坯终于修到了望日村。望日村的村民见不可能的事情变成了现实，在村头放了半个小时的鞭炮，热闹地庆祝了一番。

侯卫东，则大醉一场。

三万元救急

放假以后，侯卫东带着深深的失落回到了吴海县。他掩藏了真实情况，在父母面前强颜欢笑。

初四，侯卫东前往沙州，他花了八十元，在沙州宾馆订了一个标间。有空调的房间温暖如春，两人尽情地享受着对方的身体，一解相思之苦。

晚上9点，小佳回到家，早有警惕的陈庆蓉和张远征夫妻俩，声色俱厉，对小佳进行了轮番训问。小佳忍无可忍，和父母大吵了一架，原本欢乐祥和的春节蒙上了一层阴影。

小佳如愿借调到了沙州建委办公室，虽然是借调，但是她的身价在陈庆蓉眼里已是水涨船高。这更加坚定了她棒打鸳鸯的决心和信心，尽管女儿痛不欲生，她仍然坚守着她的信念："这一次都是为了小佳好，等到以后，她就能明白当父母的一片良苦用心。"

初六，在母亲刘光芬的指点下，侯卫东来到了益杨县，买了两条红塔山和两瓶五粮液，给镇长秦飞跃拜了个年。那天会议以后，秦飞跃已把侯卫东视为心腹，留他吃了一顿午饭，然后在家中打起了麻将。

初八，益杨县正式上班。

过了大年，益杨县的交通建设年就正式启动。县政府最终明确了1994年的两个重点项目，一是沙益公路益杨段，二是益吴公路益杨段。这两条路预算达到了两个亿，益杨县没有这个财力，祝焱书记思路开阔，引进了沙州高速路建设投资公司，由建投公司对这两条路进部分投资。建设完成以后，建投公司将享受十五年的收费权。

至于上青林公路，祝焱还是采用了马有财的意见："由于资金限制，暂时不硬化道路。交通局负责在毛坯路上铺设泥结石路面，所需劳力由上青林政府免费提供。"

这个结果，给秦飞跃增添了脸面。

对于侯卫东来说，由交通局来铺路面反而是一件好事。三个村按照协议要免费出劳力帮助辅路，至于片石和碎石等材料，则须由交通局按市价购买。

对于刚刚开业的芬刚石场，这是一个大利好。

芬刚石场，芬来自刘光芬，刚来自曾宪刚，合起来就是芬刚石场。这是一个极为响亮的名字，不仅名字好，其位置也很好。芬刚石场以下的位置，石头一般埋在土里数米深，光是挖开泥土就要花一笔大数目，再往上走，石头上面的盖山虽然薄，可是运距比芬刚石场要远一些。

交通局工程科刘维科长是侯卫东的好朋友，侯卫东通过他牵线，花了四千多元钱，买了两台旧碎石机，不等交通局进场，就加班加点地打起碎石。

3月6日，刘维陪同着交通局分管副局长朱兵来考察芬刚石场。侯卫东早就得到了消息，和曾宪刚一起，早早地来到了芬刚石场等着，还准备了一些风干的野鸡作为见面礼。

朱兵是西南交通大学的毕业生，长期在工地里泡着，脸色黑黝黝的，他剪了一个棱角分明的平头，很是精神。朱兵刚满三十岁就当上了益杨县交通局副局长，年少有成，意气风发。

“这石场位置不错，石头硬度如何？”朱兵到了芬刚石场，没有废话，便直奔主题。

侯卫东通过刘维这条内线，早就准备得极为充分。他背了一个帆布包，里面装着各式资料：“这是石头硬度的检验报告，请朱局长过目。”

朱兵知道上青林的石头绝对符合公路建设的要求，刚才发问不过是例行公事。他没有料到侯卫东居然取出了货真价实的检验报告，见到了盖着鲜红章的正规检验报告，他不禁对眼前这位英俊的小伙子发生了兴趣：“难得，我修了这么多年的路，还从来没有哪一家石场主动去进行硬度检验。”

侯卫东诚恳地道：“做生意肯定要以诚信为本。朱局长，你们以后用芬刚石场的石头，就放一百个心。”

朱兵又问道：“工程队进场后，需要的量就很大，石场能不能跟上进度？”

侯卫东为了显示他的诚信，就把工商的、国土资源的、税务的所有证照都拿了出来，道："芬刚石场的宗旨就是诚信为本，应该办的所有手续我都办齐了。目前已经提前打了一千多方碎石，等到工程队进场的时候，我们应该可以备料六千方。"他指着前面的空地，道："场地我也平出来，专门用来堆料，绝对误不了事。"

朱兵不禁对侯卫东刮目相看。

考察完芬刚石场，一行人又沿着上青林公路往上走，查看着公路毛坯。虽然这一次没有带仪器，可是光凭肉眼，朱兵从专业角度来说，也能感觉到公路质量着实不错。坡度、弯度合乎标准，泥结石路面最重要的水沟、涵洞也很齐全，他再一次惊讶："这条土路修得很专业，我听刘维说你是学法律的，怎么会懂工程？"

侯卫东笑道："我不懂工程，这条路修得还行，主要原因是我们严格照图施工。"

朱兵感慨地道："照图施工，说起容易，做起就很难。好多施工单位，为了节约成本，都想尽办法偷工减料，这就是豆腐渣工程数不胜数的原因之一。"

走上青林场镇，已经是接近中午1点钟，一行人又累又渴，侯卫东赶紧在基金会旁边的馆子里安排了一桌。坐上席后，朱兵捂着酒杯道："我下午还要赶回去开一个会，只和侯卫东喝一杯。"

和侯卫东碰了一杯酒，朱兵痛快地表态道："工程队进场以后，从芬刚石场进材料。从今天起，石场就要多打碎石，多备料，确保工程进度。"

得到了交通局朱兵的承诺，侯卫东和曾宪刚自然极为高兴，不过，高兴中也带着忧愁。侯卫东和曾宪刚先期各投入了两万元，买设备、炸药、拉电、付青亩费及土地费管理费，已经所剩无几了。在石场上班的附近村民也小心翼翼地提出预付工资。

两人在曾宪刚家里，算来算去，至少还要两万元，才能将局面支撑下去。侯卫东的启动资金是找父母借的，曾宪刚才修了房子，更是资金短缺，这一万元还是找朋友东拼西凑弄来的。

俗话说，一分钱憋死英雄汉，更何况是两万元。曾宪刚愁容满面，道："还能想什么办法，能想的办法我都想过了。"

侯卫东又发挥出修公路时的顽强精神，道："我就不信，活人被尿憋死了，一定要想出办法。难道就让区区两万元钱破坏了我们的发财大计？”

“实在不行就贷款。白春城平时说得好听，到了关键时候就靠不住了。黄卫革我不熟悉，听说也不太好说话，我直接去找粟镇长，请他出面为我们贷款。”

曾宪通道：“如果粟镇长肯帮忙，就完全没有问题。”

他老婆听到贷款就在一旁抱怨道：“家里所有钱都用完了。贷款利息又这么高，以后还不起，把房子抵了，我们一家人就睡到山上去。”

曾宪刚本来就心烦，听到老婆的抱怨就冒鬼火，道：“男人的事你少插嘴，去弄一盆火锅鱼，味道整好点，我和疯子兄弟边吃边聊。”他又对侯卫东道：“婆娘家，头发长，见识短，莫介意。”

侯卫东笑道：“我的绰号就叫疯子，疯子从来不生这些闲气。”

喝了酒，侯卫东沿着陡峭的小道下山，沿途风景比另一条小道更为优美。可是他心里想着贷款，无心看风景，一边飞奔，一边在脑子里琢磨如何才能贷到款。

第一次贷款是为了公事，这一次贷款纯粹是为了私事，如何开口，就需要技巧。

粟明下村去了，并不在办公室。侯卫东不愿意在镇政府久待，和杨凤打了招呼以后，便坐在粟明回家的必经之地，买了一包云烟，吞云吐雾地等着他。

4点钟的时候，才看见粟明提着包朝家里走。

侯卫东连忙站了起来，道：“粟镇长。”

粟明上午到了红河坝村，中午在晏道理家里喝酒，一人对两人，把村长、支书灌得大醉。他的头也微微有些昏眩，看到侯卫东，道：“找我有事吗？走，到家里去说。”

到了家，粟明就靠在沙发上，眯着眼休息了几十秒，才道：“卫东有什么要紧的事情？”他分管公路建设，知道侯卫东为了上青林费尽了心力，赵永胜那天的态度实在不应该。更难得的是，侯卫东受到如此待遇，并没有消沉，仍然坚持在施工现场。经过此事，他对侯卫东再高看了一眼。

听了侯卫东的请求，粟明皱着眉头，道：“又要贷款？”

侯卫东道：“刘维的工程款还差五千。另外，我还想贷款支付一些预付款。”

粟明道：“若在以前，这事也好办，我给黄卫革说一声，办了手续就能取钱。不过，镇里最近成立了一个财经监督小组，由赵书记任组长，凡是开支在五千元以上的款项，要同时有财经监督小组组长和秦镇长的签字才能够报销，基金会的相关手续也同样办理。”他把话挑明了：“赵书记对你有误会，如果是以你的名义贷款，恐怕通不过。”

历来都是镇长一支笔审批，赵永胜弄一个财经监督小组，实际上是把秦飞跃最重要的财权限制了。听闻此语，侯卫东知事不可为，怏怏而回。

他漫无目的地在下青林场镇走来走去，把自己认识的人全部过了一遍。他认识的人极其有限，无人能帮他解决这部分资金。突然，他想到了远在广州的蒋大力，连忙找了一个公用电话，照着他上次留的电话打了过去，电话接通，却无人接听。

有了救星蒋大力，他看到了希望。侯卫东没有在下青林场镇久待，回了上青林，他没有耽误，直奔院子角落的邮政代办点。

蒋大力的电话仍然无人接听。

侯卫东隔几分钟打一个，连打五个，仍然无人接听。此时已接近7点，按正常时间，小佳已经离开了办公室，找不到蒋大力，侯卫东顺手给小佳打了过去，谁知小佳仍在办公室。

“侯卫东，你到底在忙什么？昨天为什么不给我电话？”每当小佳假装生气的时候，总会直呼其名。

侯卫东心里装着太多的事情，昨天真是忘记给小佳打电话了，连忙道：“昨天喝醉了，今天早上才起来。”这个谎话说得极为自然，一点破绽都没有。说完之后，侯卫东也吃了一惊，心道：“现在怎么了，说起谎话来滴水不漏。”

小佳火气就没了，心疼地道：“老公你要少喝点酒，注意身体。我们办公室有一个老同志，年轻时喝得太多，前几天被查出来得了肝硬化。我们幸福生活才刚刚开始，一定要保护身体。”

“以后我一定小心。”

小佳唠叨了一会儿，才道：“昨天吃饭之时，步主任表扬了我写的发言材料，准备给我正式办调动。今天组织处金处长找我谈了话，随后就要发调令。”

侯卫东当然替小佳感到高兴，对自己受到的不公平待遇更是痛彻心膀，道："到了建委，你一定要珍惜工作岗位，好好干，千万别和领导对着干，别去掺和领导之间的矛盾。"

小佳不知侯卫东是有感而发，随口道："我当然努力，现在都在加班写材料。"

和小佳聊了几句，看着计时器到了2分50秒，侯卫东连忙说了几句亲热的话，就挂断了电话。刚好是2分59秒，只算3分钟的钱，若过了2秒就要算4分钟了，如今手头拮据，侯卫东开始从点滴节约。

刚刚放下话筒，电话就响了起来，杨新春道："侯卫东，是广州的号码。"

"东瓜，你终于想起我了，主动给我打电话。"

侯卫东喜出望外地道："光头，有事找你，你是我唯一的救星了。"电话另一头，蒋大力心情不错，高兴地道："东瓜，有屁快放，不要绕弯子。"

"我在上青林独石村办一个石场，已经和交通局谈好了一个供应片石和碎石的合同。现在还差约两万块钱的运转费用，你有钱没有，先借给我，估计半年之后能够还你，利息按银行同期贷款来算。"

蒋大力在电话里破口大骂："狗日的，学了点法律就用在了兄弟身上。你别忘了，老子也是学法律的，你的账号是多少？我明天就给你打两万过来，有钱就还，无钱就算球了。"他在广州当医药代表，目前已打开了局面，这个月赚了近十万，听说侯卫东要借两万，毫不犹豫就答应了。

放下了电话，侯卫东高兴之后又陷入了沉思："蒋大力看来真是有钱了，我与其在上青林开石场，还不如到广州去闯荡一番，也好成就一番事业。"想到"事业"两个字，他心里特别黯淡："读书时代的远大理想真是虚无缥缈，事业有成，什么叫事业，什么又叫有成？"

远在广州的蒋大力果然是守信人，钱很快就到了侯卫东账上，而且不是两万，是三万。

蒋大力说得很直白："我的主要工作就是每天在酒吧等娱乐场所泡着，专门陪医院的头头脑脑们花天酒地。除了毒品不沾，吃、喝、嫖、赌四毒俱全，赚钱快，花得更快，这三万对我来说算不得什么，就算是支持好兄弟创业。"

而对于侯卫东来说，这三万是真正的雪中送炭。三万元在手，他大大松了一口气，不过他并没有一下就把这三万元拿出来。芬刚石场毕竟是合伙企业，他和曾宪刚的权利和义务是相等的，按照侯卫东的想法，两人利润平分，曾宪刚必须要承担相应的责任，不能因为困难就减少了责任。

侯卫东找到曾宪刚道：“我回家又借了一万，家里也没有钱了，你还是要多想办法。基金会的宗旨就是服务当地村民，你直接去找粟镇长，请他出面帮你贷款。”

曾宪刚原本指望着侯卫东再找来两万元支撑局面，没有想到他只取到一万。前期投入了这么多，他没有退路了，终于下定了决心，道：“为了开矿，我已经把所有家产全部搭进去了，现在只有拼了。我和黄卫革有些交情，我直接去找他。”

他是第一次办企业，一下子投入这么多，心里实在没有底。但是他相信侯卫东一定能想着办法把石场搞活，也就孤注一掷。

曾宪刚找黄卫革贷款，尽管是熟人，前前后后还是花了一个星期时间。侯卫东还特意借了五百块钱给很是困窘的曾宪刚，让他请客吃饭。最后从基金会贷下来一万元，实际拿到手的只有九千，另外一千元给黄卫革作了回扣。

贷一万元，黄卫革居然敢吃一千的回扣，这大大地让侯卫东开了眼。他也就明白了为什么二姐侯小英对于贷款信心十足，同时明白了为什么同是机关工作人员，大部分工作人员只能穿六七十元一双的皮鞋，而基金会的人能穿三百元的皮鞋。

同一个镇政府，同一座小楼，里面的人却过着不同的日子。有句老话叫做革命只有分工不同，没有高低贵贱之分。侯卫东读大学时对此还信了三分，如今活生生的现实让他清醒地认识到：“正是因为分工不同，才产生了高低贵贱之分。”

在侯卫东的坚持下，尽管困难重重，石场还是按时发放了二十三名村民的工资。准时得到工资，让村民喜出望外。杂交水稻推广以后，农村基本不缺粮食，不过普遍缺现金，每月四百五十元的收入对于一个农村家庭来说，绝对是一笔数目可观的收入。

有一家夫妻俩同时在石场上班，一下拿到了九百块钱，小两口很高兴。他们买了猪头肉，又在自家的池塘里打了几条鱼，提到石场来，请侯卫东和曾宪刚喝酒。

石场的坝子，曾宪刚的妹夫搬了两张大方桌，二十多人围在一起，吃肉喝酒，气氛极为热烈。侯卫东心里也得到了丝丝满足，能够解决村民的困难，给村民带来欢乐，这是一件令人愉悦的事情。

等到交通局工程队进场以后，芬刚石场备料已达到七千多方，工程队的项目经理梁必发原本不情愿来修上青林公路。这种小工程既麻烦又没有多大搞头，只是当做政治任务这才带队上山，可是到了现场，条件出乎他的预料：一是上青林公路毛坯拉得极好，只比正规施工队略逊一筹，农村基本上没有施工仪器，能做到这一步，实在难能可贵；二是备料充分，片石、碎石堆成了小山，这就意味着施工进度可以加快；三是片石、碎石质量上乘，而且基本合乎规格，用起来很顺手。

现场条件不错，意味着工程能很快完工，梁必发这才露出笑容。

梁必发父亲是山东人，也是刘邓大军西南服务团的一员，解放后留在了益杨，当过益杨县副县长。梁必发身上也有山东大汉的特点，身材高大，体形魁梧，说话直来直去，很对侯卫东脾气。

每天上了工地，侯卫东就专门给他泡一大杯益杨茶，然后，有事无事陪着他在工地上四处走。侯卫东对于公路的每一段都熟悉，梁必发有问，他一般都能脱口而出。

施工很顺利，5月初工程就结束了。

施工结束的时候，侯卫东和梁必发已搞得像兄弟一样，连工程队的人都戏称侯卫东是“侯副经理”。

5月15日，据说这是一个黄道吉日，上青林通车典礼正式举行。侯卫东工作组副组长的职务被免去了，但是上青林修路领导小组办公室主任这个职务由于赵永胜的疏忽并没有被免去。在镇长秦飞跃的坚持之下，办公室杨凤还是通知他参加了剪彩仪式。

11点，在县长马有财、副县长李冰、交通局局长曾昭强的陪同下，沙州市人大主任高志远来到了下青林公路和上青林公路的交接处。彩旗飘扬，两个大气球下悬挂着两条大标语，一条写着“感谢县委县政府对青林人民的关心”，另一条写着“感谢社会各界人士对青林人民的关心”。一队小学生穿着统一校服，手举着小旗迎接领导。

车队一到，立刻锣鼓喧天，学生们一边挥动着小旗，一边在老师的指挥下，整齐地喊道：“欢迎欢迎，热烈欢迎！”

赵永胜、秦飞跃并排站在一起，满脸是笑容，还不时交谈着，身后就是粟明、蒋有财等班子成员以及高乡长等几位退居二线的老同志，再后面就是唐树刚、欧阳林、侯卫东、秦大江、曾宪刚、江上山等人。高志远下了小车，看到这个场面，眼睛不觉有些湿润，不管官做得再大，他总忘不了生他养他的地方，总忘不了曾经流汗流泪甚至流血的上青林。

整个剪彩仪式程式化，不过半个小时就结束了。随后，车队就沿着新修的道路上山，视察新修的上青林公路。

赵永胜的小车在前面带路，高志远、马有财、李冰等的七辆小车紧随其后。最后是一辆公共汽车，侯卫东等人就坐在公共汽车上。上青林老百姓从来没有在家门口见到这么多车，所到之处，老年人倚门而望，年轻人涌到了马路边，小孩子和狗跑来跑去。

整条公路成了欢乐的海洋。

高志远感慨万千，道："马县长，我在上青林乡当过革委会主任，后来是书记兼乡长。当年想修公路，由于种种原因没有修成，深为遗憾。如今在马县长领导之下，终于实现了我的梦想，我作为青林的老同志，代表青林七千人民，感谢益杨县委县政府。"

马有财曾是高志远的下级，对这位严厉而富有人情味的领导很是尊敬，汇报道："1994年是交通建设年，今年重点任务是修建沙益路和益吴路。两条路一通，将大大改善益杨的交通状况。"

高志远大大地表扬了马有财。

上青林公路是泥结石路面，由于刚刚竣工，公路路面甚为平整。二十公里路，车队走完只用了不到40分钟。

场镇里满是烟花爆竹的碎屑，虽然不是赶场天，却是人山人海。青林场镇的人几乎全部涌上了场镇，不少老人都认识高志远，"高书记"、"高乡长"、"高主任"，各种称呼都有，甚至还有个老人喊"高三娃"。

高志远走到喊"高三娃"的老人面前，拉着老人的手，恭敬地道："二娘，你的身体还是这么好，耳朵听得见不？"

老人是高志远隔房的二娘，以前也和高家住在一个院子，比高志远大十多岁。高志远五十四岁，她已满七十。高志远当乡长的时候，二娘曾经当过村里面的妇女干部，是一位"飒爽英姿五尺枪，不爱红装爱武装"的女民兵连长。

高志远对其扎着腰带、背着步枪的印象极深。

岁月无情，当年的女民兵连长已变成了一位头发花白、牙齿掉了一半的老人。她拉着高志远的手，絮絮叨叨地说了几句家长里短。高志远见县里领导都在旁边站着，不便久谈，拍着二娘的手背道：“二娘，你多保重身体，春节，我一定回来看你。”

二娘见高志远要走，道：“修路的人是疯子，你要提拔他当官。”高志远没有听明白，抬头看了看二娘身后的中年人，道：“你是小黑吧？”小黑腼腆地笑道：“三哥，我是黑娃。”

高志远问道：“二娘说的是什么意思？”

小黑解释道：“修这条路，工作组侯大学使了大力气，二娘的意思要你提拔侯大学。”

高志远问道：“为什么二娘叫他疯子，真是疯子？”

小黑道：“这是侯大学的绰号，他天天泡在公路上，大家都喊他侯疯子。”

二娘认真地道：“为了修路，疯子官都被整脱了，三娃你可要为他平反。”

侯卫东以前当过工作组副组长，后来被解职，这事传遍上青林。大家都为他抱不平，二娘就趁着这个机会，希望高志远主持公道，让侯卫东官复原职。

高志远办事很慎重，他没有表态，只是点头道：“我去问问这事。”

车队就沿着上青林公路往下，到青林镇去用餐。

当然，坐公共汽车的众人就没有跟着了，他们在基金会旁边的馆子包了两桌，热热闹闹地大吃大喝。在村干部的围攻下，侯卫东理所当然喝醉了，然后被秦大江背回了寝室。

天黑以后，所有的热闹就陷入了黑暗中，明天，生活又将继续。

第七章
账上趴着十二万

收钱是技术活

根据事先签订的合同，交通局将按照进度进行拨款，只是此项工程进展极快，交通局一次款都没有拨下来，工程就结束了。

整个工程交通局方应该付给他们片石和碎石款合计达四十六万，数字之大，超出了侯卫东和曾宪刚的预想。

侯卫东对曾宪刚道："无论谁来问，咬定说成本高，除去工资钱、土地费、青亩费，整个工程只赚了两万元，除了老婆，连父母都不能讲，免得走漏了风声。"

曾宪刚本来就有财不露白的想法，两眼放光，狠狠地点了点头。

上青林山上石头是最大的资源，也是最不值钱的资源。许多人家的后山前山都是石头，把薄薄的一层泥土刨开，用炸药一炸，就可以直接开石场。严守开石场可以赚大钱的秘密，将最大程度地减少竞争。

侯卫东清楚，上青林公路通车以后，外面有眼光的老板肯定会盯上上青林的石头资源。这个秘密迟早会被揭开，现在是能够隐瞒一天算一天。

数次和秦大江喝酒，秦大江都一个劲儿地问石场赚了好多钱，侯卫东望着一脸热切的秦大江，就夸大成本，缩小利润。

听说投入了四万多，三个多月，除掉本钱还赚了两万，秦大江仍然动了心。他心里也筹划着开一个石场，但没有这么多现金，就开始劝说侯卫东与他合伙，不过侯卫东不想再与人合伙，没有答应。

剪彩过后，侯卫东和曾宪刚就兴致勃勃地前往交通局去领款。四十六万，对于两人来说，是一笔想都不敢想的天文数字。为了防备万一，两人还暗中带了弹簧跳刀，准备防身。

到了交通局，没有见到刘维，侯卫东和曾宪刚直接到了交通局财务室。财务室坐着三个人，正在兴致勃勃地谈股票，见到有两个陌生人进来，眼皮都不抬一下。

到财务室多半是来拿钱的，态度一般都好得很，因此各单位的财务室的人大部分习惯了居高临下。侯卫东问了好几声，才有一个女的回话，问清楚来意，女的翻了眼，同时把一本账翻了翻，再次扫视了曾宪刚一眼，道："大额款项只能转账，不能提现金，石场账户是多少？"

侯卫东道："石场没有开账户，我有一个私人账户。"

那女的很不耐烦地道："私人账户不行，必须是公司账户才能转账。"离开交通局财务科的时候，侯卫东听到那个女人小声道："这个都不懂，还想出来找钱？"

在人屋檐下，怎能不低头，况且从财务科拿几十万，受点白眼，侯卫东和曾宪刚完全能够忍受。他们没有因为财务室工作人员态度恶劣而影响心情，有说有笑就坐车回到了青林镇。

爬上青林山，已是下午4点钟。

站在山顶之上，5月山风吹来，如温柔女人双手的抚摸，说不出的愉悦。往下视线极为开阔，无数的大树随风而动，形成一片树的海浪。

侯卫东看着曾宪刚红扑扑带着汗水的脸，问道："拿到钱，第一件事情想做什么？"

"我妈病了好多年，一直想到大医院去检查，看到底是什么病。只是家里才盖了房子，没有余钱，加上老年人舍不得花钱，就随便抓了些草药将就吃。拿到钱，第一目标就是给老娘看病。"

"疯子，你拿到钱，第一件事情做什么？"

侯卫东道："听说沙州市新来的头头很重视交通建设，所以益杨才搞什么交通建设年。如果我估计得不错，这几年开石场绝对赚钱，拿到这一笔钱，还准备建一个大石场。"

曾宪刚根本没有想到再投资，道："做生意有风险，我先拿几万存到银行里，以后生病也就不怕了。然后在我家后山开一个小型石场，平时也不请人，有生意就开工，没生意就耍，这样只赚不赔，也不会朝外面拿钱。”

回到了小院，侯卫东就习惯性地朝杨新春的邮政代办点走去。他如今是杨新春最大的顾客，享受着上青林邮政代办点的贵宾级待遇。所谓贵宾级待遇，就是杨新春专门准备了一个本子，凡是有人找侯卫东，杨新春就记下对方的电话号码。

看见侯卫东进屋，杨新春拿出本子，道：“侯大学，你老婆让你给她回电话，有事找你。”

侯卫东赶紧给小佳回了过去，小佳声音听起来也挺高兴，她道：“老公，告诉你一个好消息，我的编制问题解决了。”

小佳毕业之时，分到了沙州建委下面的园管所。园管所是一个事业单位，调到建委以后，其工作受到了好评，建委领导答应想办法将其由事编干部转为行编干部。今年1月，沙州一位副市长因车祸身亡，经过角逐，建委一把手步海云升任为副市长，他就给有关部门打了招呼。今天，小佳的编制终于得到了解决，由事业编制干部转为了行政编制干部。得到准确消息以后，小佳第一个给侯卫东打来电话。

侯卫东账面上有钱了，他不怕长途电话的费用，慢条斯理地聊了一会儿，道：“转了行政编制，你爸爸妈妈更不会同意我们。”

听出小佳的声音由高兴变得不开心，侯卫东在心里狠狠地骂自己，道：“侯卫东，你是笨猪，哪壶不开提哪壶。”

哄了好一会儿，小佳情绪才好转，道：“前几天段英给我打电话，说她和刘坤已经确定了恋爱关系。刘坤正在帮段英跑调动，他爸爸是宣传部长，准备把段英调到益杨报社，应该问题不大。”

侯卫东想着成熟性感、善解人意的段英正式投入了刘坤的怀抱，男人特有的占有欲让他有些失落，愤愤不平地想道：“一颗好白菜被猪拱了。”

两人聊了近10分钟，这才挂断电话。

通话之后，小佳单手撑着办公桌，呆呆的，半天没有说话。她在建委办公室跟着领导见了不少世面，也算对基层官场有初步了解。在乡镇工作，就算工作能力突出，并得到了领导赏识，几年下来，混得好的最多当上副镇长。而要想在镇里担任正职，必须有县里重要领导点头才行。

从乡镇一步一步往上走，实在是一条艰苦之路。更要命的是，侯卫东还和镇委书记搞得水火不相容，按这种情况发展，镇委书记只要不走，侯卫东就没有翻身之机。

“等找个恰当的机会，给步市长说说，干脆把卫东调到沙州。”如何开口，就需要等待机会，小佳在脑子里琢磨着。

当夜，侯卫东梦见了一堆钞票，又梦见自己坐在县政府办公室里。在梦中，侯卫东走在县政府大门前，突然掉进了一个威力巨大、不断转动的巨大齿轮之中。他拼命挣扎，却被齿轮压得血肉模糊，虽在梦中他也感到了钻心疼痛。

醒来之后，侯卫东满嘴苦涩、口干舌燥、汗流满面。他这才发现，虽然已临近夏天，床上仍然是春天所用的四斤重的棉被，这是母亲刘光芬送给他的新棉被。从床上起来，侯卫东端起昨晚的一杯白开水，猛地灌了一大杯，冰冷的水从燥热的身体流过，这才从梦境中醒了过来。

他很久没有到伙食团去吃饭了，早上起床身体燥热得紧，就想起伙食团长池铭煮的绿豆稀饭。绿豆稀饭正是去火的美食，他提起水瓶，就朝后院的伙食团走去。

池铭和田秀影两人站在灶前聊天。锅里有满满一锅水，渐渐地起了小泡，几缕热气就慢慢地升了起来。

田秀影对于侯卫东被免职，心里有说不出的痛快。她其实和侯卫东也没有矛盾，可是看见别人倒霉，她心里总有说不出的愉快，道：“侯大学，公路修完了，你又找什么事情来折腾？”

这个女人成天无所事事，专门传播小话，侯卫东向来是采取敬而远之的态度。他将水瓶放在了灶头，在柜子里拿了碗筷，对池铭道：“好久没有喝绿豆稀饭了，今天来两碗。”

来到上青林大半年时间，侯卫东就如一片六边形的雪花，慢慢地融入到长满杂草的土地里。池铭早就不把他当客人了，道：“自己没长手吗？还要我来端？”

侯卫东也不客气，从盘子里舀了一碟咸菜，端起绿豆稀饭，吃得稀里哗啦直响。正吃着，田大刀从外面进来，手里提着一个菜篮子。他对侯卫东道：“疯子，今天怎么舍得来喝稀饭？昨天又喝醉了？”

池铭是青林镇政府的工勤人员，被派到上青林已经有些年头了，在田大刀的死打烂缠下，最终还是投降了。当然，在田秀影口中，又是另一个版本，她说池铭是被田大刀霸王硬上弓，所以才被迫同意。好在大家都知道田秀影说话水分太多，也就没有多少人相信。

田大刀和池铭在4月份办了结婚证。原本野性十足的田大刀，如今掉到了温柔乡中，老实了许多。他是联防员，并不是正式工作，待遇也不高，听说侯卫东与曾宪刚办了一个石场，也就心动了。

“疯子，这次你发财了，到底找了好多钱？”

侯卫东早就料到公路一通，必定会有许多人要开石场，一味地叫苦：“先声明，这个石场不是我的。石场是我妈和曾宪刚合伙的，芬刚石场，是刘光芬的芬，曾宪刚的刚。”

田大刀一门心思办石场，追根溯源地问道：“到底赚了好多钱？”侯卫东含糊地道：“石场请了几十个工人，要付土地费、电费、工具费，东拉西扯的，也赚不了几个钱。”

田秀影在一边插话道：“看不出来，侯大学还狡猾，明明是你开的石场，非要说是你妈开的，你以为我们不晓得？”

侯卫东心里实在恨透了这个苍蝇一样的女人，道：“我妈退休了，办石场混口饭吃，你不信，我也没办法。”

池铭给侯卫东端了些红豆腐，道：“侯大学，我家大刀也想办一个石场，到时请你来指点，你可不要保守。”

侯卫东暗道：“青林的人不傻，我的缓兵之计没有什么作用，该来的始终要来，以后只能在客源上下工夫，交通局那条线不能断。”嘴里道：“好说，这没问题。”

吃过早饭，回到前院，就见到曾宪刚站在院内。他穿了一件灰色西服，就是那种摆在地摊上卖的西服，看上去很粗劣，而且稍小了些。曾宪刚身材原本魁梧，穿上一件小一号的劣质西服，显得很是滑稽。

这是曾宪刚为了进城而特意换上的好衣服。

在上青林，侯卫东对这种装束见惯不怪。两人拿了相关的证照，急急地赶到了益杨县，在工商银行办了一个公司账户，结果被告知，账户还有七天才能启用。

这真是漫长的七天。在七天里，侯卫东天天数着日子，就如当年高考时盼着大学入学通知书一样焦灼。七天以后，终于等到了账户启用，他就和曾宪刚一道，兴冲冲地奔向益杨县交通局。

这一次，侯卫东先找到了刘维，由刘维带到了财务室。刘维如今是工程科科长，工程科也是交通局里面一个重量级科室，几任科长都提了职，财务科就给了刘维三分薄面。

前次见过面的女同志就客气了许多：“侯卫东，这种工程款必须高科长签字，他就在隔壁，我先去问问他。”过了一会儿，朱会计就回来了，她摇头道：“高科长说单位没钱，你等一段时间再来。”

在这种场合下，曾宪刚插不上话，只能在一边傻站着。

刘维对其中诀窍心知肚明，悄悄拉了拉侯卫东的衣袖。侯卫东心有灵犀，跟着刘维出了门。刘维把办公室的门关上以后，轻声道：“侯疯子，我给你说实话，你是第一次搞工程，多搞几次就会明白，要钱是一门艺术。你这样要，就算有钱，高科长也不会给你。”

侯卫东想起上一次到基金会贷款，只有一万元的款子，黄卫革都要了一千回扣，问道：“是不是要表示？”

“聪明人就是不一样，一点就通。”刘维点了点头，低声道，“这事只能靠谈，你去试他的口气，说明白提几个点子。”

侯卫东又道：“刘兄，是否帮我引见一下？我没有和高科长打过交道，不知他肯不肯接招。”刘维摇头道：“高科长说话比一般的副局长还管用，我是新提的科长，他不一定买账，你多接触几次就好办事了。”

得到了刘维的指点，侯卫东仍然有些心慌。这毕竟是他第一次干这种交易，他给自己打气：“人死卵朝天，怕个屌？他要收，我就敢送。”

他在马路对面就和曾宪刚商量，当他说出数目的时候，曾宪刚禁不住惊呼了一声：“两万？他就是转个账办个手续，凭什么拿这么多钱？”他自语道：“两万元在农村可以办许多大事了，再说，这四十几万回去还要付工资，要还贷款，给五千就差不多了。”

侯卫东道：“我问过内行人，他说如今各地都是三角债，甚至四角债、五角债。现金为王，这种情况可以给五六个点子。”

曾宪刚算了一下：“拿四十万来算，两个点就是八千元，五个点就是两万。”他狠了狠心，道：“五个点就五个点，我豁出去了。”

商量好以后，侯卫东没和曾宪刚一起，自己到了财务科长高建的办公室。

高建是一位面白无须的中年人，戴一副金丝眼镜，眼睛隐藏在镜片后，让人看不清他的眼神。他坐在办公桌后面，一只手就在桌面上轻轻地敲打，过了一会儿，才道：“局里经费紧张，确实没钱，你等几天再来吧。”

侯卫东在读法律专业的时候，对行为心理学也有小小的研究。他看见高科长手指的动作，知道他内心并不平静，他装作很老练地道：“在家靠父母，出门靠朋友，我今天主要是向高科长汇报工作。”

高建一直盯着侯卫东，道：“石场和交通局向来合作紧密，几个大石场的老总我们都经常见面，建立了很好的合作关系。你如果想继续开石场，得向那几个大石场学习，只有信誉良好，生意才能做得久。”

侯卫东敏感地意识到话中有话，心道：“这肯定是在递话给我。”他试探着道：“高科长，今天中午就在益杨宾馆吃个便饭。”

高建见侯卫东比较上路，推辞道：“下午还有事，中午不能喝酒。”

侯卫东道：“中午我们不喝酒，只是希望高科长能给我们一个汇报的机会。”

高建这才松了口，笑道：“看你还挺实诚，我们先说清楚，中午不喝酒。”

到了益杨宾馆，侯卫东开了一瓶茅台，又点了野生团鱼、青鳝等高档菜。喝了两杯酒以后，高建谈兴上来了，包间里就只剩下他的高谈阔论。曾宪刚脸上神情很是古怪，每动一筷子，他心里就流出一滴血。他默默地念道：“这是一只鸡，这是一条鱼。”

喝完酒，侯卫东道：“高科长，楼上有卡厅，我们去唱两句。”高建白净的脸已经有血色了，道：“算了吧。”

侯卫东见他拒绝得不太坚决，拉着他，道：“走，我们吼几嗓子。”

曾宪刚留在下面付账。

进了楼上的小厅，高建见侯卫东挺上道，道：“看你是耿直人，我给你讲个规矩，办事要返点的，我要拿去打发科里的同志。”他说话之时伸出了三个指头，侯卫东见他要三个点，点头答应了。

曾宪刚结了账，一共一千三百元，他心痛得快疯了过去。上了三楼，进屋就见到里面有三个花枝招展的年轻女子，更是脑中热血往上涌。头昏目眩中，他走到门口，歇了好一会儿才清醒了过来。他不敢进去，来到楼下，坐在大厅等着侯卫东和高建。

因为明天要到交通局领钱，这一夜，侯卫东和曾宪刚就没有返回青林镇。他们住在了益杨老干局的招待所，这个地方条件当然比不上益杨宾馆，可是相当干净，价格也不贵。

如果是侯卫东一个人，他就会去沙州学院的招待所。那个地方幽静，绿化得很好，住在里面，能使自己心里平静。可是带着曾宪刚住进去，就失去了幽静独居的意境。偶尔享受安静，这是小知识分子的小情调，也是人生的乐趣。

这一整天，美食、美酒、美女，全都在出现在曾宪刚的面前，让其眼花缭乱。他似乎感到另一个世界向他打开了大门，里面的精彩是他做梦也难以想象的。

两人躺在招待所床上，侯卫东嘲笑他："曾主任在唱歌的时候怎么就跑了？害得高科长左边抱一个右边抱一个，累惨了。"

曾宪刚骂道："狗日的，我从来没有经历过这种阵势，当时手脚硬是没有地方搁。"说这话时，他眼中还有三个女人亮晃晃的身影，禁不住咽了咽口水，好奇地问："疯子，城里妹子和乡下妹子硬是不一样。城里妹子好水灵，腰杆白生生地露在外面。"

侯卫东故意逗他，道："城里妹子和乡下妹子，关上灯都差不多。"

曾宪刚无限神往地道："疯子乱说，城里妹子嫩得出水，在床上肯定不一样。"

"明天去找个妹子睡一觉，你就知道是什么味道，说不定你会失望的。"

当夜，侯卫东呼呼大睡，曾宪刚躺在床上抽着烟，看着烟圈一个一个向上飘，就有些失神了。想着今天晚上的花费以及三个点子，心里又痛得很。关灯以后，他一直睁着眼，天快亮才沉入了梦乡。

第二天，两人出去吃了一碗炸酱面。等到9点30分，才慢悠悠地朝交通局走去。

事情办得极为顺利，拿到支票的时候，侯卫东竭力装得很沉稳，实际上他的心跳比平时快了许多，脸上肌肉也极为僵硬。出门之时，他使劲搓了搓脸，脸上这才有了感觉。

曾宪刚则满脸通红，如喝醉了酒一样。

在银行办完了手续，侯卫东道："高建是关键人物，以后要经常接触。三个点子，你去送。"他这样做主要是想起了母亲刘光芬的顾忌，毕竟他还是行政干部，尽量少做出格的事情。

曾宪刚拿着钱找到了高建。

办完了所有事情，在侯卫东的建议之下，两人租了一辆出租车直抵上青林。出租车速度很快，开车司机对这两人很好奇，一直在套他们的话。侯卫东就称是政府干部，用的是公费，司机这才做出了一脸释然的表情。

在离场镇还有数百米的地方，他们找了一个无人的弯道下车，给了出租司机两百元。这一次，连曾宪刚也觉得两百元钱算不了什么。

两人沿着新辅好的公路往场镇走，新铺的路极为平整，灰尘也不大，走在上面舒服无比。几只黄狗也来凑热闹，在公路上追来跑去。要到场镇的时候，一队马帮正从镇口出来，往日神气的赶马人此刻闷着头，无精打采地朝独石村走。

“守口如瓶，免得惹来是非。”侯卫东再次叮嘱曾宪刚。

曾宪刚脸上的红晕也渐渐消失了，在上青林新鲜的空气中，他恢复了自信，举手投足间，少了在宾馆、歌厅里的局促与拘束：“疯子，这事你放心，我一定瞒天瞒地瞒老婆，打死也不说赚了十多万，宝器才拿这事出去显摆。”

论实际年龄，曾宪刚比侯卫东要长不少。论身份，两人是合伙人。只是芬刚石场大主意全是由侯卫东来拿，曾宪刚习惯性地把侯卫东当成了上级。

数天来，想着账上属于自己的净利润居然有十二万，侯卫东就有一种不真实的感觉。他反反复复地算账，如果单靠一个月三百七十元的工资，不吃不喝接近三十年，才能挣到十多万。如今这钱来得并不困难，那以后的工作还有什么意义？

侯卫东也就没有耐心天天地打扫办公室和会议室，只有想看报纸的时候，才泡一杯上好的青林茶，在办公室坐一坐。

有钱人的幸福生活

挖到了第一桶金，侯卫东便想再单独开一个石场，这一次他不想与人合伙。

前一阶段天天泡在公路上，他对于公路沿线的地形相当熟悉，早就瞄上了一处好场地。资源厚，盖山薄，也没有住家户，而要租用这一块地，就必须和独石村打交道。

侯卫东提了两瓶泸州老窖，来到了秦大江的家里。

两人都是好酒量，一瓶泸州老窖下肚，秦大江脱掉了衫衣，露出石匠特有的强健体魄。他微红着脸，指着侯卫东道："你不耿直。"侯卫东知道秦大江外表粗豪，实则心思细密，这样说必然有深意。他并不争辩，笑道："废话多，碰酒。"

又碰了两杯，秦大江道："疯子，我们关系如何，既然是兄弟，为什么不和我一起合伙开石场？你老哥也是石匠出身，打石头是行家，不是吹牛，我的手艺比曾宪刚还是要稳当一些。"

侯卫东仍然喝酒吃菜，等着秦大江借酒说真话。

"老哥问过价钱，这一次交通局修上青林公路，你肯定挣了这个数。"秦大江用手指比划了一个"十"字道，"十万块，只有多没有少，你耿直点，我说得对不对？"

侯卫东暗道："看来开石场发财的事情，终究不能隐藏太久。秦大江是地头蛇，为人也耿直，应该让他成为开石场的同盟军。"

此时，侯卫东虽然还是一个普通乡镇干部，可是手里突然拥有了十多万元可自由支配的巨款，自信心也就开始强大起来。自信心爆强有许多种表现方式，有的人趾高气扬，有的人愈发稳重含蓄。侯卫东稳重如大人物，静静地听着对手表达自己的观点，而他随时有权作出总结性陈述。

秦大江看着侯卫东微笑的表情，恼怒地道："疯子，你笑个狗屁！芬刚石场交给村里的管理费，今年要提高到五千块，少一块钱，我就让村民跟你闹。"

侯卫东不紧不慢地道："我看中了狗背弯，准备租过来做石场，村里准备收多少管理费？"

秦大江瞪着大眼睛，道：“疯子，你眼睛歹毒，老实说，我准备在狗背弯开石场。”

侯卫东斩钉截铁地道：“狗背弯是我的，你另外选地方。”

秦大江拍了拍桌子，道：“疯子，你凭什么这么霸道？这里是我的地盘。”

“我知道老兄也想开石场，如果开一个小石场，做小生意，既累又没有搞头，要做就做政府大项目。我和交通局熟，争取把上青林的石头打入沙益路和益吴路，到时你就跟我一起做。”

秦大江被侯卫东挠到了痒处，他呵呵地笑了两声，开口道：“疯子是好兄弟，知道哥哥的难处，你借个万把块钱，让我也开张。”

侯卫东爽快地道：“借钱可以，明天过来取，但是我有一个要求，必须打借条。”

秦大江脸红筋胀地道：“难道侯兄弟信不过我？”

侯卫东坚持道：“做生意，一定要亲兄弟明算账，先说断后不乱，借条肯定要写。”

秦大江气得够呛，道：“狗日的疯子，硬是有钱就变狂了。好，你狗日的恶，明天我过来拿钱，顺便把狗背弯的协议签了。”

侯卫东一身酒气地回到了小院，就看见曾宪刚在院子转来转去。看见侯卫东，曾宪刚就道：“你跑哪去了？等你半天了。”

两人坐到里屋，曾宪刚红光满面，两眼发光，道：“赚了这么多钱，只能给老婆说一万，其他的都要憋在心里，太鸡巴难受了。”

侯卫东拿到十几万，心里也发烧，他太明白曾宪刚的感受了，嘴上却道：“十多万元就把你烧成这样，以后钱赚多了，再让你憋着，你肯定要发疯。”

“我们什么时候到沙州去耍一盘，我也要买两身好衣服。”曾宪刚心中有一个愿望：他想穿着好衣服去见识一下沙州歌厅里的小姐。上一次的狼狈逃跑，让他很没有面子。

侯卫东当然无法知道曾宪刚内心的欲望，他想的是另外一码事，道：“芬刚石场是我们合伙的，这次赚了钱也不能独吞，要感谢朱局长、刘科长和梁经理，请他们吃饭、唱歌。还有一件事需要和你商量，这三个人都关键，每人都应该表示一下，同时争取下一个项目，你看行不行？”

有了送三个点子的经历，曾宪刚承受能力明显增强了，道：“疯子，你说送多少？”

“没有争取到业务的时候，就一人两千意思下。如果争取到大业务，我们再商量，还是由你去办。”

曾宪刚心里也打起了小算盘：“如果每次都是我去表示，他们就会记着我的情，这些人也就变成了我的朋友了，而不仅仅是侯卫东的朋友。”想通了这一点，他痛快地道：“我去。”

星期五上午，侯卫东便给梁必发打了电话，约朱兵、刘维在益杨宾馆吃饭。

这是一场欢乐的晚餐。

曾宪刚穿上了鳄鱼牌T恤衫，俗话说，人是桩桩，全靠衣装。他是石匠出身，上身肌肉极为发达，鳄鱼牌T恤衫正好将其身材的优势衬托出来。朱兵、刘维、梁必发与侯卫东有说有笑，曾宪刚插不上多少话，就一杯又一杯地与三人碰酒。

荷包硬硬的，曾宪刚与前一次相比，从容了许多。吃酒、唱歌的时候，他将三个信封悄悄地递了出去。

自从跟随着秦飞跃来到了益杨宾馆，侯卫东数次来到这里，先吃饭，再唱歌，已经成了规定动作。今天他刚刚上来，领班就走了过来，他认出了这个常客，恭敬地道：“先生，我们这里新开了泰式按摩，技术很好的，要不要试试？”

侯卫东扭头看了一眼朱兵等人，见他们没要反对的意思，道：“走，泰式按摩。”泰式按摩只是听人说过，可是到底怎么回事，侯卫东并不清楚。

小间里只有一张床，旁边一个床头柜子，放着一盘水果和一杯茶水。随后又进来了一个穿着丝绸短衣裤的年轻女子，她手里拿着一条白色短裤，轻声地道：“先生，请换上衣服。”

侯卫东并不想显得太老土，可是当着这个年轻女子赤身裸体，还是稍稍有些犹豫。那个年轻女子倒是神色正常，安静地等着。侯卫东心想：“反正还有一条内裤，也没有脱光，怕什么。”也就当着年轻女子的面，换上了短裤。

泰式按摩，名头很响，侯卫东久慕大名。他躺在床上，以不变应万变。那女子上了床，道：“先生，请问轻点还是重点？”

从来没有尝试过泰式按摩，侯卫东也就没有标准，他又看着女子小巧的身体，道："重一点吧。"

女子开始了工作，侯卫东感觉自己就是一个面袋，这位女子动作用力柔和均匀，左右手交替进行，推、拉、扳、按、压、揉、拿，从足部逐步地向心脏方向进行按摩，慢慢地，他浑身也觉得放松了许多。

不知过了多久，那女子额头上已经微微有些汗水。屋内灯光柔和，女子皮肤虽不甚白，却显得很细腻。她跪在床边，休息片刻，轻声问道："先生，这里有特别服务，你需不需要？"

侯卫东其实是第一次到这种场所，对这些都一知半解。当年刘坤在寝室里谈起过，他也只是嘴巴厉害，实际上也没有做过。刘坤讲得眉飞色舞，他听得迷迷糊糊。

女子说这话时，脸上没有什么表情，如主妇在菜市场问价一般，这反而让侯卫东轻松了下来。他压抑住内心的好奇，道："还是算了，我想休息一会儿。"

离开了小小的房间，侯卫东一直在回味着女子的行为举止。她举止言行，自然而淡定，仿佛是在做一件简单的事情，可是这事又确实不简单。

他一人坐在客厅里，看着报纸。过了一会儿，朱兵、刘维和梁必发陆续走了出来，再等了10多分钟，曾宪刚才出来。

酒足饭饱，全身舒畅，朱兵等人兴尽而回。结账之时，侯卫东才知道朱兵做了正规按摩，刘维和梁必发则享受了最高级别服务。他暗道："大人物就是大人物，为什么朱兵能抵御住诱惑？看来以后一定要加强自身修养，提高反和平演变的能力。"

晚上，在曾宪刚的要求下，侯卫东和曾宪刚在宾馆开了两个房间。

坐在房间里看了一会儿电视，曾宪刚就走了进来，他的鳄鱼牌T恤衫没扎在皮带里，显得很随意。强壮的身体，加上高档的衣服，使曾宪刚看上去很有成熟男人的魅力。虽然举止还有些土气，可是他自信心明显增强，拘束和紧张渐渐少了。

衣是人的脸，钱是人的胆，此话当真不错。

"以前三十六年真是白活了。"曾宪刚坐在沙发上，眼神越过电视，穿透了墙壁，不知飞到哪里去了。

他当年为了修房子，节衣缩食数年才存了两万多元。如今吃饭加唱歌和意思就花出去一万多元，想着这些钱，他牙根又开始酸痛起来。

侯卫东很舒服地躺在床上，看着曾宪刚的表情，道："这是必须要花的钱，舍不得孩子套不到狼，舍不得出血就没有生意。"

曾宪刚兴奋地道："今年是益杨的交通建设年，朱局长已经答应，沙益路要大量用芬刚石场的石子。这一次量很大，我们回去之后，加班加点地干，争取多备点料。"

侯卫东兴致并不是太高："听朱局长说，益杨财政紧张，所有供应商都得全额垫资。公路修好之后，付三分之一，余款一年结清，这就意味着我们要垫不少的钱。"

朱兵说这话的时候，曾宪刚也在场，只是他并没有太在意。听到侯卫东说得这么严重，这才引起了他的重视，十几万拿到手，要让他全部拿出去，就如割他心头肉一般。

曾宪刚心里暗暗打定主意，就算天塌了下来，他也只出七万元，另外的八万元，就是压箱底的钱，道："我们签合同的时候，最好还是让交通局按进度拨款，拖得太久，我们这种小老板根本承受不了。"

侯卫东道："交通局是我们的衣食父母，现在只能走一步看一步。交通局毕竟是政府部门，他们最多欠债，而不会赖账。"

两人聊了一会儿，曾宪刚便离开了侯卫东的房间。在侯卫东半醉半醒的时候，尖利的电话铃声将侯卫东惊醒。侯卫东火冒三丈地拿起话筒，里面传来一个女声："先生，需要特殊服务吗？"

挂断电话，侯卫东脑海里就浮现出按摩女子平静的面庞，心道："两三年前，这些事都属于流氓范畴。如今却是见怪不怪，这世界真的变化了吗？"

全额垫资

早上起床，侯卫东给小佳打了传呼。过了一会儿，小佳才回电话。

“周末我要到沙州来，你在不在？”

小佳的回应并不是太积极，道：“这个周末，建委柳主任要请步市长吃饭，我是办公室工作人员，要去服务，实在是走不开。”

虽然侯卫东热脸贴上了冷屁股，他却不生气，道：“小佳，我在上青林开了一个石场。”

电话另一头，正好建委柳副主任走进了办公室。小佳并没有听到侯卫东在说什么，连忙把话筒放在桌上，给柳副主任打了一个招呼。

建委柳副主任背着手，道：“小佳，晚上要请步市长吃饭。明天建委请步市长去视察建委几个新工地，你要主动点，多敬步市长两杯，他很器重你。”

柳副主任是一个大秃顶，显得很有些智慧。他知道一把钥匙开一把锁的道理，从小道消息得知，步市长毕业于复旦大学的宝贝儿子步高看上了小佳，一心想和她谈恋爱。所以，每次请步海云吃饭他一定要带上张小佳。

等到柳副主任离开了办公室，小佳将话筒放在耳边，幸好，话筒没有断，小佳连忙道歉。侯卫东已经听到了另一边的对话，知道小佳确实有事情，自嘲道：“我现在是青林镇在编的编外人员，随便到哪里也没有人管，所以天天都有空闲时间。”

小佳听侯卫东说得很无奈，道：“你别跟领导顶牛，没有什么好处，刚才我听说你开了石场，我不赞同，你走仕途才是正道。”

“小佳，我给你说实话，我得罪了青林镇书记赵永胜，仕途恐怕艰难了。不过墙内损失墙外补，我不当官，我发财。”

小佳在沙州建委办公室，平时接触的都是腰缠万贯的开发商，对于开石场这种小生意，她还真没有看到眼里，道：“老公，你不要放弃，今晚建委请步市长吃饭，我去给他说，争取早些把你调到沙州来。”

放下电话，侯卫东心中很不是滋味。单纯的小佳都可以和堂堂沙州市副市长说上话，而自己还在偏僻的上青林苦苦地挣扎，这让他心里颇不平衡。他站在益杨的大街上，一时没有了去路，这才想起，开石场赚了十几万的消息还没有来得及告诉小佳。

再打电话过去，小佳已经离开了办公室。

回了宾馆，曾宪刚的房门还关着，侯卫东敲了好几声，里面才有了声音。

开了门，曾宪刚伸出了头，头发乱成一片，睡眼蒙眬的样子。侯卫东猛然间想起了晚上的电话，就笑道："曾主任，昨晚肯定又欢喜了一盘，你可要注意身体。"

曾宪刚倒了一杯水，大大地喝了一口，人似乎才清醒了过来。他道："昨天晚上，有一个妹子找了上来，嘿嘿，城里妹子硬是不一样，大方、热情，皮肤滑得像绸子。"他看了看表，建议道："疯子，今天也没有事，干脆我们两人到沙州去，好好耍一回。"

侯卫东看着性致盎然的曾宪刚，调侃地道："曾主任不愧为石匠出身，具有超强的作战能力，能不能悠着点？享受生话要细嚼慢咽。"

曾宪刚跟着笑了起来，道："真他妈的过瘾，怪不得大家都想当有钱人。"

侯卫东原本想回沙州，只是小佳有事，去了没有多大意思。回吴海县来回又要七个小时，跑来跑去累得慌，他就道："我们还是回上青林，沙益路很快就要开工了，把芬刚石场的工人召集起来，吃顿饭。从后天起就开工备料，不做准备，到时会措手不及。"

曾宪刚这才开始想正事，他双脚盘在床上，道："芬刚石场的产量是固定的，沙益路大量要石头的时候，一家石场肯定不够，我自家的小石场也要开始动工了。"

侯卫东道："我在狗背弯也要开了一个石场，你后山的石场也要抓紧开出来。沙益路石料用量极大，我们要开足马力，才能将货供足。"

曾宪刚放下心来，道："我回去就开始准备。"侯卫东提醒道："你的小石场还是要办相关手续，手续齐全，和大公司打交道就方便些。"曾宪刚也没有说话，两人也就没有继续这个话题，开始讨论起芬刚石场要投入多少钱，备多少料。

侯卫东回到上青林，立刻开始全力启动狗背弯石场。他是按照现代石场的标准来建这个石场，十几万投进去，也没有多少响动。

时间过得极快，转眼间就到了10月，在这几个月里，也发生了一些事情：

一是段英顺利地调到了益杨报社，成了一名报社记者。她为了给青林镇发报道，深入到上青林，却没有见到侯卫东。邮政代办点的杨新春给侯卫东新买的传呼机留了言，侯卫东没有回应。

二是在党校认识的任林渡，顺利地出任了李山镇团委书记。

三是侯卫东被放逐到了上青林，将仕途越看越淡。这期间，小佳在建委办公室的岗位上很出色，8月中旬，曾经跟随着建委柳副主任到过益杨县，县委祝焱书记、马有财县长亲自参加了接待。宾主欢笑一堂，由于时间匆忙，小佳只是在侯卫东的中文传呼机上留了言，两人并未见面。

一切顺利的小佳此时也有了烦恼，步海云副市长的公子步高向她发起了强烈的攻势，而且愈来愈猛，大有不达目的不罢休之势。

步高毕业于复旦大学，刚满三十岁。他在岭西省一家甲级资质的建筑公司工作了数年，然后自立门户，当上了一家小建筑公司的老总。他的触角伸进了沙州建筑市场，扩张得极快。在一个偶然的机会，他见到了当时才到建委办公室工作的张小佳，顿时眼前一亮，便展开了不懈的追求。小佳很果断地拒绝了步高的追求，明确表示自己有男朋友，但是步高不依不饶，依然狂追不舍。

第四是青林镇镇委书记赵永胜的儿子赵小军，通过高志远的关系还是分到了建委。他初来之时，被张小佳找机会修理了两次，这使得赵小军郁闷之后又百思不得其解。一个很偶然的机会，他得知了张小佳的男朋友在青林镇政府，心里也就明白了几分，将其父亲一顿埋怨。

赵小军是赵家唯一的大学生，是赵永胜夫人的心头肉。她听说儿子因为侯卫东在沙州建委受了委屈，也将赵永胜一阵数落。

这半年来，赵永胜仍然和秦飞跃斗得不亦乐乎，两人各显神通，互不服输。侯卫东只是青林镇的小人物，那天会议以后，侯卫东再也没有出现在赵永胜眼前，他已对这位年轻大学生很淡漠了。被老婆儿子埋怨以后，他又将侯卫东纳入到自己的视线范围，并在一个合适的时候，宣布恢复侯卫东工作组副组长的职务。

此时，沙益路建设刚刚进入高潮。由于上青林的石头质量最好，开采成本最低，碎石每一方比益杨罗盘石场要便宜一块钱，且质量优于罗盘碎石。因此，沙益路的碎石主要来自青林山。施工正常以后，每天对片石和碎石的需求量极大，芬刚石场、狗背弯石场、曾家石场、秦家石场、田大刀所开的小石场，以及习昭勇和另外几家开的石场，均开足了马力进行生产，才勉强保证了石料供应。

五大石场之中最大的石场便是侯卫东独立办的狗背弯石场。狗背弯石场采用了梯田式的开采模式，这是侯卫东参观了沙州市一个大石场得出的经验。而其他小石场，均是采取直上直下式，作业面又高又陡，看下去很是吓人。

侯卫东的心思全部放在石场上，工作组副组长的职位对他丝毫没有吸引力。不过赵永胜是青林镇党委书记，是青林镇最大的地头蛇。地头蛇发出了和解信号，为了石场生意顺利，他选择了虚与委蛇，找了个机会给赵永胜表态道："赵书记，感谢组织对我的信任，我从哪里摔倒就从哪里爬起来，一定在上青林好好工作，多为老百姓办实事。"

最令侯卫东焦心的是石场的事情，每天前来上青林拉石头的车穿梭不停。按理说上青林石场的大小老板们都应该高兴，但是沙益路采取了由石场老板全额垫资的方式，经过了一轮建设高潮，侯卫东手里掌握的十六万全部投了进去。手里没有钱了，而工程款还没有任何眉目。

1994年10月19日，几个石场老板就聚在了上青林老院子里，商量着如何解决此事。侯卫东是开石场的元老，狗背弯石场又是最大的石场，他自然而然就成为了老板们的核心。

"疯子，有什么办法？交通局再不付钱，石场就要停产了。"田大刀东拼西凑，弄了三万多元，办了一个小石场，搭上了沙益路建设的顺风船，满以为很快就发财了，谁知几个月下来，借的钱全部用光，还欠了电费、水费、青苗费、土地占用费和工资钱等各种费用约四万多。在石场上班的村民扬言，再不发工资就不干了。

曾宪刚在数月前还有十几万家产，他自家后山的新石场规模比芬刚石场略小，排在了上青林所有石场的第三位。他原本只想投入一部分钱，可是机会来了以后，为了多赚钱，曾家石场开足了所有马力，运出的石料比芬刚石场还要多。因此他投资也就相对较大，如今除了账面上的利润，家里已是一贫如洗。他已有一个月没有品尝到猪肉味道，幸好家里池塘还养着几百斤鱼，否则硬是一月不知肉味。他有了前一次要款的经历，心里就踏实了许多，只是坐在一边抽烟，看着其他几个人叫苦不迭。

秦大江借了侯卫东一万，又贷款两万，这三万元很快就如泥牛入海，不见了踪影。他又借遍了亲朋好友，才弄了两万元，随着工程进展，很快也不见了踪影。他拍着桌子道："交通局硬是霸道，哪里这样办事的，我们联合起来，停了他们的石料，让他们来求我。"

田大刀道："把老子惹毛了，拿点炸药把交通局办公室炸了。"

习昭勇听了田大刀的话，气不打一处来，道："田大刀胡说八道，把交通局炸了，我们找谁要钱？"

侯卫东年龄最小，反而是最为沉稳，道："少说两句，这个时候别说气话。和交通局关系搞僵了，以后生意还想不想做，大家还是说点实在的主意。"

秦大江满脸苦相，道："这样拖下去，我们实在承受不起。疯子，我们几人找交通局曾昭强局长，跟他讲明实际情况，多少要点钱。"

大家都同意秦大江的提议，侯卫东怕这几人心急乱说话，道："找曾局长可以，但是一定要有礼有节，不能把曾局长得罪了。田大刀要么不去，要么不要说话，你那张臭嘴，说话太难听了。益杨县除了上青林，还有罗盘山也产石头，虽然他们的质量不如我们，但也能用，如果真的得罪了曾局长，麻烦大了。"

侯卫东给朱兵打电话联系了一下，朱兵便向曾局长汇报，约定第二天下午见面。

上青林公路修好以后，山上终于通了公共汽车，不过班次很少。每天下午3点从益杨车站发车，6点到达上青林场镇，晚上客车并不返回，停在老乡政府的小院子里面。第二天早上7点钟发车，10点钟左右到达益杨县城。

侯卫东、秦大江、曾宪刚、习昭勇和田大刀五个人，从上青林场镇上车，前往交通局，请求支付部分工程款。

上青林公路虽然是泥结石路面，胜在新近铺成，客车平稳快速，10点30分，一行人准时来到了交通局六楼会议室。这是交通局班子开会的地方，特意用来接待几位石场老板。

交通局曾昭强和朱兵早已商量好应对之法。

朱兵最先出现在会议室，他满脸笑容，手里拿着一包红塔山，道："曾局长有点事，等一会儿再过来。"

他一边散着烟一边开着玩笑："秦书记，好久没有见你。今天中午我在交通局找了一个高手，和你比一比酒量，上次到你们村里，把我喝惨了。”又道：“曾主任，你干脆买辆客车，跑运输也找钱，到我这里来办手续。”

曾宪刚已经跟朱兵很熟悉了，他愁眉不展地道：“朱局长，别说买车了，家里已经揭不开锅了。朱局长拨一点款给我们，救救急，确实没得屁眼法了。”

田大刀也想说话，一旁的习昭勇就瞪了他一眼，低声道：“你少开腔，听别人讲。”

朱兵和习昭勇与田大刀都是初次见面，并不熟悉，也就没有和他们两位开玩笑。朱兵对侯卫东笑道：“疯子，我们单位分来了一位女大学生，漂亮得很，今天晚上我给你们创造一个见面的机会。”

侯卫东道：“被我老婆发现了，肯定要把我的小兄弟砍掉。算了，太冒险了。”

朱兵努力营造了一种宽松、和平的气氛，道：“怕什么怕，现在流行家里红旗不倒，外面彩旗飘飘。”

昨天侯卫东打了电话以后，曾昭强和他就将资料调来看了看。这一看不禁吓了一跳，光是碎石这一项就需要付给上青林五个石场一百二十多万，还不包括数量巨大的片石。此时交通局账户里只有几万的日常生活费用，根本无法提前支付各种材料钱。

朱兵知道侯卫东、秦大江、曾宪刚等人都没有多少钱，能撑到这个时候已经算不错了。但是交通局账上确实无钱，他只能按既定方案，先由朱兵采取安抚政策，再由曾昭强来杀下马威。

随意地谈了一会儿，一位手拿着紫砂茶杯的年轻人走了进来，对朱兵道：“曾局长来了。”

过了一分多钟，曾昭强出现在会议室大门。他梳了大背头，穿着藏青色西装，暗红色领带，表情严肃。来到会议室以后，也不理睬众人，坐到他的固定位置，端起紫砂茶杯细细地品了几口，这才抬起头，问：“上青林几个石场老板都来了？”

朱兵点头道：“到齐了。”然后一一介绍道：“这是狗背弯石场的侯卫东，这是秦家石场的秦大江……”介绍完，曾昭强看了看手表，道：“今天跟大家见面，讲讲我的想法。”

众人安静地看着曾昭强，耳朵都竖了起来。

曾昭强声如洪钟，道：“沙益公路是县政府重点工程，随着沙益公路的开工，制约沙州发展瓶颈将被打破，所有参加沙益公路建设的单位和个人，都是益杨发展的功臣。”

侯卫东暗道：“先褒扬，后面就是批评，看来形势不妙。”

果然，曾昭强话锋一转：“益杨是穷县，是典型的吃饭财政，修公路的资金非常紧张。现在县财政资金没有到位，各位的材料款只有暂时拖欠，不是我不给，实在是没有钱。”

秦大江等人脸就变绿了。

习昭勇是公安人员，见过大场面，道：“曾局长你大笔一挥，就付点钱给我们，否则我们将被迫停产。”

曾昭强看了习昭勇一眼，道：“当初签合同的时候，说得清清楚楚，如果当初觉得全垫资有困难，就不要签协议。现在工程进展了一半，没有特殊事由，必须严格按照合同办事。”他顿了一顿，加重语气道：“我喜欢和讲诚信的人打交道，讲诚信是我们继续合作的基础。交通建设是长期的过程，今年完不了，明年也完不了，各位老板如果想做得久，一定要讲诚信。”

说到这里，曾昭强对朱兵道：“朱局长，哪一位老板想结账，也可以，但是丑话说在前头，今天结了账，以后就不要和交通局打交道了。”他讲了这几句话，站起身道：“我还有个会要开，各位有什么想法就和朱局长谈。中午就不要走了，由朱局长陪大家吃饭。”

望着曾昭强扬长而去的背影，上青林众人一时说不出话来。大道理都被曾昭强说完了，权力也掌握在他手中，还谈什么。

这一瞬间，一道闪电般的念头袭上侯卫东的心头，如果所有碎石企业联合起来，不向交通局供货，看曾昭强又能怎么办？他暗自思忖这种可能性，全县碎石企业联合，这事不太现实，但是上青林的石头质量最好，开采成本最低，如果联合起来，应该能够取得一定的话语权。

等到曾昭强离开了会场，曾宪刚小声抱怨道：“当初签合同的时候，我就说不能全额垫资。现在合同签了，大家全都被套起了。”

签合同的时候，交通局要求全额垫资，几次去谈合同，都没有谈下来。侯卫东最先同意全额垫资，他特意向曾宪刚申明：“芬刚石场是两人合伙，需要两人意见一致才能签。至于狗背弯石场和曾家后山石场，则不用征求意见，愿意签就签，不愿意签可以拒绝。”

曾宪刚看到侯卫东的狗背弯石场签了全额垫资合同，也跟着签了。秦大江、刁昭勇、田大刀随后也跟着签了全额垫资。

此时拿不到钱，田大刀冲动地道："侯疯子，是你要签全额垫资合同，拿不到钱要负责任，供电站催款催得紧，你借点钱给我，先把电费付了。"

侯卫东生气地道："田大刀，是你要签合同，关我屁事？我又没有拿刀子强迫你。"

刁昭勇帮腔道："田大刀，上当受骗自觉自愿，况且是你求着侯疯子帮你，说话办事要讲良心。"

田大刀虽然对人蛮横不讲理，却独怵刁昭勇，见刁昭勇发了话，也就闭了嘴。

朱兵见上青林众人争吵起来，心里好笑，道："大家也不要抱怨，我查了账，沙益路修下来，各位都要发大财，如今就是稍稍晚一点拿到钱，咬咬牙撑过去，明年日子就好过了。你们一年赚的钱，我要干一辈子才挣得来，这样想，你们什么困难都不怕了。"

秦大江有意和交通局朱兵搞好关系，便道："算了，曾局长发了话，大家只有回去再想办法，有话到饭桌上再说。交通局难得请个客，今天我们要好好敬一下朱局长。"

吃完饭，五人无心在益杨玩，便准备坐客车回益杨。五个人由于垫资太多，个个都缺钱花，到了车站，大眼望小眼，都不主动买车票，最后还是侯卫东面子薄，掏钱为众人买了车票。这一路上，五人都是心事重重，石场要维持运转，没有钱是万万不能。可是能借的钱都借遍了，而且每个人都在基金会贷了款，实在难有新的办法了。

侯卫东除了找家人以外，只有找蒋大力，可是上一次借了蒋大力三万，再次开口，实在有些为难。

回到狗背弯石场，他就把在狗背弯做工的三十多位村民召集起来，老老实实讲了现状以后，学着曾昭强的手法，道："各位，你们在石场干了四个多月了，我从来没有拖欠过工资。如今交通局一分钱都没有付，我实在是没有钱了。这一个月的工资我只能打欠条，如果愿意干，明天就继续来上班，不愿意干的，就给我明说，我想办法也要将这个月工资付了，但是，以后你就不能在石场上班了。"

"这事不必现在答复，回去和家里头的人商量一下，愿意干的，等交通局付了款以后，每人每个月增加五十元的延误费。”

侯卫东信誉一直良好，在石场向来说一不二，村民们也很相信他。他们也看到了实际困难，大部分表示愿意继续干，只有少数村民担心拿不到工钱，没有当场表态。

基本解决了工钱问题，侯卫东又要开始为电费、炸药费等基本费用操心，这些都是必须拿现钱来支付的。为了筹钱，侯卫东明白了困兽是什么形象，更明白了一句话：“金钱不是万能的，但是没有钱却万万不能！”

回到上青林的第二天早上，侯卫东带着烦恼去了狗背弯。虽然没有钱，石场还得开工，因为沙益路工地等着要材料。

挖开土层就是厚实的石料，这些都是沉睡千年、万年甚至数十万年的不可再生资源，也是一块块躺着的人民币。

侯卫东坐在石场的最高峰，俯视厚实的石头，看着村民们忙碌着。明天就要去买炸药，而他钱包空空，居然连一天的量也买不起了，只能坐在高峰上发呆。

几位位于最高梯位的村民，正在撬一块被炸药震松的石块。一个小伙子猛地一用力，旁边一块小石从十米高的采石台上落了下去，碰在地面上，发出了轰的一声，地面不足五米处就有几个正在给货车上碎石的村民。

侯卫东吓出了一身冷汗，这石块虽然只有拳头大小，但是从十米台上落下来，若是碰中脑袋，被砸中人必死无疑。他的注意力一下就从缺钱问题转移到安全问题上。

几步冲下了高台，他把何红富拉了过来，道：“让底下的人全部离开，我们俩回去商量一下安全规则。”

狗背弯石场建好以后，侯卫东就把何红富请来当了副场长。侯卫东不在的时候，就由他全权代理。何红富正在算今天的采石量，见侯卫东满脸焦急，满不在乎地道：“疯子，今天不抓紧点，完不成定量。”

侯卫东摇头道：“以前采石台低，没有什么大问题，现在采石台越来越高，有十米以上了，如果不注意安全，只怕以后要出事。高台作业的时候，底下一定不能站人，工期再紧，我们也不赚这个钱。”

何红富仍然没有太在意，道：“上面施工的时候，底下小心点就是了，没有必要弄这么多规矩。”

侯卫东由于鼓动修了上青林马路，在村民眼里就增添了不少威信。

何红富是上青林少有的读过高中的村民，出了名的利嘴。两人争论了一会儿，侯卫东见他毫不在意，脸色便严肃了下来，道：“这个不争论了，必须按照我说的办。”

他腰上的传呼机突然响了起来，他心里有事，就没有理睬，对何红富道：“遵守规定，规避风险，要给工人们讲清楚。他们打工为求财，别把命丢在里面了，如果丢了命，我们的罪过就大了。”

传呼机又响了起来，侯卫东的传呼机是中文传呼机，看了留言：“小佳已上山。”侯卫东愣了愣，随即明白过来，急急地道：“何红富，你给我盯着点，我的老婆大人来了。”

他又叮嘱了几句，便朝小院子飞奔而去。没有走多远，就在公路上看见一辆小车，正是赵永胜的那一辆。他此时心里全部装着小佳，见到书记的车也没有在意，继续走。

及时雨小佳

小车开到身边的时候，响了两声喇叭，随后停了下来。侯卫东有些奇怪：“赵永胜找我有什么事情？”

车门打开，走下来的却不是赵永胜，而是小佳和另一位眼熟的年轻人。小佳的小卷发变成了直发，脸上绽放着灿烂的笑容。

“小佳，你怎么来了？”

小佳道：“我的同事赵小军，他是赵书记的公子。今天正好有车到青林镇，我请了假就过来了。”

赵小军相貌和赵永胜有八分相似，他热情地握着侯卫东的手，道：“上青林公路是几代人的梦想，如今终于通车了。我听说过修路的经过，侯哥在里面起了关键作用，说实话，我很佩服侯哥。”

侯卫东暗道：“赵小军倒是一个自来熟，也很会说话。”他没有回应修路这个话题，道：“你们是什么时候出发的，走之前也不来个电话。”

小佳脸上满是笑意，道：“赵书记的车正好要回青林，我是临时说起到青林。”

三人上了车，赵小军坐在前面，侯卫东和张小佳坐在后排。有外人在场，侯卫东和小佳也不好意思太过亲热，只是偷偷地握了握手。

司机小张回过头，道：“侯大学，上青林的公路修得不错，特别是上了山以后，没有什么急弯，跑起来很舒服，比下青林公路修得好。”

侯卫东虽然能和赵永胜一笑泯恩仇，可是那一次司机小张留给他的印象过于恶劣。对于小张的主动搭讪，他比较冷淡，只是想到小佳以后可能要坐他的车，就不冷不热地道：“公路是交通设计院设计的，当然有水平。”

小车回到了上青林场镇的小院子，三人下了车，赵小军对小佳道：“张姐，明天上午7点钟，我上山来接你，你和侯哥难得见面，我不当电灯泡了。”

小车离开以后，侯卫东和小佳对视了一眼，两人眼中都有了星星之火。进了屋，侯卫东顺手把门关上了，小佳刚说了一句：“这小屋比以前整洁多了。”嘴巴便被侯卫东堵住了，两人如饥似渴地亲吻了一阵，小佳突然摸着了侯卫东的头发，叫了一声：“老公，你头发怎么这么多灰？”

侯卫东是从石场直接过来的，石场灰大，头发上自然就有一层石粉。他松开小佳，拍了拍头发，头发上立刻腾起了一层白灰。

小佳使劲掐了侯卫东几把，道：“快烧点水洗澡，太脏了。”

经过了刚才的拥抱，潜藏在侯卫东身上的“性趣”就如火药一样被点燃了。只是浑身石粉，别说小佳，自己也觉得难受，他就急急忙忙去烧水。

洗完澡，侯卫东回到寝室，迫不及待地将小佳抱了起来。小佳胸前鲜艳的蓓蕾，细腻的肌肤，纤细的腰身，修长的腿，以及熟悉的味道和声音，都让侯卫东心醉神迷。

激情之后，两人相拥在床上，小佳将头靠在侯卫东的手弯处，用手指在侯卫东腹部成块肌肉里划着方格，道：“赵小军说他爸爸答应调你到镇上去，这是一个好机会。”

小佳的头发就在侯卫东鼻前，其头发上淡淡的女人味道是侯卫东的最爱。他双手没有停着，在小佳的身上不停地游走。

“小佳，我又开了一个石场，事情太多，到了下青林镇恐怕照顾不过来，我暂时不想去。”

“老公，我觉得你走仕途才是正道，开石场或许能找些钱，但是因为开石场而耽误了前途，就得不偿失了。”

由于小佳对开石场一事有抵触情绪，侯卫东很少谈石场之事。这一次小佳上山，倒是一个相互沟通的好机会。

小佳为了照顾侯卫东的面子和情绪，尽量放缓语气道："老公，如果还想在仕途上发展，就一定要下山，距离领导近一些，领导才能发现你的才能。如果下定决心要从商，在青林镇就实在没有意思，你完全可以到沙州来。"

侯卫东不愿意下山，找借口道："书记赵永胜和镇长秦飞跃矛盾很深，这种情况下，我最好是躲远远的，尽量少掺和到领导的矛盾中去。前一段时间为了修路的事情，我跟秦飞跃走得相对近一些，赵永胜连借口都不找，就将我的工作组副长职务免了。"

小佳道："我只是提议，最终还得由你来决定。"

一夜缠绵，春光无限。早上，侯卫东带着小佳到姚瘦子的豆花馆子。出门之时，他拿出钱包看了看，道："小佳，我现在穷得没有裤子穿，只剩最后六十元钱。"

"这是怎么回事?开石场虽然说赚不了大钱，也应该不会亏本，你怎么穷成这样？"

"这几年沙州都在修路，开石场还是很找钱，只是我们底子薄，为了扩大生产，又将全部收入投了进去。"他自嘲道，"现在变成了穷光蛋，明天要买炸药，我只有六十块钱，正急得要跳楼。"

芬刚石场距离场镇颇远，侯卫东带着小佳去视察狗背弯石场。

小佳现在是能和市长一级的领导同桌吃饭的人物，这让侯卫东很有些惭愧。狗背弯石场多少能增加侯卫东的自信心。

小佳极亲热地挽着侯卫东的胳膊，突然，她道："我发现了一个重大问题。"

走在平整的公路上，侯卫东脚步顿了顿，道："什么问题？怎么满脸严肃？"

"老公，你开石场投资也不小，如今遇到了大难题，居然都没有想到我。"说着说着，小佳开始眼泪汪汪，"这说明你心中没有我，我们本来就是相隔两地，信任是所有问题的前提，你这样做，让我很伤心。"

女人看问题的角度和男人不一样，比如一场战争戏，男人记住了血肉横飞的场面，女人关注的却是主人公的爱情故事。此时，侯卫东满脑子都是如何找钱应付危局，小佳却敏感地发现两人关系中潜在的问题。

侯卫东自嘲地道："恐怕是自尊心在作怪，大学毕业时，我自认为是天之骄子，谁知参加工作以后，才发现天之骄子一钱不值。刘坤在县政府办公室混得风生水起，公招生任林渡也当了镇团委书记，我陷到上青林，一事无成。

"为了改变这个境遇，我这才大力促进修上青林公路，也就有了后来开石场之举。毕业前，我志向高远，从来没有想到会成为土老板。而成了土老板，意味着三年之期成了一纸空文，所以也不好意思向你提起这事，怕被你瞧不起，也怕丢了你的脸，你爸妈知道以后更不会同意我们的事情。"

侯卫东说得诚恳，小佳双眼不知不觉湿润了。她紧紧地挽着侯卫东的手，脸靠在他强壮的肩头，道："我是你的女人，什么事情都不准瞒着我，有福同享有难同当不是说着玩的。这一次我原谅你，如果下一次还这样，我就真的要生气了。"

上青林处于大山上，向来偏僻闭塞，民风彪勇淳朴，很少有男女在公共场所手挽着手，路过的村民都好奇地盯着这两人。

"老公，想不到你的群众基础还真不错。这么多人都认识你，他们为什么叫你疯子？"

"修公路的时候，成天在公路上游来晃去，还做了许多可恶事情，就和疯子差不多。"侯卫东讲了请算命先生等故事。

小佳笑得弯了腰，道："我们建委有不少从乡镇提起来的干部，都说乡镇干部要练就说大话、假话、狠话的功夫，现在看来他们说的是真的。"

到了狗背弯石场，小佳原本以为就是几个人打石头的小石场，没有想到石场规模这样大，当场被镇住了。石场车来车往，人声鼎沸，远远超出了她的想象。

侯卫东骄傲地道："这是狗背弯石场，是以我妈刘光芬的名义开的。另外一个石场叫做芬刚石场，是以我妈的名义与村干部曾宪刚开的。"

小佳暗道："难怪老公对仕途进步不太上心，看来他想当企业家。条条大道通罗马，当企业家也不错。"作为场长夫人，她对这个狗背弯很有责任感，凭着这大半年跑建筑工地的经验，道："我给你提个建议，石场是危险作业，最好给工人配一顶安全帽，增加一点安全系数。"

侯卫东夸道："难怪我家小佳能调到建委办公室，士别三日当刮目相看。你给我打传呼的时候，我正在和何红富商量安全规范。沙州有好几个大石场，你能不能利用职务之便,弄一套标准的规章制度？”

何红富正在犯愁，明天需要放炮了，可是炸药还没有弄来。他看见疯子和一个女子玉树临风般地站在高台上，三步并做两步上了高台，道：“疯子，明天一定要把炸药进回来，要不然就只有停工了。”

“这是狗背弯石场的副场长何红富。”侯卫东又介绍道，“这是张小佳,我家里那位。”

何红富道：“大嫂，欢迎到上青林，这里树多空气好，在大城市住久了，在这里正好洗肺。”

张小佳很有兴致地打量了何红富一番，这位副场长言谈颇为得体，也和她印象中的农村人不一样。她笑道：“什么大嫂，这是黑社会的称呼，你叫我名字，张小佳。”

何红富与张小佳说了几句，又直奔主题，道：“疯子，快点想办法，要不然明天真的要停产了。”

侯卫东苦笑道：“我只有六十块钱了，别说买炸药，等几天连生活费都没有了。”

小佳从大衣服里取出自己的钱包，里面有一张银行卡，她道：“这里面有三千元，也不知够不够。”

侯卫东道：“算了，你这点钱投进去就是泥牛入海，起不了作用。”

小佳气愤地道：“交通局完全是霸王合同，按进度拨款是行规。”她指着挖了十米多的采石台，“这么大的量，应该给预付款。”

侯卫东摊了摊双手，道：“我们几个石场集体找过交通局，没有办法，交通局屁股大，我们几个小老板搬他不动。”

何红富又抱怨了几句，下去继续指挥装车。他是副场长，侯卫东给了他一千元的月工资，这在上青林是绝对的高薪，因此他在狗背弯石场尽心尽力，成为侯卫东最为倚重的得力干将。

侯卫东脸上皮肤被太阳晒得微微发黑，他看石场的神态非常专注，如一头东北虎在巡视自己的地盘。

“老公要当企业家，就让他当吧。”看到了狗背弯石场，小佳认同了侯卫东的想法。她见到企业生产遇到了困难，也帮着想办法，问道：“老公，你还需要多少钱？”

侯卫东沉吟了一会儿，道：“前期投入了这么多，村民工钱、土地费可以暂时不出，有三万元，我就能撑得过去。”

“我们办公室柳大姐的老公是益杨工商银行的行长。我给她打个电话，看能不能想办法贷三万出来。”

两人站在高台之上，山风顺着石场向上刮，石场的一个工人眼尖，道：“你们看疯子在做什么，好开放哟。”

高台之上，侯卫东兴奋地搂住了小佳，使劲在她的脸上、额头上一阵狂吻。被小佳推开以后，他大笑道：“真是山穷水尽疑无路，柳暗花明又一村，我们赶快回去，你去给柳大姐联系，最好明天就把事情落实，免得夜长梦多。小佳，你是我侯卫东的福星呀！”几句甜言蜜语将小佳说得幸福得如花儿一样。

小佳和柳大姐在一个办公室，两人关系挺好，而且小佳极有发展前途。所以，侯卫东的贷款申请以极快的速度办了下来，总算解了燃眉之急。

青林山的石头质量好，公路开通以后，很快就有了名气。除了沙益路的大宗生意以外，还有零星的客户主动上山，石场对这些客户当然概不赊账。也正因为如此，上青林山上的几家石场就断断续续地施工，勉强保证了沙益路的碎石供应。而侯卫东的狗背弯石场由于有了贷款支持，生产一直正常，成为保证沙益路顺利施工的功臣。

朱兵等人多次在不同场合夸奖了侯卫东，分管的李冰副县长和曾昭强局长都对狗背弯石场有了好印象。

俗话说，人怕出名猪怕壮，上青林很快也被各有关职能部门盯上了。

派出所管着爆炸物品，也就卡住了石场的命脉。派出所秦钢带队，走遍了大小石场，表示支持、关心和慰问，顺便提了些订书订杂志、报销汽油费、治安费等要求。几个石场虽然心里不情愿，还是满脸笑容地答应了秦钢的要求。侯卫东有两个石场，更是受到了特别关照，除了常规费用以后，还答应赞助派出所一吨汽油。当然，这要等到交通局款子支付以后。

税务部门也登门服务，五家石场，只有芬刚石场和狗背弯石场办了正规税务登记。其他石场摆出一副死猪不怕开水烫的架势，和税务部门斗智斗勇。

管理矿山资源的国土局也派员上山，摸清底数以后，将五个石场老板全部请到国土局，先是宣讲政策，然后照章收费。这一下，几个石场老板已是头昏脑涨，叫苦连天。

侯卫东见国土局收费的法律政策依据充分，这费不交是不行的。唯一可以讨价还价的地方是石头资源的数量，石头大部分埋在地下，准确的资源数量就是一个伸缩性很大的数目。他在叫苦的同时，在资源数量上做了些文章。

转眼到了12月，经过大半年的奋战，沙益路也要结束了。侯卫东等人眼巴巴地盼着交通的款子，可是望穿了秋水，还是没有等到款子。曾昭强在12月底表态最迟在1995年春季就能拿到货款。

这是一个让人满怀希望的决定，也是一个让人快要崩溃的决定。

由于临近元旦春节，大工程快完了，侯卫东和曾宪刚商议决定：将芬刚石场停产。等到益吴路启动的时候，再开芬刚石场，零星小量的碎石，由各自独立的石场供货。

侯卫东趁着这个休息间隙，认真地总结了这大半年的生产。根据沙州市下发的规章制度以及狗背弯石场的实际情况，制定了《狗背弯石场安全生产十二规定》。规定要求每位上工的村民记熟，违反一次，扣钱十元，违反两次，扣钱五十元，一月违反三次，卷铺盖走人。

何红富天天盯在现场，他脑子灵，积累了不少经验。侯卫东虽然表面上多花了钱，但是请了一个得力助手，也就轻松了不少。货运量少的时候，他隔个三五天不去石场，也没有任何问题。

初至上青林的时候，侯卫东感到边缘化。一年过去，他在上青林变得超脱起来。

侯卫东偶尔打扫办公室和会议室，喝点热茶，看看报纸，想一想石场的事情，按时到镇财政所领工资。不时到曾宪刚和秦大江家里去喝些小酒，还跟着贺合全到比较偏僻的林子去打了几次野山鸡。

如果没有理想和追求，这种生活其实也还不错。

第八章
要理解领导话外的意思

认识社会大哥

侯卫东正与交通局刘维在益杨宾馆喝酒，就接到了项目经理梁必发的电话。

“卫东，你到新天地来，我介绍几个朋友。”

“我正在益杨宾馆喝酒。”

“你做石场生意，各种人都要认识。今天介绍一位大哥，少啰唆，赶紧过来。”梁必发很江湖地下了命令。

侯卫东这才赶到了益杨新天地酒店。刚下车，一位短发年轻人走了过来，恭敬地道：“你是疯子哥？老大让我来接你。”

此人神态和动作就如香港电影中的黑社会马仔，侯卫东心里存了几分疑惑。进门见里面是一张大桌子，足足坐了二十人。除了梁必发和工程部的人，另外还有几个神情陌生的年轻人。

梁必发满脸红光，挥手道：“疯子，过来坐。”他身边坐着一个神情有些阴郁的短发人，等到侯卫东进来，发了话：“老七，给疯子腾一个位置。”

梁必发身边的一个年轻人站了起来，道：“疯子哥，里边坐。”

看到这种场面，侯卫东在心里打鼓，心道：“这是些什么人？”

梁必发端起两杯酒，道：“黑娃，这是我的好兄弟，疯子。”

黑娃是益杨县大名鼎鼎的人物，读高中时打架不要命，被开除以后就混社会，也算是益杨江湖上的一号人物。

“真是黑社会。”侯卫东心里很有些吃惊。

黑娃很有社会大哥的气质，道：“疯子是梁哥的朋友，那没有话说。今天第一次见面，换大杯。”

服务员拿了两个高脚玻璃杯子，黑娃倒了两杯酒，他举起一杯道：“第一次见面，喝大杯，加深印象。”

黑娃仰头喝了以后，几个光头年轻人就盯着他。侯卫东一咬牙，将这酒利索地倒进肚子。

两人的爽快，赢得满堂喝彩声。

在益杨宾馆，侯卫东已经喝了六七两白酒。这接近三两白酒喝下去，头开始晕眩了，也放松了警惕，很高兴地与众人喝酒。酒宴结束，梁必发拍了拍他的肩膀，道：“疯子，上去。”

侯卫东迷迷糊糊跟着梁必发转着圈子。上了楼，梁必发将他朝床上一推，就关门离开了。过了一会儿，一个十七八岁的年轻女子走了进来，帮侯卫东脱下衣服以后，麻利地脱得精光，开始为醉倒在床上的侯卫东服务。

昏头昏脑的侯卫东突然感到胸腹中一阵排山倒海，他跳起来就找厕所。低头看自己赤条条的，刚拿起衣服，就控制不住自己，跪在垃圾桶旁边，一阵狂吐。

吐完之后，侯卫东头脑反而清醒了。这种香艳场面经历了数次，他早已不是吴下阿蒙，因此并不吃惊，头脑中立刻浮起了黑娃两个字。由于家中父兄都是公安，他深知黑社会沾不得，便将这个漂亮女子视若无物。

女子眼中流露出一丝害怕的神情道：“黑哥打了招呼，如果没有陪好你，我要挨打。”

侯卫东不理她，穿上衣服，转身就走。

出了房间，见拐角处坐了两个黑衣年轻人。他们见侯卫东出来，便道：“疯子哥，这么快就出来了？”

侯卫东道：“喝得这样麻，在她身上顶来顶去，就是硬不起来，妈的，下次来耍。”

黑衣年轻人笑了几声，陪着东倒西歪的侯卫东下了楼，道：“疯子哥，有车送你回去。”坐上桑塔纳，侯卫东不愿意这些人知道他的去处，灵机一动道："把我送到沙州学院大门。"

沙州学院沉浸在夜色中，绿树也只剩下剪影。隔了十几米，便有一盏路灯，在路面形成一个光亮的圆圈。学生们一如往常，在校园内穿梭，一对一对的情侣在树影之下或是牵手或是相拥。

侯卫东是以一个醉汉的身份穿行在校园内，脚步踉跄，酒劲不断往上涌。他在路边寻了一个黑暗处，扶着一株树就是一阵狂吐，惊起了树下一对情侣。女的道："这人太没素质，你不准这样喝酒，否则不要你。"男的骄傲地道："我是法政系的，怎么会干这种事情？"

吐完之后，侯卫东买了一板乐百氏。乐百氏这种酸酸甜甜的味道，平时他是不喝的，今天喝起来觉得味道不错，他坐在石凳子上接连喝了四瓶。

坐了一会儿，感觉才稍好一些，他凭着感觉朝招待所走。路过小书店的时候，他头脑越来越迷糊，下意识就拐了进去。他随手抽了一本交通方面的书，打开去看却是花麻麻一片。

"侯卫东，你怎么在这里看书？"一个悦耳的女声响了起来。

侯卫东手中书没有拿稳，"啪"地掉了下去，他扶着书拒就弯下腰拣书，起来之时，胸口又是一阵酒涌，差点吐了出来。他抬起醉眼看了一眼，眼前是一位很安静的短发佳人。他直起腰，竭力保持着镇静，道："郭兰，你怎么跑这里来玩？"

郭兰已经闻到了扑面的酒味，道："我住在学院里面。"

"我是沙州学院毕业的，以前怎么没有见过你？"

"我家在里面，但是没有在沙州学院读书。"这些事，互相都说过，郭兰见他说话不清，知道他是彻底醉了。

"我知道你的父母是学院的，我考进沙州学院，你就考了出去，我毕业，你又回来了，看来我们两人总是擦身而过。"酒精上脑，侯卫东在美女面前开起了玩笑。

在最痛苦的时候，郭兰偶然接受了侯卫东的无意帮助。由于那一次经历，她对侯卫东一直心存好感，见他醉得不行，道："你喝醉了，跑到学院里来干什么，快回家。"

"我家在吴海县，益杨没家，等会儿我住在学院招待所。"

"原来如此。"郭兰明白了为什么能在后面的舞厅遇见侯卫东，她两条眉毛弯在了一起，劝道："你书都拿不稳了，快去休息了。"

侯卫东跟着郭兰朝外走，小书店门外有几步梯子，下梯的时候，他差点摔倒在地上。郭兰见他实在太醉，上前扶着他，责怪道："喝这么多酒干什么嘛？走，我送你到招待所。"

"酒是好东西，古人说得好，何以解忧，唯有杜康。"

"你有什么忧愁，是为赋新词强说愁。"

"家家有本难念的经，你在组织部，当然体会不到我的痛苦。"

好不容易将侯卫东拖到了招待所，郭兰让他躺在床上，扯了一床被子盖在他身上，捂着鼻子将皮鞋给他脱下来，然后匆匆离开了。她回到家里，觉得自己也有一身酒味，洗了个澡，才将这难闻的味道去掉。

第一次安全事故

到第二天10点钟，侯卫东才从沉睡中醒来，醒来之时，愣是半天也不知自己在哪里，看到了桌子上的沙州学院招待所七个字，这才明白身处何方。他只能想起从桑塔纳车上出来的情景，进入学院这一段，他居然完全遗忘了。

"是谁送我进来的？"

服务员也是沙州学院教师的家属，她认识郭兰，此时毫不客气地打量了侯卫东一会儿，道："你醉得走不动，是郭兰帮你订的房间。"

"郭兰，怎么是她？"侯卫东苦苦地想着昨天的事情，这一段时间如真空一样，没有丝毫踪影。他用力地拍了拍头，心道："看来以后还是少喝醉，黑娃这种酒，更不能喝。这个梁必发，怎么跟黑社会搞在一起？"

正在这时，传呼机响了起来，侯卫东接过来一看，顿时跳了起来。这是一句短短的留言："田大刀石场砸死人，速回，何红富。"

虽然不是自己的石场出了事故，却是上青林石场的第一次事故。侯卫东不敢怠慢，招了一辆出租车，匆匆赶回上青林。

到了小院，就见到满院子的人，这些人群情激昂，在院子里大吼大叫。好几个人认识侯卫东，抓住侯卫东就道："侯疯子，你是政府的人，要给我们做主。"一些后来进院子的人，看见几个人围住了侯卫东，冲上来道："打死了人，你他妈的还要跑？！"一个年轻人飞起一脚向侯卫东踢了过来。

有人喊："这是侯疯子，打错人了。"

侯卫东扯过一位熟识的村民，道："到底怎么回事？"村民道："田大刀的石场砸死了人，一块石头从采石台上碰了下来，将刘家二娃脑袋碰开了花，当场就死了。田大刀说去找钱，跑了。"

侯卫东脸色苍白，暗道："被我不幸言中，还是出了安全事故，幸好不是狗背弯。"他又问道："这么多人围在这里干什么？"

村民道："田大刀的老婆住在这里，他们将刘二娃抬了过来，如果镇政府不解决，他们要将刘二娃抬到县政府去。"

侯卫东道："田大刀石场是私营企业，又不是镇政府的企业，和政府有什么关系？"

那村民道："他们不管这些，镇政府不管，就到县政府去。"

侯卫东拨开人群走了进去，一副门板放在地上，上面躺着一个三十多岁的汉子。那汉子浑身是血，特别是头顶上有一个大洞，足有拳头大小。石头把那汉子的头颅碰变形了，血肉模糊，颇为吓人。

一个半大孩子蹲在旁边哭，另一个不到三岁的小孩子，坐在一旁玩着地下的小石头。三岁小孩子不明白到底发生了什么事情，玩得津津有味。里屋传来一阵吵闹声，过了一会儿，几个女子拉扯着从伙食团的大门走了出来。池铭头发散乱着，鼻子被打破了，鲜血直流，脸上青一块紫一块。

"你们找田大刀，找我干什么，我又没开石场。"池铭不停地挣扎。

习昭勇脸色铁青，大声吼道："你们这是干什么？有问题就解决，政府马上派人上来了。喂，不许打人！"

人群中传来一阵吼声："她和田大刀是一家的，田大刀跑了，她要赔钱！"

高长江也在人群中，他高举着双手，道："你们这么多人围在这里干什么？不是刘家的人全部出去。二娃家里的，找点水给刘二娃洗洗，再找件新衣服换上。"

在习昭勇和高乡长的招呼之下，众人慢慢地朝外院退去。忽然，一阵惊天的哭声响起，刘二娃的母亲从外院冲了进来。众人一直瞒着她，可是这么大一件事情又怎么瞒得了！她得知了情况，发了疯朝老乡政府赶了过来。

进院以后，刘二娃母亲就扑在儿子身上。哭了一阵，她突然跳了起来，速度快得惊人，扑到了池铭身前，手一扬，用力地打了下去。

只听得池铭“啊”地叫了一声，脸上冒出了血花。

刁昭勇冲上去，将她拉开，顺手将其手上的尖石头夺了过来。

侯卫东刚开始时发了一会儿愣，这时终于清醒过来。他看见池铭头上鲜血直流，大声道：“不要打人，打人犯法，把池铭带出去。”

除了刘二娃的母亲和媳妇，其他人吼得凶，动得少。此时他们见池铭满头是血，也不知伤得多重，便闪开了一条道，杨新春等人趁机将池铭扶了出去。

池铭一走，两个女人扑在刘二娃身上嚎哭，两个小孩也跟着大哭起来。

正在混乱之时，院子外面响起了几声喇叭声，晁胖子和企业办李国富等人走了进来。下青林镇有好几个煤矿，死人之事难免，企业办应对这些事情，有着相当的经验。

企办室主任李国富是干瘦的中年人，他跳上了一个石墩子，道：“我是青林镇政府企业办公室的李国富，受领导委托，来处理这件事情。事情已经发生了，肯定要解决，你们不要堵着大门，刘家的亲属先把人抬回去，找几个代表到小会议室。”

李国富在部队当过司号员，声音极为洪亮，一下就将乱哄哄的众人镇住了。他们一齐伸长了脖子，看着精瘦的李国富。

这时，何红富、曾宪刚等人都闻讯赶到了老乡政府小院子。这几人与石场有关，见田大刀石场出了安全事故，都暗叫侥幸。

何红富站在侯卫东身边，道：“疯子，你倒有先见之明，回去我们把安全规则再看一遍，让工人们必须背熟安全十二条。”

侯卫东正有此意，道：“光靠背条例也不行，我们要在石场上设一个安全员。只要石场开工，就要随时检查安全，安全要成为矿上的高压线，无论如何都不能碰。”

看热闹的人越来越多，有的开始说怪话了：“真是想钱想疯了，连命都不要了，我就算是天天在屋里吃咸菜，也不到矿上去。”有的吼道：“让田大刀把赚的钱全部赔出来。”这些人见石场车来车往，虽然不知内情，也猜到石场老板肯定赚了钱，眼红起来。此时见石场出事，便幸灾乐祸地乱起哄。

李国富在会议室唱起了主角，道：“矿山企业死亡赔偿，县里面是有规定的，我给你们读一遍。”他取出一个发黄的小册子，念道：“矿山类企业工伤及死亡的赔偿标准，参照沙州市1993年标准制定……”

读完规定以后，家属就开始大吵大闹。刘家母亲哭道：“一条人命才值两万块钱，这是哪家的王法？”刘二娃媳妇则哭道：“办丧事就要花好几千，你们赔这点钱，让我们孤儿寡母以后如何生活？”

晁胖子分管企业和计划生育，这本是镇里两个美差，可是有利必有弊。近年来，随着企业增多，事故不断，去年下青林煤矿发生了一起重大透水事故，死了三人，他被县里记大过一次。今年煤矿企业倒还平安无事，石场却死了人。

李国富对这种事情见惯不惊，面对哭泣吵闹的刘家人并不退让，道：“遇到这种事情，你们的心情我理解，也深表同情，但是企业出事故，赔多少，政策都有规定。企业只能按照这个来赔，政府的责任是督促企业及时全额赔付。”

愤怒的刘家人已经忍耐不住了，刘老头使劲拍打着桌子，一把鼻涕一把泪地道：“我们不要钱，只要我娃，把田大刀交出来我和他算账。”

晁胖子道：“老刘，你要讲道理，我们是来帮你做工作，如果你这个态度，我们就不管你，你自己去找田大刀。”他威胁道：“刚才是谁打了池铭，如果造成了后果，要判刑。”

刘老头跳起双脚骂道：“我知道你们是官官相护，不把事情解决了，我就把娃抬到县里去。”

侯卫东是第一次经历这种调解，心道：“老刘死了儿子，本就悲伤，晁镇长这个时候去威胁老刘，可能会适得其反。”

谁知，晁胖子发出威胁之言，刘家亲戚反而没有了语言。

晁胖子对刘老头道：“你这是无理取闹，不管你把人抬到哪里去，都是这个价钱。”他缓了缓口气，道：“你这个当父亲的，心肠也狠。自古讲究入土为安，你把刘二娃抬来抬去，让他走得不安心，这是何苦？”

刘老头被说到痛处，掩面呜咽。

就这样磨来磨去，很快过了6点，刘老头一家人最后还是接受了企业办的调解，赔偿价为两万六千元，钱款在两个月内付清。

“一条人命就值两万六。”作为石场老扳，侯卫东暗暗松了一口气，但是作为一个有同情心的人，一条人命的价格却让侯卫东感到心酸。

刘老头一家人抬着刘二娃，哭哭泣泣地回去了。

停产整顿

等到刘家人离开，晁胖子神情轻松下来，对李国富道：“通知发出去没有？”

李国富一拍脑袋，道：“哎，看我这记性，刚才忙着应付这一帮子人，完全忘了。”他看了周围一眼，道：“侯卫东在这里，田大刀跑了，习昭勇在楼上，那就只需通知秦大江和曾宪刚。”

等到工作组去出通知，李国富笑道：“晁镇长，工作是永远干不完的，趁他们还没有到，先把肚子填满了再说。”他又对侯卫东道：“侯大学，今天晁镇长上山，主要是解决石场的问题，你还是请个客，感谢下晁镇长。”

侯卫东爽快地道：“好，就到基金会那边去吃，我先过去安排。”

基金会旁边的小馆子是侯卫东、白春城这伙人的据点。老板听了侯卫东安排，飞快打开冰柜，提起大柄菜刀，菜刀如飞，很快就将一只冰得硬硬的鸭子斩成均匀的小方块。然后又倒菜油入锅，放上豆瓣、姜丝、黄酒等调料、作料炒香以后，将鸭块倒进去一阵爆炒，很快就香气扑鼻。

坐定以后，大家一阵狠吃，总算把肚子填饱了。晁胖子问道：“侯卫东，你是机关干部，怎么开起石场了？纪委有规定，干部不准经商办企业。”

侯卫东早就有所准备，道：“晁镇长，狗背弯石场的法人代表是刘光芬，具体管事的是何红富，和我没有什么关系。”

晁镇长只是随口一问，也没有想到要追究他的责任，道：“你别解释，这事大家都清楚，你小子打擦边球。”

等大家吃完饭，秦大江和曾宪刚也来到了老乡政府。会议室灯火通明，人声鼎沸，侯卫东到了上青林乡，这还是第一次开夜会，凭直觉，他感到晚上开这个会不是好事。

果然，会议开始，晁胖子脸色就变得格外认真严肃，语气冰冷：“每年县里下给我们的死亡指标只有五个，都是给煤厂下的，谁知石场也出了事故。今年镇里安全工作又要被县里批评，田大刀石场的安全事故，我们必须好好总结。”

所谓死亡指标，是县政府在年初下给各镇的一个允许企业死多少人的指标。只要在这个指标以内，安全生产都算合格。青林镇有好几个煤厂，死亡指标是五人，这个指标从理论上说起来很无聊很荒诞不经。但是，在现实生活中，这却是一个很实际的指标，也是一个得到大家认同的指标。

“现在我宣布镇党委、政府的两个决定。

“第一，从明天开始，上青林所有石场全部停产整顿，由企业办进行检查。什么时候符合安全要求，就什么时候恢复生产。哪一家企业符合要求，哪一家企业恢复生产。

“第二，为了杜绝出了事故就跑人赖账的现象发生，切实对工人负责，实行保证金制度。芬刚石场、狗背弯石场分别上交保证金三万元，秦大江石场、曾宪刚和刁昭勇老婆的石场上交保证金两万元。一个月内，自觉到企业办去交清。一月之内不交清，停止供应炸药。”

这两个要求一说，侯卫东、秦大江等人就傻眼了。

秦大江瞪着眼，道：“我没有钱，镇里让交通局把款结了，我就交保证金。”

晁胖子同样身高体胖，也瞪着眼，道：“交通局不欠镇里的钱，我们凭什么去找交通局？”

曾宪刚叫苦道：“我们确实没钱，保证金晚几个月再交。”

刁昭勇是以他爱人的名义开石场，他是派出所民警，向来不把晁胖子放在眼里，道：“交保证金是依照的哪一条哪一款？没有依据收钱，就是乱收费。”

晁胖子一时语塞，想了一会儿，威胁道：“你们不交保证金也可以，从明天起就停电停炸药。”

对于青林镇政府的决定，上青林石场老板们统一了应对之策：按要求停产，不交保证金。

上青林石场全部停产以后，沙益路立刻无米下锅，公路建设被迫停了下来。交通局副局长朱兵带着项目经理梁必发直奔上青林。

听说了缘由，朱兵道：“矿山企业出事故是难免的，不能因为出了一次事故，就将所有的石场关闭了。这好比小孩子做了错事，教育批评就行了，如果不分青红皂白统统杀掉，就太极端了。”

侯卫东委屈地道：“镇政府要停水停炸药，我们胳膊扭不过大腿。芬刚石场和狗背弯石场还要各交三万元保证金。朱局长，从沙益公路开工以后，我们上青林石场天天都在连轴转，没有停过一天，也没有得到一分钱，各石场都是贷款经营，实在没有钱来交保证金了。如果镇里强迫交保证金，石场真的没有办法进行生产了。”

梁必发最了解石场情况，打抱不平起来，道：“上青林几个石场都是贷款来生产，算是尽力了，局里应该付点钱。”

全额垫资是李冰副县长和曾昭强局长订下来的。朱兵作为副局长，自然不能随口乱说，道：“我马上到镇里去找秦镇长，无论如何也要恢复生产，狗背弯石场的安全措施最好，侯卫东要做好恢复生产的准备。”

侯卫东见事态果然如此发展，道：“朱局长一声令下，我立刻恢复生产。只是保证金的事情，请朱局长给镇里说说，如果能付点钱给我们，当然更好。”

朱兵一行人掉头下山。

由于马有财县长率领包括秦飞跃在内的十名镇长到山东寿光考察农业，镇里就只有一个老板——书记赵永胜。见面之后，寒暄几句，朱兵直奔主题，提出了恢复生产的要求。

赵永胜考虑了一会儿，道：“沙益公路是县政府的重点工程，我们肯定要支持。可是上青林石场才发生了安全事故，如果不进行整治，再出问题，谁也负不起责任。”

此时沙益路已是到了全线施工的紧张时期，工期拖延一天就多一天的成本。曾昭强给朱兵下了任务，无论如何也要保证碎石供应。朱兵道：“赵书记，矿山企业出安全事故是难免的，我们的安全措施只是将事故降到最低，所以县里每年才会下死亡指标。沙益路是县里的重点工程，李县长是指挥长，他指示一定要保证碎石供应。”

赵永胜靠着大班椅，沉吟了一会儿，道：“朱局长，这样办，我们派企业办到上青林去搞安全验收，安全达标的企业就可以恢复生产，不符合的还是要限期整改。至于保证金，倒是可以缓一缓。”他解释道：“这一次石场出了安全事故，田大刀跑得不见人影了。赔款只有政府垫着了，所以镇里强调要收保证金。”

达成协议以后，晁胖子和企业办主任李国富带了三人，跟着朱兵一道上山，通过检验，符合安全生产条件的就只有狗背弯石场一处。芬刚石场由于是合伙企业，虽然侯卫东极为重视安全事故，可是涉及投入，就不得不考虑曾宪刚的意见，安全措施不如狗背弯石场那么彻底。

最后经过协商，镇里同意狗背弯石场恢复生产，其他的石场进行整改。

随后的几天，狗背弯石场就被货车包围了。以前五个石场的车全部集中在了狗背弯，从狗背弯的料场一直到公路上，全是等待着拉货的大车。侯卫东将芬刚石场的机器和工人借了过来，加班加点地干，还是满足不了需要。

上青林的石头有着得天独厚的条件，质量在益杨县是数一数二，而且土层浅，开采成本低，价格相对便宜。施工方最喜欢用上青林的碎石，上青林石场突然供应不足，沙益路进展也就极为缓慢。

眼看着施工受到了影响，曾昭强亲自给赵永胜打了电话，将县长马有财也抬了出来。赵永胜只得同意让上青林石场全部上马。

除了田大刀石场，另外三个石场重新开工，狗背弯石场的压力顿时就减轻了。

哑炮

在热火朝天的生产中，1994年如黄鳝一样匆匆滑走，1995年也就如期而至。沙益公路进入了扫尾阶段，用石量大大减少。

1995年元旦，市建委组织游黄果树，小佳随团服务。

侯卫东只得守在工地上。如今，他将打扫办公室和会议室的任务早就抛在了脑后，拿着镇政府的工资，一心一意地干着私活。日子虽然潇洒，仕途上却毫无作为。

小佳毕业以后，一直都走得较顺，虽然她拒绝了步高的追求，步市长以及建委也没有给她小鞋穿。她在建委办公室的工作岗位上干得颇为顺手，被推荐参加了沙州市组织的妇女干部班，前途看好。

1月8日，小佳从黄果树旅游回来，晚上通电话之时，说着说着，不知怎么回事，两人争执起来。仕途不畅是侯卫东的隐痛，被小佳说了几句，他的自尊心受了伤害，放下电话，难受了许久。

过了一个小时，小佳给侯卫东的中文传呼机留了言：“对不起，老公。”小佳的道歉让侯卫东更不是滋味，早上醒来仍然觉得郁闷。他早早地来到了狗背弯，狗背弯到处是灰尘和石头，却是他的领地，一切由他说了算。侯卫东在这里除了有利益以外，还有自信和尊严。

何红富见他来了，赶紧过来商量事情。

10点30分，忽然从石场外跑进来一个人，他惊慌失措地道：“不好了，秦大江石场出事了！”

青林石场用炸药的模式是用风枪打炮眼，将炸药装进炮眼里，再用导火索点燃来进行爆破。导火索有慢索有快索，遇到特殊情况，还有哑炮，最危险的就是这种哑炮。

秦大江石场有两个放炮员，一个有放炮证，一人的放炮证正在办理当中。今天当班的恰是正在办证的新手，他遇到了一个慢索，这个慢索也慢得稀奇，整整慢了二十多分钟。这个新手耐不住性子，认定这是一个哑炮，谁知刚刚走近哑炮，灾难便发生了。

这一次死亡事故更加惨不忍睹，放炮员被炸得血肉模糊，更准确地说，被炸得支离破碎。另外还有几人被飞起来的碎石炸伤，幸好这几人全是轻伤。

等到侯卫东跑到秦大江石场之时，石场已经围上了许多村民。侯卫东顾不得礼貌，不客气地将村民推开，冲进了秦大江石场。

秦大江如泥塑一样，眼神涣散，站在石场前。他的石场有二十多米高，石壁一层层切上去，站在下面感觉特别壮观，在他脚下有一段血淋淋的身体，头不在了，只剩下大部分的躯干。

前一次死人只是脑袋上有一条大口子，侯卫东的心理还能够承受。此时，见到血淋淋的尸体，他忍不住大口大口地吐了出来。吐完之后，他冷静了下来，对紧跟在身边的何红富，道：“你赶快跑到场镇邮政代办点，给企业办李国富打电话让他们赶快上来。”

村委会主任江上山也来到了现场，他跺着脚道：“到场镇抬一口棺木来，把蒋三收拾起来。”可是看着残体，无人敢上去收拾，最后，江上山和侯卫东两人趴在堆积成小山的乱石前，一边呕吐一边将蒋三身体的碎片收拢起来。

秦大江呆呆地看着这一切。侯卫东认识这个蒋三，他的两个哥哥都是蛮横之人。如果他们来了，秦大江恐怕无法应对。侯卫东拉着秦大江，沿着公路就朝下走，让他暂时待在何红富家里。

当侯卫东回来之时，蒋家兄弟正在石场发疯一样地寻找着秦大江。一个小时以后，企业办李国富就带着人来到了石场。

在乡政府召开协调会，吵着闹着，仍然将赔偿金谈到了两万六千。

三个月的时间，接连出两起安全事故，虽然不是群死群伤，仍然让县里极为重视，派了纪委、乡企局组成调查小组，到青林镇了解情况。由于被炸死的蒋三拿不出放炮证，这件事情就有些微妙，不单纯是安全事故。

镇长秦飞跃面对着调查小组，义正词严地道："第一次发生事故的时候，我提出必须停产整顿。如果真的停产整顿，我相信这次安全事故完全能够避免，但是上青林石场并没有停产整顿。我们必须追究相关领导的责任，人不是韭菜，生命只有一次，决不能儿戏。"

其锋芒直指书记赵永胜，正是他同意上青林石场恢复生产。

第二次出事故，上青林所有石场终于被强行关闭了。

此时沙益公路已基本完工，交通局也就懒得管上青林的石场。

临近春节，村民们家家户户都杀了年猪，准备享受一年的劳动成果。在上青林响了大半年的爆炸声和风机声终于停了下来。

忙了半年，如今彻底空闲了下来，侯卫东无所事事，只觉上青林的日子无聊透顶。他的全部家当都在石场里，交通局挂着巨额钱款，他是一位名副其实的富翁，可是身上所有的钱加在一起也不到一百元。手中无钱，他也就没有心思四处乱跑，耐着性子等待着镇里面发工资和年终奖。

侯卫东又回到了初到上青林之时的看报纸时光，唯一不同的是，每天10点过，肯定有村民请他吃饭。村民们为了表示好客，总是想方设法要让侯卫东吃好喝好。这一圈吃下来，侯卫东醉了无数次，达到了闻酒色变的地步。

侯卫东在山上逍遥自在，不理会书记赵永胜和镇长秦飞跃的龙争虎斗。这些事现在和他没有任何关系。

赵永胜的日子并不好过，第一次停产以后石场隐患并没有得到彻底根治，就匆忙上马。虽然是迫于县政府重点工程的压力，可是"把关不严"的大帽子，还是扣在了赵永胜头上。

而且在第二次事故中，被炸死的放炮员没有拿到放炮证，这是严重的违规操作了。秦飞跃在县委分管组织人事的赵林副书记面前，多次提起这事。县里赵林副书记和镇里赵永胜书记，虽然五百年前是一家，但是两人的关系并不因为同姓赵而亲密。听了秦飞跃的话，赵林副书记对赵永胜有了看法。

俗话说：猪朝前面拱，鸡朝后面刨，各有各的办法。赵永胜到县城里跑了两天，然后回到镇里，继续主持镇党委工作。

在临近春节的时候，县里的处罚决定终于出来了：分管企业的晁杰副镇长被记大过。

镇里面除了责令秦大江交清赔偿款以外，还罚款一万元。这两项处罚，合计三万六千元，让秦大江欲哭无泪。

侯卫东为了秦大江的事情，数次找朱兵副局长汇报。局长曾昭强顺利完成了沙益路的修建，心情大悦，见秦大江的情况确实特殊，由交通局提前付了四万块货款，用来解决秦大江的赔款。

这一笔钱款对于秦大江来说，无异于雪中送炭。离开交通局财务室时，他用手撑住了侯卫东的肩头，这才下了楼梯。

朱兵知道田大刀无钱赔偿，已经被迫离家出走，便建议将田大刀的货款也支付一部分，曾昭强点头同意了。朱兵回到办公室，将这一个消息发给了侯卫东。

侯卫东知道田大刀处于水深火热之中，便让秦大江租了一辆出租车，他则直接去了池铭的老家。

池铭被打伤以后，脸上就留了一块伤疤。她请了半年病假回家养伤，养伤其实是暂时的，最主要的是躲债。一路问到了池铭家，敲了数遍，问了数遍，门才打开。池铭脸上有一块长长的伤疤，看上去颇为惊心。她见是侯卫东，下意识地用手遮住了脸。

"赶快把田大刀喊过来，好消息，交通局提前支付四万元的货款。"

听说了交通局支付货款的请息，池铭紧绷着的脸明显松了下来，道："快进来，刘家的人找到这里两次了。我真是怕了，赔了钱以后，再也不开石场了。"

池铭的妈妈胖得没有身材，相貌却很年轻，看上去还不到五十岁。她怒气冲冲地道："幸好钱到了，要不然这日子没法过了。前天刘家还来了人，被我提起菜刀赶跑了。这些人真是不讲道理，把池铭打得这么惨，我要去告他们。"

池铭道："妈，刘二娃死得也惨，家属闹一闹，也情有可原。"

侯卫东接口道："池铭，你的脸伤得这么厉害，算是破了相。你可以向法院起诉刘家，让刘家赔你的损失费，这种事情人证物证皆在，一定能胜诉。"

池铭闭上眼，时常会想起刘二娃脑袋上血淋淋的大口子，摇摇头道："刘二娃死得惨，这事就算了。"

池铭母亲问道："田大刀说交通局有十几万的货款，这小子是不是在吹牛？"

"我不知道田大刀给沙益路送了多少石头，不过肯定不止四万元。"

池铭母亲脸上露出笑容，道："这样算起来，赔了两万六，还赚得到钱。"

池铭道："还有工资钱没有付。"

池铭母亲道："工资能有多少？看来这石场生意还可以做。过了春节，让田大刀还将石场开起。"

池铭不高兴地道："听说秦大江的石场又炸死了一个，开石场太危险了，以后再不也开了。"

池铭母亲道："你这个傻瓜，这么赚钱的生意，怎么就不做了？死了人怕什么，大不了赔钱就是了。"

池铭问侯卫东："春节过了，你的石场怎么办？"

侯卫东道："规范了安全制度以后，还是要开。"

池铭母亲道："你看，别人多有头脑。池铭真是笨，找个丈夫没有工作，明明赚钱的生意又不想做。"

池铭这下是真的生气了，道："妈，你乱说些什么？"

侯卫东谢绝了池铭的挽留，离开了池家。

回到家后，侯卫东到了秦大江家。秦大江见了他的面，道："喝酒，不醉不准走。"侯卫东环顾左右，道："钱给了吗？蒋家是什么态度？"

秦大江点了头："我直接坐车到了蒋家，蒋家两兄弟看到我还凶得很，一听说给钱，立刻给老子端茶倒水，数了钱，挽着我的手又成了兄弟。他妈的，前几天还提刀要砍我，都是见钱眼开的人。蒋兄弟死得惨，便宜了这两个狗东西。"

见到秦大江轻松下来，侯卫东也跟着高兴。

秦大江顺利赔了钱，胆子又壮了起来，就琢磨着开工之事。

深度合作

1995年2月9日，侯卫东拿到了沙益公路的第一笔款，一共三十万，狗背弯石场二十万，芬刚石场十万。侯卫东付清工资以及其他杂费，还剩下六万。侯卫东算了算，他吃了一惊，剩在交通局账面上的六十七万元就是纯利润。

侯卫东暗道："第一桶金被我挖到了？"

2月10日，侯卫东得到朱兵副局长的内线消息："益吴公路益杨段也要在近期启动。"

狗背弯石场开始扩建堆料场和入场口，而其他石场都处于半停工状态。

16日，一个天气晴朗的日子，侯卫东仍然泡在石场里，传呼响起，交通局朱兵留言："在山上等着，我很快就过来。"

侯卫东拿到钱以后，原本想买一个最新款的摩托罗拉手机。据说是新型的数字机，和老式模拟机相比，性能好得多。只是这种款型的手机太贵，和一台小型碎石机差不多了，他就有些舍不得。而且上青林山上信号不太好，买来也没有多大用处，纯粹是一个摆设，所以就仍然就用中文传呼机。

在狗背弯石场等了一会儿，见到两部车开了过来。第一部是一台进口车，侯卫东认不出是什么牌子，只觉得外观比桑塔纳流畅，车面亮晃晃的可以当镜子。第二部就是朱兵副局长的桑塔纳。

等到侯卫东走近，朱兵道："曾局长来视察石场，考察益吴路的材料准备情况。你详细介绍一下狗背弯石场的情况，尽量实事求是，曾局长要听真话。"

与前一次开会时相比，曾昭强态度很和蔼，穿了一件灰色夹克衫，背着手，仔细察看了狗背弯石场的设施，还和蔼可亲地与正在加班干活的村民聊了一会儿天。

看完了狗背弯，又到了曾经出过事的秦大江石场。

由于沙益路结束以后，山上就没有大用户，小用户则是哪里便宜就到哪里进货。山上的小石场如雨后春笋般冒了出来，价钱杀得太低，秦大江石场就处于半停产状态，四处都是乱蓬蓬的片石和灰尘，一架损坏了的碎石机被丢在石场下边，给人感觉很不好。

曾昭强眯着眼睛，抬头看着十来米高的开采区，半天都没有说话，四处转了转，道："去看田大刀石场。"

田大刀石场看上去更是触目惊心，整个石场依据山形展开，就像是一本对折的书。开采面接近二十米，坡度也特别陡，凭肉眼看，也能看出至少在七十度以上。

朱兵介绍道："这个石场出了安全事故，顶台上掉了一块拳头大的石块，当场就将下面的工人砸死了。"曾昭强"哼"了一声："你看他的管理水平，出事故是必然的，不出事才是怪事。"

除了狗背弯等几家大型的采石场，公路沿途还有好几家人也在挖山体的盖山，曾昭强指着这些人道："石场门槛太低，这样下去，不知还要出多少大事。我要给县里建议，设定石场标准，达不到这个标准，一律不准办。我们以后挑选供应商，必须到实地看现场，现场管理不规范的一律砍掉，以狗背弯为标准，达不到这个标准的，一律不准进货。"他加重语气道，"交通部门一定要为老百姓的生命安全着想。"

侯卫东很有些受宠若惊，高兴之余，想道："世上没有无缘无故的爱，按经济学上原理，天下不会掉馅饼。曾昭强这样做，到底是何意？"

视察完石场，曾昭强道："看了狗背弯和芬刚石场，我心中有数了，侯卫东不愧为学法律的本科生。今天由我请客，到益杨去吃狗肉，我知道有一家贵州特色狗肉，专门在夏天吃，而且只卖黄狗。"他兴致勃勃地道："吃狗肉也有讲究，最好吃的狗是黄狗，其次是杂色狗，最难吃的就是白狗。这个道理我也说不清楚，是实践中总结出来的。"

侯卫东已猜到曾昭强肯定有事，跟着他上了车。上车之后，曾昭强不再说话，车内只能听到发动机轻微的响声。

小车从上青林回到了益杨县城，停在一家装修平常的狗肉馆。门口有好几个女服务员，见是曾昭强，直接将他们带到了一个里间，司机就知趣地在外面抽烟。

闲聊了几句，曾昭强道："现在国家政策变化快，淘汰国有企业是必然之路。我昨天听马县长说，要在明年将所有镇属企业转制，给乡镇松包袱。"

朱兵接口道："益杨绢纺厂破产也是意料之中的事情，嫂子早点从厂里出来，也是一件好事，绢纺厂工作太累了。”

他对侯卫东道：“曾局长的爱人是绢纺厂财务室的。绢纺厂破产后，嫂子在家里闲不住，准备到上青林搞个石场。你开石场有经验，嫂子开石场的事情，还得麻烦你。”

上青林公路开通不久，侯卫东最初想封锁办石场能找大钱的消息。可是明眼人实在太多，山上很快就办起了五家大石场，另外还有许多小石场。这些小石场根本不计较成本，将价钱杀得极低。侯卫东无可奈何地接受了现实，只得在经营和销路上下功夫。

如今交通局长将触角伸了进来，侯卫东敏感地意识到其中的机遇，拍着胸膛道：“曾局长，你放心，有什么事尽管吩咐。”

曾昭强心道：“朱兵说得果然不错，侯卫东很会做人。”

朱兵拍了拍侯卫东的肩膀道：“找场地、与村里谈合同、找工人、办手续，这一整套事情全部由你来负责。石场办起后，严格按照狗背弯石场的管理模式来操作，绝对不能出事。”

“曾局长、朱局长，既然你们这样信任我，我就在这儿立下军令状，尽快把事情办好。”

曾昭强这才道：“这个石场是你嫂子和朱局长父亲具体管理。益吴路在7月份就要动工，争取新石场在6月份就能生产，把料备足。朱局长以后要对原材料把关，达不到生产标准的小石场，一律不能进交通局的笼子。”

侯卫东这才彻底明白：“这个新石场是曾昭强和朱兵合伙的。他让我跑前期工作，又不谈付钱的事，有点意思。”他想了想，提出了一个要求：“如果时间抓紧一点，上半年开工没有问题，为了加快进度，能否将货款再拨一点给我？”

曾昭强道：“这个问题我们已经考虑了，我已经给财务室打了招呼，先将狗背弯石场的所有货款付了。交通局钱很紧张，狗背弯石场是最好的石场，可以特殊处理，只是这事你一定要注意保密。”

事情谈妥当，隔了两天，侯卫东跑了一趟益杨交通局财务科。高建科长早已得到指示，很快将狗背弯剩余的五十四万货款全部转到账上。至于芬刚石场的十三万货款，则要等到下一步再说。

朱兵的父亲朱富贵也与侯卫东见了面。朱富贵曾经担任过国有企业的车间主任，现在退休在家，身体看上去比朱兵还要结实。见面之后，朱富贵和侯卫东约定，先由侯卫东找好土地，谈价钱的时候，他才出面。

侯卫东翻来覆去分析了当前形势，决定出钱给曾昭强和朱兵修一个石场。其实这是送一台能生钱的机器给两位局长，他的想法很实际："既然无法控制石场的竞争，就强强联合，形成垄断性的地位。"

接下来的十几天，侯卫东四处查看，在独石村又找到一处好位置。只是这个位置距离公路有三百多米，要修一条便道进去。

场地找好，侯卫东又与秦大江大体上谈好价钱，才把朱富贵请到山上，请他与秦大江谈占地以及修路协议。谈好协议，侯卫东将准备好的现金交给朱富贵，由他交给秦大江以及被占地的村民。

法律问题解决以后，朱富贵就下山了。

侯卫东出面请了二十几个村民，连夜突击修路，终于在春节前将大弯石场雏形弄好了。曾昭强夫人王英没有露面，只是工商执照上落着王英与朱富贵的名字。为了大弯石场，侯卫东总计投入七万五千六百元。建成以后，朱富贵正式接管大弯石场。

朱富贵很是客气："侯老板，我手头暂时紧了些，等石场出了效益，我们再谈前期投资的事情。"

侯卫东道："这些事先不谈，朱叔叔要先备好料，没有备料，生产紧张时，根本来不及。"

虽然花了钱，侯卫东心里却非常踏实。有了交通局两位局长撑腰，不愁货源，不愁收钱，只要生产正常，就等着数钱。

1995年底益杨要进行乡镇换届。这一次是县乡同时换届，人员变动很大。县里稍有级别的干部，在1995年初就开始未雨绸缪，开始考虑下一届去向。

青林镇赵永胜书记和秦飞跃镇长矛盾尖锐，他们两人的去向就格外引人注目。各种传言如春雨一般漫天飞舞。有人说，赵永胜要调到纪委去当副书记，秦飞跃当青林书记。有人说，秦飞跃要回乡镇企业局当局长，赵永胜继续当书记。还有人说，赵、秦两人搭班子的时候不团结，县里准备各打五十大板，两人各降半职，另行安排。

传言如兵法一样，虚虚实实，实实虚虚，让人摸不着头脑。进入4月以后，又传出了“赵永胜调到科委任主任，秦飞跃出任青林镇党委书记”的消息，这个消息流传最广，影响最大。

侯卫东躲在石场成一统，哪管春夏和秋冬。由于狗背弯石场正在全力备料，他每天都忙个不停。他对青林镇领导的走向没有太大兴趣，毕竟，流言最佳的传播者和接受者都是那些无所事事之人。

4月，秦飞跃在上青林召开了安全生产大会。

开会以后，秦飞跃再三强调安全问题。关于安全问题，三个村的干部耳朵都听起了老茧，个个都不耐烦。所幸秦飞跃只讲了半个多小时，就让村干部发言，又混了半个小时，秦飞跃大手一挥，道：“大家都经过血的教训，我就不废话了。今天会议到此结束，我请大家喝点好酒。”

此语一出，众人轰然叫好。

酒是益杨平时很少见的汾酒，秦飞跃弄了两件，让村干部敞开肚皮喝。结果十五个村社干部加上秦飞跃、高长江、侯卫东等人，将二十四瓶白酒喝完。散场之时，秦飞跃趁着酒兴，与每个村干部都握了手，说了些亲热话。

临走之时，每位村干部还得到一套床单。

秦飞跃先与高长江谈了话，又与侯卫东谈话：“侯老弟，你这两年在青林镇干得不错，我很满意。如果年底换届，我要想办法让你当上企业办主任。”

此时，侯卫东心里雪亮一片：“秦飞跃已经开始为年底的换届选举做准备了。”

秦飞跃深知他与镇党委书记赵永胜不和，赵永胜很有可能在选举中使手段。他在上半年就开始为选举做准备，只要准备工作细，就不怕赵永胜暗算。

但是千算万算，却没有算到他会意外出事。

4月17日，侯卫东从狗背弯石场返回老乡政府。刚刚走进院子，杨新春就兴高采烈地向侯卫东招手，道：“疯子，快过来，我给你说一件事情。”

侯卫东在山上一年多，早就和方方面面混得极熟。他来到杨新春的邮政代办点，一屁股坐在藤椅上，道：“今天有谁来找我？”他的宿舍已经安了程控电话，只是他平时多半不在家。因此，留给客户的号码就是杨新春的号，杨新春还专门拿了一个小本子记录电话内容。

杨新春没有拿电话记录本，一脸神秘地道：“镇里出大事了，青林镇在全县人面前出名了，你猜猜是什么事情？”

“不要吊我胃口，快说。”

杨新春口里啧啧有声，道：“今天我到政府拿报纸，听杨凤在说，秦镇长、晁胖子还有黄站长几个人，到望城山庄找小姐，被公安局逮到了。”

“什么，你再说一遍！”

“秦镇长、晁胖子还有黄站长几个人，到望城山庄找小姐，被公安局逮到了。”

秦飞跃喜欢到望城山庄去耍小姐，这事侯卫东知道，他也曾跟着去过好多次。杨新春一说这事，侯卫东就相信了。

望城山庄偏僻隐蔽，很有背景，老板多次保证，公安局绝对不会清查此地。“真是夜路走多了要撞鬼。”侯卫东感叹了一句，慢慢却又觉得不对，“怎么会如此巧，刚好逮住了秦飞跃？”

杨新春兴奋地撇了撇嘴巴，道：“秦飞跃平时端着架子，人模狗样的，谁知是一个大流氓。”

这句话说得刺耳，侯卫东正色道：“道听途说的话不可信。我劝你一句，有些话不要乱说，小心祸从口出。”

杨新春也觉得失言了，就道："我相信你，才说给你听。"

上了楼，高乡长从门口伸了一个脑袋，道："侯大学，到屋里来，我给你说一件事情。"

"镇里出了事，刚才赵书记打电话到家里，说是秦镇长、晁镇长和黄站长嫖妓被公安局抓了。"高长江神情激动地道，"这一两年，城里到处都是歌厅，小姐多得很，不知将多少干部拉下了水。这一次青林镇连镇长都被抓了，出了大丑。县委县政府肯定会对青林镇的班子另眼相看，影响之恶劣，也不知多少年才能消除。"

侯卫东暗道："秦飞跃到望城山庄去得太勤，这一次多半是被人做了手脚。"口里问道："具体是怎么一回事？"

"我也不太清楚，赵书记只是说嫖娼被抓了，让工作组注意掌握情况，不准工作人员议论此事。工作组要督促各村正常开展工作，绝不能因为这件事影响青林镇的发展。"

侯卫东心道："赵永胜这个电话一打，秦飞跃的名声也就算毁了，难以在青林立足，更别说与赵永胜争名夺利。"

虽然大家都说要保密，但是这个消息就如破堤的洪水，很快就在上青林传开了。秦大江、曾宪刚等人都打电话来询问，侯卫东一概回答："不清楚"。虽然他也对此事很好奇，但是他不想掺和在赵、秦两人的斗争中，压着好奇心，尽量不去打听不去议论此事。另一方面，他每天事情多，忙忙碌碌的，也没有时间去关心这些事情。

三天以后，事情真相也就出来了。

4月16日，秦飞跃在镇里召开了部分企业工作会。然后秦飞跃、晁胖子、黄卫革、周强、杨家福等人就坐车回到益杨城，就到了望城山庄吃喝玩乐一条龙。平时秦飞跃喝了酒，总要找山庄最漂亮的小妹来按摩，顺便亲热一番。那天由于才向老婆交过公粮，没有多少性趣，几个人就在棋牌室打麻将。

晁胖子性趣浓，找一个新来的小妹灭火。正在做活塞运动之时，被派出所民警抓了一个现行。

秦飞跃侥幸地躲过一劫。但是，上班时带着手下打麻将，副手在不远处嫖娼，这事无论如何也不好解释。他被县纪委找去谈了话，回来向县府办交了病假条，离开了青林镇。

不久，益杨县委对青林镇领导嫖妓事件作出最终决定：青林镇政府秦飞跃同志由青林镇调至开发区工作；青林镇晁杰同志党内记大过。随后，青林镇人大主席团召开代表会议，免去秦飞跃镇长职务，免去晁杰副镇长职务。农经站黄卫革，则被免去农经站站长和基金会主任一职。

这个事件中，最惨的就是晁杰晁胖子。因为石场安全生产事故，他被记了大过。时间不长，又因为嫖娼事件，被免去了副镇长职务。要想东山再起，只怕难上加难。

关于嫖娼一事，晁胖子被捉了现行，只得自认倒霉。秦飞跃最喜欢到望城山庄，和女人睡觉也是常事。但恰恰就是在出事当天，他突然对女人没有了兴趣，非要跑去打麻将。结果只有他晁胖子一个人被公安民警当场捉获。

他至今仍然记得很清楚，一位嘴唇还长着细细绒毛的年轻公安民警，最多不过二十出头，毫不客气地用警棍抽打了他的光屁股。虽然只打了两棍，也并不重，但是痛楚却永远留在了晁杰心中。很多天以后，他耳边都时常回响着警棍打在屁股上的“啪啪”声。他作为副镇长的尊严，被这两棍击得粉碎。

在这一次嫖妓事件中，公安民警在中午时间突查望城山庄，厉害得就如神兵天降一般。晁胖子就怀疑有人从中使坏，目标可能是秦飞跃，而他本人不过运气太差，成了替罪羔羊。至于谁串通公安，用屁股猜都清楚。赵永胜是秦飞跃最大的敌人，也只有书记才有能力调动公安。当然，晁杰的所有猜测都拿不上台面。他原本有比较严重的脂肪肝，就到县医院开了病假条，请了长假。

这一次事件也有受益者，粟明原本是镇党委委员、副镇长，如今就暂时主持政府工作。而上青林代办点白春城，被任命为农经站站长，正式下山任职。

秦飞跃灰溜溜地出局，赵永胜掌握了青林镇的绝对权力。

秦飞跃对侯卫东一直挺不错，先是提议让他到计生办工作，后来又带他去见了县长马有财。念着这点好处，侯卫东特意到了益杨一趟，买了四条好烟，去看望困守家中的秦飞跃。

秦飞跃出事以后，青林镇政府只有两人到过家里，一是副镇长粟明，另一个就是侯卫东。这让秦飞跃很意外又很感动，晚上留侯卫东在家里吃饭，特意开了一瓶85年的茅台。喝到后来，秦飞跃透露，县里准备成立开发区。他担任筹备组副组长，组长则由县政府一位副县长担任。

侯卫东离开之时，秦飞跃将他送到家门口，道："真是日久见人心，侯卫东不错！开发区挂牌以后，要进一批人，你如果愿意到开发区，到时跟我说一声。"

听到这个消息，侯卫东暗道："看来好心有好报，这次算来对了。"

6月9日，又一个受益者浮出水面。组织部肖兵给赵永胜打了一个电话，说是经过县委研究，准备给青林镇任命一个镇长助理。此人是县政府综合科副科长、李县长的秘书刘坤。

6月11日，高长江接到通知："赵永胜要到独石村调研，请高长江和侯卫东到独石村参加调研。"

赵永胜从汽车上下来，见独石村的村干部、高长江、侯卫东都在门口迎接，很满意。他扶了扶将军肚子，脸上的七星北斗露出些笑意，道："秦大江，你怎么晒得跟包公一样？"秦大江嘿嘿一笑，道："这是没得屁眼法，要找钱维持生活，只得天天去到石场晒太阳。"

他和村干部说笑了几句，表情郑重起来，道："我给你们介绍一位新领导，这是镇长助理刘坤，从县政府办公室综合科调到我们青林镇的，以后分管企业和计划生育工作。"

然后一一介绍村干部给刘坤认识，当介绍到侯卫东时，赵永胜简短地说了一句："这是上青林工作组副组长侯卫东。"刘坤主动伸出手，笑道："侯卫东，你好，以后要多多支持工作。"

刘坤又对赵永胜介绍道："我和侯卫东是大学同学。"

赵永胜"喔"了一声，道："侯卫东，你的同学都当上镇长助理了，你还要努力。"自从知道侯卫东女朋友张小佳是市建委红人，他一直在弥补与侯卫东的关系，见面总是有意无意地找些话说，一改往日的冰冷态度。

侯卫东心里颇不是味道，更有许多不服气，却无处发泄。

大家坐进了独石村的会议室，这间会议室类似于教室。讲桌的位置安了两张桌子，赵永胜居中而坐，刘坤位于其左，唐树刚位于其右，侯卫东和村里的干部坐在下首。

"今年的农业税，独石村增幅排在前几名，这说明村干部是有战斗力的。"赵永胜充满了自信，说话时还用了几个手势。

刘坤低着头，在纸上飞快地记着什么，神情很是严肃。他的头发梳成三七的偏分，还用了摩丝，很亮很整齐。

侯卫东抽起一根红塔山，无意中吐出一个烟圈，在众多烟雾中袅袅地上升，又在接近屋顶时爆裂。在他的目光中，赵永胜的嘴不断地开开合合，说出的话就如上青林的山蚊子一样，在屋里飞来转去。他用手拂了拂脸，似乎这样就能将蚊子赶走。

赵永胜终于讲完了，以后就轮到了刘坤，侯卫东立刻将耳朵立了起来，心道："两年时间，刘坤到底有多大的进步？"

"我叫刘坤，以前在县政府办公室工作，经组织安排到青林镇工作，能和大家在一起工作，是我的荣幸。"说到这，刘坤特意停了一下，看了对面的几位村干部，又道，"我从大学毕业以后，就一直在机关工作，没有在基层工作的经验。在基层工作上，你们都是我的老师，我一定要向在座的各位多学习，希望你们不吝赐教。"

听了开场白，侯卫东不得不承认，刘坤的开场白很是得体。"这个家伙，确实有了进步。"得出了这个结论，侯卫东心里就有了一些失落。

"赵书记让我分管计生和企业办，我一定尽心尽力，将分管的事情做好。上青林具有资源优势，通了公路就如虎添翼。我在这里承诺，三年之内，将使上青林企业更上一层楼，使青林镇成为益杨县的工业强镇。"最后几句话，刘坤将掩藏在内心深处的骄傲与自信表达了出来。

赵永胜微微皱了眉，暗道："刘坤这话说得太满了，没有给自己留余地。"

见面结束，接下来的节目自然就是喝酒吃饭。秦大江搓着手对赵永胜道："今天家没有泡豆子，吃不成豆花，刘助理是第一次来，我们就到镇里去吃饭。"

赵永胜摆摆手，道："工作餐不吃馆子，你家堂客的菜弄得好吃，老规矩，吃土鸡，喝梅子酒。"

众人来到了秦大江家里，秦大江原来安排在场镇吃饭，家里没有什么准备。秦大江的老婆就到后山捉了一只鸡，宰了，在炉灶加了几把大柴，用大火一阵猛冲，很快香味就透了出来。

在等待吃饭的间隙，几人就在外面打起了很是流行的双扣。赵永胜和刘坤结成对子，对阵秦大江和江上山。

侯卫东搬了一张椅子，坐在屋檐下喝着益杨新茶。这种明前茶，虽然名气不大，味道却很实在。喝着茶，侯卫东抬头看青林山顶，山高云淡，气象万千。

等到鸡汤的香气扑鼻而来，大家也真饿了。

秦大江堂客不好意思地道："赵书记要来，秦大江又不早点说，早点给我说，我就用瓦罐来熬，味道好得多。"

众人围坐在一起，秦大江的酒量在青林镇属于魁首之类。他今天拿出了大盆的梅子酒，准备按照上青林的规矩，将初次上来的刘坤喝倒。

赵永胜是土生土长的地方干部，清楚秦大江的心思，却并不阻止，他也想看看刘坤的酒量以及喝酒时的表现。俗话说，牌品看人品，酒风看作风。话虽糙，却是经过检验的道理，赵永胜深信之。

在他的暗示和纵容之下，独石村诸干部向刘坤发起了进攻。

梅子酒是上青林的农家酒，度数不高，估计不到三十度，入口甚淡。刘坤被村干部围攻一圈以后，感觉有些醉意了，他用手捂着大酒杯，无论秦大江等人怎样巧舌如簧，他也不肯就范。

秦大江举着酒杯，劝道："上青林的规矩是上山三圈酒，只要是新到上青林，都要这样喝，你才喝了一圈。"

赵永胜在旁边道："我来当裁判，刘坤只有一个人，上山三圈酒就免了，他再喝六杯，就算完成了任务。"

秦大江等人起哄道："按照赵书记说的办，我先和刘镇碰一杯。"他端起两杯酒，站起来递给刘坤，刘坤满脸通红，不断地摇头，就是不肯接酒杯。

推辞了许久，秦大江就有些恼怒，道："刘助理是领导，但是不能破坏上青林的规矩。"刘坤想到将来的选举，只得喝了。

侯卫东坐在一边，没有发起战争，也没有劝解。他初到上青林之时，曾经数次被抬回宿舍，这个记忆至今仍然历历在目。

江上山接着又开始敬酒，这一次刘坤坚决不喝了。江上山还是老策略，三说两劝，刘坤还是喝了。

第五杯时，刘坤端着酒杯对侯卫东道："我们同学一场，你帮我喝一杯。"

侯卫东岂肯接招，道："这是赵书记定的规矩，我怎么能喝？"刘坤见侯卫东一脸爱莫能助的表情，心道："侯卫东现在就是一个普通干部，叫你喝杯酒，是给你面子。"嘴上道："侯卫东，耿直点。"

江上山在一旁起哄，道："刘助理，这是赵书记的章程，你必须得喝，不能拿给侯疯子。”

侯卫东并非普通的机关干部，而是身有几十万现金和两个石场的干部老板，和曾昭强、秦飞跃等领导保持着密切关系，与初到青林时的窘困大不一样。他笑呵呵地端起酒杯，走到赵永胜面前，道：“赵书记，敬你一杯酒，感谢你对上青林工作组的关心。”

赵永胜也不推辞，和侯卫东碰了一杯。

侯卫东喝了酒，道：“我出去方便一下。”放下酒杯，转身就离开了酒席。

刘坤见侯卫东不接招，最后还是将六杯酒喝了下去，很快就醉倒了。

跟着赵永胜来到独石村，刘坤大醉一场，睡了一整天。醒来以后，别说闻得酒味，就算是提到酒字，他都想呕吐。但是赵永胜要求他在两个月之内，将青林镇各村跑完，尽快熟悉青林各村人事，为年底的选举做好准备。

日子波澜不惊，如水流去，刘坤开始了在青林各村的醉酒之旅。

青林镇属于益杨最偏僻的乡镇，交通不便，民风淳朴，好酒之风甚烈。对于新来的镇长助理刘坤，大家很热情，而表达热情最好最直接的方式当然是喝酒。这一圈走了下来，让刘坤苦不堪言。

醉了无数场以后，刘坤酒量仍然不见起色。最后他实在是怕了，开始推杯，同时减缓了到各村的频率，到了8月，还剩下六个村没有去。

在工作上，刘坤正式进入了角色，他名义上是镇长助理，实际做的是副镇长的工作，分管着计生办和企业办。赵永胜的意思是让他通过这半年的实际工作，尽快融入青林镇，粟明等人也都是这样走过来的。

再遇计生难题

1995年8月6日，烈日如火。上青林气温达到了三十八度，除了石场仍然在开工，绝大部分上青林的村民都躲在家里，扇着蒲扇，或是吹着电扇。中午在室外基本上见不到人影。

上青林场镇，已经出现了两台家用空调，侯卫东是第一个吃螃蟹的人。

交通局终于在1995年6月初将沙益路的材料钱支付了大半，上青林的几个石场老板都拿到了十来万。习昭勇在侯卫东寝室尝到空调的滋味以后，钱一到手，就到益杨拉了一台空调回来。打开空调当天，他和老婆在空调屋里数了一遍开石场赚来的十来万票子。数完之后，两人情绪很高，就在空调屋里欢喜。尽管是烈日炎炎，屋内却是一片清凉世界，翻来覆去折腾半个小时，并不烦热。完事以后，习昭勇盖着被单享受着生活，从内心发出感慨："有空调真好。"

他老婆接口道："有钱才是真的好。"

上青林工作组的麻将场合也在发生变化。以前战场开设在李勇家中，习昭勇安装了空调以后，也自然就搬到了空调屋里。

侯卫东虽然和工作组干部、村社干部很熟，但是他向来不喜欢众人聚在自己寝室里打牌。在他的心目中，这一间能拉上窗帘的房子，是属于自己的一块净地，躲在其中，可以暂时从世俗纷争中超脱出来，享受独处的乐趣。另一个原因，这是他和小佳的爱之巢，若是由着这些粗汉们抽烟吐痰，就会破坏这屋里曾经拥有的温馨和浪漫。

8月6日中午，刘坤和计生办黄正兵带着计生办的同志到了上青林。这一段山路，虽然树荫浓密，仍然让每个同志都流了一盆汗水。段洪秀的后背完全被汗水打湿，贴在背上，乳罩的印子清楚地显现了出来，惹得黄正兵看了好几眼。

侯卫东上午到了石场，中午在空调房间里享受着生活。

电视里正在演《东边日出西边雨》，在缺乏娱乐的上青林，看电视是重要的娱乐生活。更何况女主角个个都很漂亮，侯卫东是一集不落地看了所有剧集。

正在精彩处，高长江的喊声很不合时宜传了出来：“侯老弟，到楼下开会。”

“这么热的天，是哪个疯子要开会？”侯卫东换上较为正式的短袖衫衣，就到了会议室。计生办段洪秀站在门口，见到侯卫东过来，便笑道：“快点，刘镇在里面。”

刘坤坐在会议室的主席台上，满脸严肃。

侯卫东没有上前寒暄，坐了下来。过了一会儿，曾宪刚和唐桂元也来到了会议室。曾宪刚坐在侯卫东身边，道：“我也准备去买个空调，这天热得让人没法过。”

侯卫东看到曾、唐二人来，问道：“今天是什么事情？”

曾宪刚点头道：“刘奔媳妇怀了二胎。”

侯卫东皱着眉头道：“就是田大刀石场刘二娃的大嫂？”

曾宪刚点了点头，道：“刘二娃死了以后，刘家人就想多生娃儿。刘二娃他妈发了话，如果哪个敢来抓二胎，她就要喝农药，这件事情棘手。”又道：“我这个村主任也不想干了，专心把石场搞好，村主任那一点工资算个屌！”他是第一次拿到如此多的现金，村主任的微薄收入就没有放在眼里。只是村主任的职务在开矿之时很有用处，冲着这一点，曾宪刚这才依然干着村里的工作。

刘坤还没有将各村干部全部记熟，他叫得出唐桂元的名字，曾宪刚的名字就记不住了，他扭头问一边的黄正兵，道：“人来齐没有？”

黄正兵知道刘奔媳妇事情不好办，低声道：“还是要把派出所习昭勇喊来。派出所不出面，事情闹大以后恐怕控制不了。”

刘坤放下手中的笔，用手背擦了擦额头上的汗水，道：“秦所长说上青林习昭勇办事能力很强，就让他跟我们一起行动。”

黄正兵道：“习昭勇脾气怪，一般人喊不动，恐怕要你出面才行。”

刘坤笑着道：“黄主任，你是计生办老主任，方方面面的工作要抹平才行。每件事情都要我去办，那干脆让我来兼任计生办主任。”

黄正兵是老资格计生办主任，在镇里算是说得起话的人物。听到刘坤半是玩笑半认真的话，心里颇不舒服，他不便当场发作，道：“我马上到楼上去请他，如果请不动，还是要你出面。”

“高乡长，我们两人去找习昭勇和田大刀。”黄正兵知道田大刀性子野，自作主张加上了田大刀。

高长江浑身大汗，摇着蒲扇，道：“黄主任和习昭勇也是老交情了，自己去说就行了，何必将我拉上？”黄正兵却不由分说地拉着高乡长的胳膊，道：“老乡长，你面子大，出面说说。”

高长江对黄正兵道：“一把钥匙开一把锁，喊习昭勇办事，侯卫东最稳当，你让他去喊。”黄正兵认为高乡长在推托，笑道：“老乡长，不要谦虚，还是我们两人一起去。”

习昭勇正在和李勇、田大刀、郑发明等人打麻将。李勇被人叫去开会，麻将场子就散了，三人取了扑克，诈起了金花。

听说要去尖山村逮大肚皮，习昭勇摇头道：“局里有规定，必须要按规定出警，抓大肚皮的事情，更是在严格禁止的范围之内。”

高长江道：“你不动手，只在旁边站着。”

此时户外烈日如火，屋内清凉如秋。习昭勇一味推辞，经过黄正兵和高长江轮番相劝，他才松了口，道：“我们先说好，我和田大刀就在外面站着。”

黄正兵连忙道：“可以，但是他们要动粗，你就要出面了。”

上一次出事故，田大刀跑了路，直到交通局给了钱，他才回来。有了经验教训，他仍然在派出所挂名当联防，这个身份对村民还是挺有威力的。他突然道：“是哪一家的大肚皮？尖山村的吗？”他知道刘奔媳妇怀了二胎，听习昭勇答应出面，就想证实是哪一家的大肚皮。如果真是刘奔家的，他绝对不会去，上青林石场死的第一个人是刘奔的兄弟。虽然赔了钱，他总觉得欠刘家一条人命。

“是刘奔家媳妇。”

田大刀态度坚决拒绝道：“这事我不能去，刘家对我的意见很大。我去了以后，是火上浇油。”

习昭勇听说是刘奔家的，也打定主意不去。上一次石场事件，他作为上青林的民警对刘家又是哄又是吓，才勉强控制了事态。刘家死一个儿子，想多生一个孙子，虽然是违法行为，却也是人之常情。

会议室，刘坤绷着脸坐在台上。侯卫东、李勇、曾宪刚和唐桂元以及计生办的李辉、段洪秀坐在下面，大家冒着汗水，大眼瞪着小眼。

段洪秀坐在侯卫东的后面，道：“侯大学，你开石场赚惨了。上青林场镇只有两台空调，就是你和习公安。”侯卫东道：“我帮人打工，赚些小钱，又是单身汉，一人吃饱全家人不饿，所以才能买个空调来超前享受。”

段洪秀不满地道：“侯大学真是假打工，我有个表哥就在尖山村，想到你的石场来上班，开个后门？”

“尖山村曾主任开得有石场，何必舍近求远？”

“他家在尖山村和独石村的边上，距离你的石场还要近一些。”其实真实原因是狗背弯石场工作条件最好，安全系数高，工资又能及时兑现。只是曾宪刚就坐在侯卫东身边，段洪秀不好说出来而已。

侯卫东看着刘坤一本正经坐在主席台上的严肃样子，暗道：“赵永胜和秦飞跃在开会之前，总要和大家随便说几句，打打招呼，开开玩笑。刘坤把架子端得高高的，表情严肃得就如在主持政治局会议，这表明他内心并不自信。”

等了一会儿，还没有见两人下来，刘坤坐不住了，道：“侯卫东，你去看看，他们怎么还不下来？”

知道是捉刘奔媳妇，侯卫东断定习昭勇和田大刀不会去，道：“不用看，黄主任很快要下来。”

刘坤见侯卫东坐着不动，心中便不高兴，道：“你去催一催他们。”

这时，黄正兵推门进来，他走到刘坤身边，耳语几句，刘坤脸色就变得很难看。派出所民警明显不给面子，可是面对地位超然的民警，他强压住怒气，道：“算了，不来就不来，黄主任，把情况给大家讲一讲。”

等到黄正兵把基本情况讲完，刘坤道：“这一次行动，由计生办黄主任负责指挥。尖山村的村干部和驻村干部配合，趁着天热，村民都在家里休息，悄悄地将李树英带下山。”他说完，又用目光巡视了众人，见众人也没有什么特别的表情，道：“走吧，现在就去。”

众人就往外走，侯卫东跟着出了门，径直往二楼上走。黄正兵一把拉住他，道：“疯子，你朝哪里走？跟在我身边。”

侯卫东除了是修路疯子以外，还有着勇敢的名气。他数次协助镇里搞突击工作，屡有出色表现，而且在上青林很有影响力，说得难听一些，他说的话比一些镇领导还要灵。这种能办事、会办事、肯办事的三办人物，各个科室自然都争着要。侯卫东没有能调入计生办，让黄正兵惋惜了许久。

侯卫东道：“刚才刘助理讲得很清楚，这次行动由计生办和尖山村干部共同参加。我现在不是驻村干部，似乎没有安排我参加行动吧？”

黄正兵抓住侯卫东不松手，道："刚才是刘助理忘记说了，你的任务是盯着刘奔，不让他动手。"

曾宪刚在一边劝道："疯子，一起去，晚上到我家里喝酒。"

黄正兵低声道："刘助理才到镇里工作，没有经验，你跟着我去，到时帮着镇住场面。"

在侯卫东初来之时，黄正兵曾经想调他到计生办。虽然事情阴差阳错没有办成，侯卫东还是记下了这笔人情，他点头道："黄主任发了话，我就去。刘奔家里的情绪很大，行动时要注意方法。"

刘坤坐上了汽车的副驾驶位置，车是老式的长安车，没有空调，热如蒸笼，上得车来，汗水立刻喷了出来。他见黄正兵还在和侯卫东说着什么，道："快上车，别磨蹭了。"

除了司机，长安车能坐五个人。而此时计生办有四个人，加上侯卫东、村干部曾宪刚、唐桂元、村里计生专干刘玲，总共就有九个人，车里挤得如沙丁鱼罐头一样。这时候，当领导的好处就显现出来：刘坤坐在副驾驶的位子上，没有人和他挤，车子一动，最先享受凉爽的车风。

李辉被挤得变了形，他在车上道："听杨凤说，刘镇和疯子是同学，疯子，是不是啊？"侯卫东笑道："我们是大学同学。"段洪秀接嘴道："现在刘镇分管计生，干脆你也到计生办来。"

听着众人的对话，刘坤很有成就感，道："我和卫东不仅是同学，我们还在一个寝室住了四年。我的女朋友段英和卫东的女朋友张小佳是同寝室的同学。"

段洪秀高兴地道："刘助理，既然这样，就调侯疯子到计生办。"

到了尖山村办公室，车子停了下来，黄正兵安排道："李辉和曾宪刚两人去堵后门，唐桂元去做思想工作，刘玲和段洪秀准备带大肚子李树英，李勇、侯卫东就负责盯住刘奔。"

明确了任务，一行人就急急地前往刘奔家中。刘坤是第一次参加这种行动，到底会发生什么情况，他心中无数。

看到竹林之中的石房子，唐桂元就对刘坤介绍道："那个石头房子就是刘奔的家。"

一个在竹林外玩耍的小孩看到了这一群人。这个小孩子只有七八岁，从家中大人平时的言语中，知道大婶婶又怀上小孩，便飞快地朝屋里跑去，边跑边叫道："大婶婶，当官的来了。"

黄正兵见行动被发现了，心中着急，道："大家快点，按照刚才的布置行动，关键时候，给我顶住。"听到最后一句话，侯卫东差点笑起来，这是电影里国民党军官的专用语。黄正兵大概是爱看电影，情急之下，就喊出了这句话。

刘坤是家中独儿，从小有爸妈和姐姐宠着，没有吃过苦，看到鸡飞狗跳的场面，心脏便不听使唤地狂跳了起来。他和段洪秀跑到最后，当到达刘家院子的时候，双方已经抓扯了起来。

刘奔听到小孩的叫声，就随手拿了一根扁担站在院子中间，道："唐桂元，刘玲，乡里乡亲的，这种缺德事情你们少做。"

唐桂元本来就是一个蔫人，此时也不急，道："计划生育是国策，镇里面是有要求的。"

刘奔母亲就在地上又滚又骂："哪个敢把树英带走，我就要喝农药。刘奔，你就把我的尸体抬到县里去，乡政府打死人了。"

刘奔骂了几句，见镇、村干部来得不少，就对唐桂元道："唐书记，你知道我们家的情况。刘二娃才死，他生的是个女娃，我也是个女娃，不让我再生一个，刘家就是断根了。"

计生专干刘玲在一旁道："生儿生女都是一样，现在生女儿还贴心一些。"

刘奔的母亲在地上听到这话，骂道："刘玲，今天只要把树英带走，小心你家的娃儿。"刘玲是本土本乡之人，受到这种威胁，虽然气得发抖，也怕刘家报复，就不敢再帮腔，慢慢地缩到了一边。

这时，陆续有刘家的人赶了过来，将镇、村干部围在了院子里。不少村民认识侯卫东，道："疯子，给镇里说说，别人家里有特殊情况，高抬贵手吧。"

事至此，若要强行将李树英带走，极有可能激起群体事件。侯卫东对身边的唐桂元道："这些人都是刘家的吗？"唐桂元话虽然不多，但是他做了多年的农村基层干部，很有工作经验，道："这里就叫做刘家湾，附近多是刘家村民。这种情况下，肯定带不走人了，最好先找个台阶下，以后再想办法处理。"

黄正兵见形势无法控制，便来到刘坤面前，道："刘镇，你看怎么办？是强行带人，还是改天再来？今天解决不好，再处理就难了，开了先例，以后的工作不好办。"

刘坤从来没有遇到过这种局面，他参加工作后又是做秘书工作，此时才刚刚当上领导，突然遇到这种局面，一时也没有了分寸。他紧张地道："黄主任，以前遇到这种情况没有？我们该怎么处理？"

黄正兵见刘坤拿不定主意，道："刘镇，这事松不得，否则以后很不好办。"

按照事前安排，侯卫东一直靠在刘奔的身边，他对刘奔道："你把扁担放下来，有话好说。"侯疯子在上青林是大名鼎鼎，刘奔见他态度平和，把扁担放在地上，道："侯疯子，你评评这个道理，我弟弟才死了，传宗接代就只能靠我了，这个娃无论如何也得生下来。"

侯卫东很想说："你躲着生下来，镇里最多罚点款。"可是他作为干部，不能说这样的话。

刘奔母亲不知何时从地下爬起来，回到屋里，提了一瓶农药出来，提开盖子对着嘴巴，气势汹汹地威胁道："谁敢把人带走，我就死给他看。"

侯卫东瞪了刘奔一眼，骂道："狗日的，把你妈的农药抢过来，别弄出人命来。"刘奔也急了，一把夺过农药，道："把农药收起来，我跟侯疯子商量商量。"

这时，刘奔父亲走到了刘奔身边，他神情轻松地对侯卫东道："侯干部，我们树英到外地打工去了，根本不在家，不信你们去搜。"

计生办众人进屋四处查找，却没见到李树英的身影。刘坤脸色很难看："李树英衣服都在，肯定躲了起来。"

刘奔父子轻松地看着计生办众人。

办石场一年的经历，让侯卫东学会了一个道理："绝大多数事情都可以谈，绝大多数事情都可以用金钱来衡量。"他把刘奔拉到一边，道："你媳妇怀二胎，已经被政府知道了。计生办已经来了，你躲得过初一，躲不过十五，我建议你交纳终止妊娠保证金，钱是死的，人是活的，用了还可以赚。"

侯卫东提出这个建议也是有理由的，由于刘二娃出了安全事故，刘奔家中才得到一笔赔款，完全有能力支付计生办的罚款。

刘奔就在心中盘算着，他舍不得花几千钱交罚款。

侯卫东道："想好没有？如果愿意，我就把黄正兵喊过来，你们单独谈。"

刘奔这才下定决心，道："疯子，你帮忙给黄正兵说一说，我们家穷，给二娃办丧事，赔偿钱已经用得差不多了，狗背弯石场要不要人，我想过来做工。"

上青林石场开了一年多，只死了两个人，比煤矿的死亡率低得多。刘奔看着上工的人每月拿回来几百或是上千的票子，赚钱之心就战胜了死亡阴影，提出要到安全条件最好的狗背弯来上工。

侯卫东拍了拍刘奔的肩头，道："到狗背弯上工的事情，你先不要急，我的人员现在已经满了，只要缺人我就让你上。"

交代清楚，侯卫东来到了黄正兵身边，道："黄主任，我跟刘奔谈了，他愿意交钱，到村办公室去谈。"

黄正兵面露喜色，道："李树英躲起来，我们很难再找到她，能交钱是最好的解决办法。"

在哲学上，矛和盾、阴和阳都是对立的，它们又是相辅相成的，共同组成了这个充满了对立与转化的世界。

警察和罪犯，是天生的仇家。可是如果没有罪犯，警察也就失去了存在的意义。所以，从某个角度来说，罪犯也是警察的衣食父母。

计生办与超生游击队，也是猫和老鼠的关系。但是老鼠不在，猫就没有存在的理由。镇里每年都有一些人要超生，这些罚款、保证金也是计生办重要的收费来源。

由于青林镇财政吃紧，镇政府给各大办公室下达了收费指标。计生办、国土办等部门都有收费指标，1995年半年已过，计生办还没有完成任务，黄正兵为此事正在大费脑筋。

刘坤一人站在院子的大门处，看着侯卫东和黄正兵在一起嘀咕，两人脸上都有笑容，显然事情已有解决方案。可是他作为现场最高负责人，却被撇在了一边，心中就生出了一种挫败感。这种感觉他很熟悉，大学四年，侯卫东给了他太多压力，这种挫败感就时常出现在他的心中。如今他当了青林镇领导，而侯卫东只是一般工作人员，按理说应该能消除这种感觉，可是，这他妈的挫败感还是不期而至。

黄正兵喜滋滋地走了过来，道："搞定了，刘奔同意交终止妊娠保证金。还是侯疯子办法多，刘镇，一定要想办法把他调到计生办来，计生办就缺这样一个主力。"

刘坤看着满坡的刘家亲戚，道："这些事回去再说。"

到了村办公室，一番讨价还价，事情就这样解决了。

刘坤第一次带队出来，就成功解决了一个大难题。如果没有那一股不期而至的挫败感，这将是一个完美的开局。

刘奔到镇计生办将终止妊娠保证金交清，此事就算彻底完结。刘坤特意将此事解决经过以及结果向赵永胜作了汇报。“事不管大小，皆向领导汇报。”这是县府办老前辈总结出来的重要经验之一。来到了青林镇，他便将这个经验充分发挥。事实证明，这一条经验在乡镇依然管用，至少赵永胜就很喜欢部属汇报工作。

三天以后，在青林镇党政办公会上，赵永胜特意表扬了刘坤。

“有的同志认为年轻人办事不牢靠，我却认为年轻人有闯劲有干劲，能干成大事。刘坤分管计生工作，他能顶住压力，妥善解决了刘奔媳妇的事情，事情办得好。另外，上青林石场的保证金，也及时地收了上来。这两件事情，说明刘坤同志有能力将分管工作做好。”

赵永胜表扬刘坤是有针对性的。安排刘坤工作的时候，粟明有不同意见，他认为计生办和企业办这两块工作都比较复杂，而且涉及大笔收入，如果管理不好，镇里将会很被动，建议这两块工作还是由老同志来具体抓，刘坤只是协助分管。

当然，人事问题最后还是由赵永胜拍板，刘坤全面接手了晁杰的工作。事实证明，乡镇管理工作不是高精尖的科学技术，只要有一定文化和水平，只要肯干事情，多数都能够取胜。刘坤有了书记赵永胜的全力支持，逐渐熟悉情况，在青林镇立住了脚。各项工作皆按照年初的计划推进，四平八稳，按部就班，没有大的成绩，也没有明显纰漏。

侯卫东常驻青林山，对青林镇政府的政治游戏，完全没有兴趣。在青林镇政府争来争去争破了天，也最多当一个正科级，拿六七百元的工资而已。对于眼界已开的侯卫东来说，这已不具有诱惑。

第九章
受牵连检察院来访

三年之约提前结束

1995年9月底，益吴路主体工程已经结束。交通局财务科高建科长早已得到指示，按照进度支付了侯卫东的材料款。这样一来，侯卫东户头上的数字已经接近一百五十多万，大弯石场也为曾昭强和朱兵带来了四十多万的收入。

两年前，就算白日做梦，侯卫东也不敢奢望能有这样一笔巨款。

钱多了，最大的好处就是财务自由，能办成以前看起来难于上青天的事情。国庆节，侯卫东坐着装碎石的货车来到了益杨城，在工行取了五万块钱，又打了一辆出租车，直奔沙州市。

大哥侯卫国正式调到了沙州市公安局刑警支队。由于沙州市公安局刚刚搞过集资建房，下一次集资建房就不知猴年马月了。侯卫国正与吴海县高中老师江楚热恋，住集体宿舍不太方便，急于想买一套新房子。

公安局的工资不高，侯卫国用钱向来又大手大脚，从警多年没有多少存款。他把借钱买房的事情给侯卫东说了，侯卫东毫不犹豫就答应了。

沙州到益杨的公路已全线通车，原来三个小时路程，缩短至一个半小时。侯卫东在市公安局门口用新买的摩托罗拉手机给大哥打了电话。不一会儿，侯卫国出现在公安局门口。

“我带了五万，够不够？”

沙州房价也就八百多元一平方米，侯卫国看上的房子一百一十平方米，总房价是八万八千元。他和江楚凑了近四万元，就再也拿不出余钱了。

侯卫国高兴地道：“我先得说清楚，这五万元钱，两年之内不能还给你。”

侯卫东毫不在意地道：“不就是五万块钱？不用还了，算是我送给你们的结婚礼物。”

“当初你分到青林镇的时候，老妈还担心你工资低，以后在城里买不起房子。没想到，小三居然成了我们家中最有钱的土财主，比何勇厉害。干脆我辞职，来给你打工，你一个月给我发多少钱？”

“这样，大哥到石场工作，我来公安局上班，愿不愿意？”

侯卫国从警多年，根本没有想到要离开警察队伍，刚才不过是一句戏言，笑道：“人就和虫一样，哪条虫子钻哪根木头，都是命中注定，我还是穿着警服过苦日子。”

两兄弟说笑了几句，侯卫国看了看表，道：“等一会儿到了听月轩，你把钱直接给你嫂子，我在家从不管钱。”

侯卫东又给小佳拨了一个电话，道：“小佳，我马上要和大哥一起到听月轩。你什么时候过来？”

小佳为难地道：“老公，步市长正在建委调研工作，中午安排在沙州大饭店。我要负责后勤，恐怕走不了。”她随即高兴地道：“你不要生气，我给你说一件好事情，今天上午新月楼的房门钥匙我已经领到了，晚上可以去看新房子。”

侯卫东信心十足，道：“既然房子钥匙已经拿到手了，我想拜见岳父岳母，瞒着哄着总不是办法。”

听月轩是三层小楼，底楼是大饭厅，二楼是雅间，三楼则是茶室。刑警支队陈副支队长的老婆是听月轩老板，因此，听月轩成了刑警支队的编外招待所。上了二楼，一位风姿绰约的少妇走了过来。她身穿中式外衣，外面披了一条披巾，亲热地道：“侯中队，今天几个人？”

“就我们三个人。”侯卫国又介绍道，“我的三弟侯卫东，这是金总。”

金总招了招手，一位领班模样的小伙子就跑了过来。她安排道：

“今天侯中队请家里人吃饭，特别优惠，打七折。”

两兄弟进了屋，服务员倒上好茶，拿着菜谱站在桌旁。侯卫东道：“大哥，你点菜，付钱的事情就别跟我争了，今天我请客。”

“三弟请客，我泰然受之。”

聊了几句，江楚进了包房。侯卫东取出五万钱，道：“嫂子，这是五万现金，你拿着买房子。”

江楚接过沉甸甸的一包钱，她的感激就和钱的分量一样实在，道：“三弟，你真好，要不然我们这房子就真的买不起。我和你哥没有多少积蓄，拿到房子以后还要装修，这两年还不上钱。”

江楚文静，侯卫国干练，侯卫东很喜欢这个嫂子，总觉得哥嫂十分地般配。他痛快地道：“嫂子，刚才我给大哥说了，这五万块钱是我和小佳送给你们的结婚礼物，你们不用还。”

江楚在吴海县中学，这是一所重点中学，老师工资比普通的机关干部略高一些。加上课时费，她每月能拿八百多，两口子加起来也就有一千五百多。每月存五百，这五万元要存上近十年。她天天在算这个账，每算一次，心理压力就增加一分。侯卫国早就断定三弟侯卫东肯定是“送”钱而不是“借”钱，江楚还坚决不信，现在亲耳听到侯卫东如此说，这才信了。

她眼圈一红，道：“小三，你真是好弟弟。”

见江楚如此郑重其事，侯卫东反而有些不好意思，道：“小时候，我喜欢打架，打输以后，哥哥就要来帮我打架，这点钱就算当年请的打手费。”

江楚笑着用手背抹着眼圈，道：“三弟也买了房子，什么时候交房？最好我们两家住得近一些，节假日走动起来方便。”

“我们已经拿到了房子，牛栏街的新月楼。”

牛栏街在沙州算得上黄金地段，新月楼是由远景公司所开发，是沙州第一家小区式建筑。据说采用了全国最先进的管理模式，房价率先突破了每平方米一千元。江楚到沙州四处挑房子，对新月楼的大名自然是知道的。

江楚倒吸了一口凉气，发出惊叹之声。她大学毕业以后就被分到了中学，很少接触外面的世界。她以为两个人一千多元钱就算小康了，完全没有想到三弟侯卫东在乡镇工作两年多，就可以在沙州买新月楼的房子，这个事实让她有些发晕。

等菜上来以后，大家就边吃边聊。如今摆在两个家庭面前有一个共同的话题，就是两地分居。

说到这个话题，侯卫东想起了三年之约，道："小佳一直在跑调动，可是单位高不成低不就，现在还没有落实。不过今天我要去见岳父岳母，提前结束这个三年之约。"

江楚尝够了缺钱的难处，道："你在乡镇这样发财，调到沙州来干什么？我要是小佳，就让你在乡镇艰苦几年，多挣些钱。"

吃过饭，侯卫国回公安局上班，侯卫东陪着江楚去交房钱。江楚的房子也还不错，位置虽然比不上新月楼，却靠近公安局。房后靠着沙州公园，推开窗户，就能望见公园的绿树，免费呼吸着公园的新鲜空气。

交了房钱，江楚拖着侯卫东去转商店。在沙州百货公司，江楚不顾侯卫东的阻止，给小佳买了一套三百多元的衣服。

两人无所事事地转到了下午4点多钟，小佳终于打了电话过来："我请了假，提前下班，我们在新月楼见面。"

江楚跟着侯卫东来到了新月楼，亲手将衣服送给了小佳。接过江楚递过来的衣服，小佳稍有些夸张地道："大嫂的眼光真好，这衣服有品位，我喜欢。"

两妯娌手挽着手，亲亲热热地上了楼。

新房子在四楼，一百三十多平方米，光线好，设计合理。侯卫东看到有两个卫生间，道："这个设计莫名其妙，我们只有两个人，居然弄出两个卫生间，太浪费。我们来分工，外面的卫生间算我的，以后你要用外面的那个，我收五角钱一次。"

小佳掐了侯卫东一把，笑道："现在沙州开始流行双卫了，你真是老土。"

江楚离开以后，小佳飞身扑到了侯卫东身上，无限幸福地道："老公，我们两人终于有家了。"

侯卫东豪气万丈地道："这是我们的小窝，再花十万，好好装修。"

小佳偎在侯卫东怀里，道："我们要买全套家电，买一台VCD，买二十九寸的电视机、全自动洗衣机、冷热空调，还要全套木地板。"

幸福之门似乎就这样打开了。

"今天吃了饭，你跟着我回家，虽然你的工作没有解决，可是我们的房子已经解决了。两年时间，凭着你的努力，我们在沙州也有家了。老公，想着你在上青林孤零零地办石场，我就很想哭。我没有看错人，老公值得信赖。”

侯卫东用手挽着小佳平滑纤细的腰身，充满着自信与幸福。

陈庆蓉和张远征吃了晚饭，坐在沙州上看电视。陈庆蓉眼睛跳了几下，道：“我心里慌慌的，总觉得有什么事情要发生。”

张远征道：“别多想，肯定是昨晚没有睡好。”

陈庆蓉叹息一声：“小佳这孩子，脾气倔得很，她不愿意和侯卫东分手，我们只有眼睁睁看着。”女儿事业顺利，她的婚事就成了陈庆蓉最操心的事情。

张远征劝道：“小佳这孩子心气高，她认定的事情，九头牛都拉不回来，就和你年轻时一样。我们也别操太多的心，儿孙自有儿孙福，侯卫东这小伙子也不错，如果真能调回沙州来，我们就别阻拦了。”

“我们又不是疯子，他真能调到沙州，我们为什么要阻拦？”陈庆蓉心烦意乱地道，“我们厂也快要不行了。如果下岗了，我们怎么办？如果光靠着小佳，她的压力太大了。”

他们说话之时，侯卫东和张小佳已经出现在了居委会老大娘的眼前。小佳大大方方地挽着侯卫东的手臂，一边走一边招呼：“杨阿姨，在玩啊，这是我男朋友侯卫东。”“王阿姨，这是我男朋友侯卫东。”

这些居委会大娘们都兴致勃勃地打量着这两个人，等他们进了门洞，立刻激烈地议论起来。

当侯卫东黝黑的脸孔出现在陈庆蓉和张远征的面前时，陈庆蓉愣了好一会儿，才认出眼前之人就是令他们头疼的侯卫东。

侯卫东早已做好了充分的思想准备，他主动招呼道：“陈阿姨，张叔叔，你好，我是侯卫东。”

张远征两年没有见到侯卫东了，很难将两年前那个文质彬彬的小伙子与现在这个黑大汉重合在一起。

两年时间，也磨去了陈庆蓉太多的火气。她狠狠地瞪了小佳一眼，道：“进来吧。”

房间一切依旧，侯卫东至今仍然记得，当年他们两人曾在里屋的门背后，悲壮地抚摸。故地重游，人依旧，物依旧，感情依旧。

陈庆蓉用严厉的目光盯着侯卫东，单刀直入地问道：“1993年你曾经答应过我，用三年的时间调回沙州。今天你到家里来，表示你已经调回沙州了吗？”

侯卫东平静地摇头，道：“没有，我还在益杨县青林镇政府工作，不过也算回到了沙州。”

陈庆蓉两眼盯着侯卫东，问道：“也算回到了沙州，你这么说是什么意思？”

侯卫东取出一套钥匙，道：“这是新月楼一单元四楼二室的钥匙，我和小佳已在沙州买了房子。”

张远征惊讶地问了一句：“新月楼的房子，你们买得起？”

小佳自豪地道：“卫东在益杨青林镇开了石场，赚了不少钱。我们已经买了房子，准备装修完了就结婚。”

陈庆蓉和张远征面面相觑，新月楼的房子在沙州最好的地段，目前市场价已超过了一千。要买一套房子，至少得有十来万，加上装修的费用，少算也要十七八万。对于工薪阶层来说，这基本上是一笔无法支付的巨款。侯卫东两年时间就能赚这么多钱，实在出乎预料。

小佳道：“房子是今天拿到钥匙的，眼见为实，耳听为虚，现在就去看房子。”

张远征脖子一昂，道：“房子有什么好看，我不去。”

陈庆蓉迟疑了一下，暗道：“反对侯卫东和小佳谈恋爱，是为了小佳的幸福。如果侯卫东真的有钱了，就能给小佳带来幸福，我们还有什么理由反对他们？”想通了这一点，她用眼神阻止了张远征，对女儿小佳道：“既然买了房子，这是好事，我们去看一眼。”

侯卫东暗自高兴，陈庆蓉和张远征只要答应去看房子，事情就成了一半。一百三十平方米的房子是一个活生生的例子，证明了侯卫东的勤劳、聪明和实力。

陈庆蓉看着房子，心想道：“小佳真是运气好，工作好，对象虽然在益杨，可是有钱，也将就还行。”

陈庆蓉和张远征进了主卧，看侯卫东和小佳没有跟过来，张远征由衷地赞了一声：“侯卫东还真是能干人，两年时间赚了一套大房子。刚才小佳说他开石场，开石场能找这么多钱吗？”他和陈庆蓉都在企业工作，知道赚钱的辛苦，对于侯卫东取得的成就比小佳认识得还要清楚，这赞叹发自内心。

陈庆蓉站在房内半天不说话。

“老婆子，你看这事怎么办？”

“他们连房子都买好了，摆明是要结婚。我们当父母的，能有什么办法，当父母的终究犟不过儿女。”

两人走到客厅的时候，小佳和侯卫东正牵手看着窗外的风景。1995年，沙州已经进入了高速发展时期，临窗而望，可以看到四处都是高高的塔吊。

陈庆蓉脸上露出不经意的笑容，走到侯卫东身边，道：“经过了这两年时间的考验，可以看出来，你对小佳还是真心的。当家长的都希望儿女们过得幸福，以前的事情，你一定要正确理解。”

侯卫东和小佳都听懂了陈庆蓉的意思，小佳用脚踢了侯卫东一脚，侯卫东连忙道：“陈阿姨，张叔叔，你们放心，我向你们保证，一定会对小佳好。”

困扰了四人整整两年的心结，总算是被解开了。下楼之时，小佳大大方方地牵着侯卫东的手，陈庆蓉和张远征装作没有看见。

陈庆蓉不放心地问道：“刚才听小佳说起，你在青林镇开了石场，你是机关干部，怎么能开石场？”

“我最初是和一位村主任合伙开的石场，借用我妈的名字。随后开了一家狗背弯石场，每个石场都有现场管理人员，我是当甩手老板。这两年石场赚钱，主要是因为益杨在大办交通，对碎石的需求量很大。新修的沙益路通车以后，从益州到沙州最多开两个小时。”

张远征点头道：“这几年各地建设都多，搞建材绝对亏不了。”

陈庆蓉又问：“你在青林镇开起了石场，如果调回沙州，石场怎么办？请人来管理总不如自己管理。”

侯卫东实事求是地道：“如果我调到沙州来，肯定要分一大块利润给管理人员。如果不调过来，两地分居也不是办法，我正在考虑更科学的管理办法。”

陈庆蓉所在的工厂面临着破产的风险，有不少老职工已经下岗了。下岗以后生活就过得很是凄惨，有了切肤之痛，她的认识就和前两年不一样了，道：“既然开石场能赚钱，就多干几年，不要轻易放弃。现在公路修好了，来往也方便。”

侯卫东的手机又响了起来，他取过手机，和交通局朱兵谈了事情。

陈庆蓉看着侯卫东所用的新手机，知道价钱不菲，就趁着侯卫东和小佳在前面拐弯之机，悄悄地对张远征道："这手机至少一万元，加上房子有十万，侯卫东到底赚了多少钱，用钱这么潇洒？"

张远征心有同感，道："我们抽时间到青林镇去暗访一次，看他究竟搞什么名堂。"

国庆节的沙州之行，收获极大，陈庆蓉和张远征所筑起的心堤终于被打开了一个大口子。侯卫东在张家吃了午饭，小佳就理直气壮地将他送到了益杨车站。

情到浓时，时间就真如流水一样，猛然间就溜走了。小佳伸出手指，在侯卫东手心画了一个圈，道："我画一个心给你，你带到上青林去。"

这一个小动作，这一瞬间，让侯卫东特别感动。

血案

侯卫东坐着依维柯客车回到了益杨，下车刚好是6点20分。

"疯子，你赶快坐出租车回来，今天杨莽子用猎枪打死了一头野猪，提了半边野猪肉到我家里。我约了秦大江、唐桂元和杨柄刚，在家里喝酒。"

青林山多年不通公路，加上村民自古就靠山吃山，森林保护得好。在山上，野兔和野鸡是寻常事，可是野猪并不多见。曾宪刚弄到了好东西，就约了几个好朋友喝酒。

侯卫东笑道："就算打车回来，也要8点钟才到。你们不要等我，半边野猪肉你们一顿也吃不完，给我留点，明天再喝酒。"

曾宪刚大声地道："我们四个人正在打麻将，你嫂子还在熬大骨汤。两个小时回来，正合适。"

侯卫东推托不过，叫了出租车，直奔上青林。出租车速度快，从益杨到上青林尖山村，只花了两个小时。

到了曾宪刚家中，秦大江站起身，道："侯卫东，你要赔偿损失，为了等你，我输了一百四十块钱。"

曾宪刚老婆道："疯子，你快点，把秦书记和唐书记的肚子都饿扁了。"她将野猪肉端了出来，蒸、炸、卤、炒、炖，弄了满满一桌子。

开饭前，曾宪刚举起酒杯，道：“国庆节，我打了几条草鱼，想请大家来聚一聚。可是疯子没有回来，我就没有请大家，这第一杯酒，我要先敬疯子。”

侯卫东见曾宪刚说得郑重，也就不开玩笑了，道：“曾大哥，你别客气。”

“修上青林公路，从上青林乡政府到青林镇政府，说了好多年，就是不见行动。这一次如果没有你坚持，恐怕还是修不起。没有这条路，也就没有上青林的石场和煤矿。秦书记、唐书记、杨柄刚，你说该不该敬疯子？”

秦大江、唐桂元、杨柄刚，也端起了酒杯，五个人就一起喝了。曾宪刚媳妇也端了一个大杯子，道：“侯大学，我敬你一杯，刚才曾宪刚说的都是真心话，我一个妇道人家，也不会说话，敬杯酒表示心意。”

侯卫东举着酒杯，道：“大家别这么严肃好不好？让我说一句，如果不是上青林的资源，如果不是各位大哥的支持，狗背弯和芬刚石场也就办不起来。大家认真工作，努力发财，享受生活，一起奔小康。”

等到曾宪刚和侯卫东敬了酒，一向沉默的唐桂元开始发话：“疯子、大江、宪刚开了石场，都发了财，我胆子小，家里的自留山明明就是一块厚石山，却怕担风险，不敢开采。这是端起金碗讨饭吃，明天，我也准备开一家石场，如何管理石场，以后的销路就靠大家了，我在这里先敬各位一杯酒。”

敬来敬去，一盆酒喝光了，大家也兴致勃勃地谈起开石场的事情。

曾宪刚原本不想给老婆说钱的事情，最后还是忍不住喜悦，把钱交给了老婆。他老婆一辈子都没有看到这么多钱，她觉得存在银行不保险，就把十来万块钱全部取了出来。米缸子里面放两万，床下面放两万，箱子里放三万，还在墙上打了一个洞，里面放了十万，她神经兮兮，把曾宪刚也弄得紧张起来。

此时听大家谈石头场，她很幸福地挽起袖子，道：“侯大学、秦书记、唐书记，你们慢慢吃，我再去烧个鱼。”

由于侯卫东在场，曾宪刚的老婆显得格外热情。她心里知道，如果当初不是侯卫东说服自己，她根本没有胆子将家里所有钱都投入到石场中。事实证明，侯卫东就是曾家的福星。

这一顿酒，喝到了晚上11点才散伙，他们几人凑在一起，多数时间是在谈今后石场的发展，倒没有喝得太猛。几人微微有些酒意，打着电筒，各自回家。

在曾宪刚屋外的树林里，躲着五个年轻人，他们一直观察着屋里的动静。一位留着长发的年轻人道："他妈的，真香。"

另一个脸上带着伤疤的人低声且凶狠地道："等会儿进去的时候，别他妈的啰唆，男的敢反抗，捅了！"他的话带着寒意，另外四个年轻人都怕他，不断地点头。

酒席散去，主屋的灯也关了，曾宪刚老婆在厨房里洗碗收拾。带疤人观察了好一会儿，从怀中取了一块煮熟的牛肉，牛肉里加了特殊香料和麻药，专门用来吸引看院狗。这是当年在监狱里一位老犯人教给他的绝活。

等到小院安静以后，带疤人将牛肉扔进院子。轻微响了一声，曾宪刚已经睡熟了，并未听见声响，他老婆倒是听见了声音，喊了一声："是谁？"她推醒了曾宪刚，道："刚才我听见有声音。"曾宪刚迷迷糊糊地道："狗没有叫，肯定是你听岔了。"

狗吃掉了牛肉，走了几步，不声不响地倒在了地上。带疤人把面罩戴上，挥了挥手，就带着手下翻进了院子。带疤人是撬门老手，利索地开了门，五个人不声不响地摸到了屋内。

曾宪刚老婆刚刚沉入梦乡，屋里灯突然亮了。她睁开眼睛，就看到五个蒙面人，手里都提着明晃晃的刀子。

"我们只劫财，不要命，把钱拿出来。"带疤人恶狠狠地威胁道，"敢喊，就杀掉你全家！"

曾宪刚睁开眼时，一柄锋利的匕首正架在脖子上。他冷汗哗地渗了出来，酒也被吓醒了，强自镇定道："各位好汉，我们农村人家，能有几个钱？"

曾宪刚老婆从来没有见过这种阵仗，在一旁发抖。

带疤人嘿嘿笑了笑，道："你骗鬼啊，曾老板，把钱拿出来，留一条活命。"

两个年轻人四处翻，不一会儿，从撬开的箱子里将三万元钱拿了出来。一人兴奋地道："大哥，有两三万。"带疤人就拿砍刀对着曾宪刚老婆，道："你还有钱，拿出来！"

曾宪刚老婆见三万元钱被强盗拿到了，她心痛得要命，恐惧感反而淡化了，道："我们就这三万，其他的还债了。钱给了你们，放了我们。"

带疤人很有经验，他感觉曾家还有钱，便用刀背拍了拍曾宪刚老婆的脸，道："我数十下，不拿出来，就断一只手。"

"1、2、3、4、5、6、7、8……"邪恶的声音数到"8"的时候，一个蒙面人举起了手中长刀，对准了曾宪刚老婆的左手。

曾宪刚急忙道："米缸子里面还有。"

带疤人得意地笑了起来，调侃道："你别当青蛙，踢一脚跳一下，痛快点，全部拿出来。"

看着自己辛苦赚来的钱被拿走，曾宪刚老婆忘掉了恐惧，骂道："你们这些人，伤天害理，迟早要遭报应。"

曾宪刚彻底清醒了过来，他知道今天的事情绝对无法善了，便对老婆道："蚀财免灾，不要闹了。"又对带疤人笑道："床板里还有点钱。"

用尖刀顶着他的蒙面人就伸手去摸床板。就在他弯腰的瞬间，曾宪刚猛地一拳打在他脸上，然后从床上翻下来，顺手抡起床边的凳子，砸在蒙面人额头上。他没有来得及砸第二下，只觉得腰上一痛，已被带疤人刺了一刀。此时已经到生死存亡关头，曾宪刚顾不得伤痛，抡起凳子砸向带疤人，他砸中带疤人的时候，被刺中第二刀。

曾宪刚的老婆拼命地喊"救命"，同时向身旁的蒙面人扑了过去。她一把扯掉了蒙面人的面罩，随后只觉脖子一痛，便捂着脖子倒在地上。这一刀砍得极重，她根本喊不出来，只用手紧紧捂着脖子，血越流越多。

曾宪刚是石匠出身，身体向来强健，肌肉厚实。虽然被砍、被刺了好几刀，鲜血直流，但是还支撑得住。特别是看到妻子被砍倒在地以后，就发疯一样挥动着凳子。他跳上床，盯着那位被扯掉面罩的年轻人，劈头盖脸地砸去。

侯卫东回到了家里，他打开电视，将电视搜索了一遍，找到了《东边日出西边雨》，便躺在床上漫不经心地看着。忽然，床前的座机刺耳地响了起来。此时已是凌晨1点，这么晚打过来，让侯卫东有些纳闷和紧张。

"家里被抢了，快过来……把卫生院的医生喊过来…张兰不行了，快点……"曾宪刚的声音很清晰地传了过来，断断续续，说话如扯风箱一般，极为艰难。

曾宪刚家不久前安了电话，由于爱惜电话，曾宪刚老婆就用布块将电话盖得严严实实。几个蒙面人根本没有想到他家有电话，就没有扯断电话线。

侯卫东如触电一样，从床上跳了起来。他冲上四楼，猛敲习昭勇的大门，将习昭勇敲起来以后，习昭勇立刻转身，将手铐和高压警棍提在手里。“老习，你去叫卫生院的人，我去把客车司机叫起来。”侯卫东虽然慌乱，思路却很清晰。

客车司机是一个胖子，早就睡了下来，被一阵猛烈的敲门声吵醒，火气冲天地开了：“是谁？搞啥子名堂？我明天早上还要出车。”

“帮帮忙，尖山村曾主任家里被抢了，他媳妇恐怕不行了，我们将卫生院的医生送过去。”

胖子司机黑着脸，犹豫地道：“我6点钟还要出车。”

“紧急情况，我给坐车的人说清楚，他们都会理解。”侯卫东知道客车是承包的，便从身上抓出了一把钞票，道：“这是明天的补偿，快点出车！”

胖子司机把钱放进口袋，转身穿皮鞋和衣服。侯卫东又跑到高长江的房间，将他从床上敲了起来。

大家动作都很迅速，从接到电话到开客车至曾宪刚的家，也不过半个多小时。

大家刚走近大门，就闻到浓烈的血腥味。侯卫江的心提到了嗓子眼上，习昭勇走到最前面，道：“大家别乱摸乱动，不要破坏现场。”他用电筒照了一下里面的情景，戴上手套，摸到门前的灯索，将电灯打开。

侯卫东等人都站在门口，只见曾宪刚浑身是血地跪在床前。电话话筒掉在一边，而曾宪刚老婆仰面躺在地上，血水流了一大摊。

众人都被里面的惨景惊呆了。

习昭勇最镇静，道：“手机给我。”他接过侯卫东递过来的手机，拨通了公安局值班室的电话，道：“我是青林派出所习昭勇，青林镇上青林尖山村曾宪刚家里发生了入室杀人案。”

乡卫生院的医生就进来检查两人的情况，侯卫东在门外焦急地问道：“李院长，情况如何？”李院长检查了一遍，脸色极为沉重，道：“曾宪刚还有呼吸，他老婆完了。”

乡卫院李院长拨通了县医院陈院长的家庭电话，将事情讲了一遍，着重道：“男的还有救，陈院长赶紧派救护车过来。”

3个多小时以后，公安局的警车到达了曾宪刚的家。又过了20分钟，救护车也过来了。经检验，曾宪刚的老婆被砍开了喉咙，当场死亡。曾宪刚身中九刀，已经陷入了深度昏迷。县医院急救医生给他戴上了氧气罩，便开着车直奔县医院。支书唐桂元带了些钱，跟着救护车，去了县医院。

县刑警大队和闻讯而至的青林派出所民警，开始了案侦工作。他们在院子外围拉出了警戒线，将大灯打开，开始收集指纹，提取其他相关证据。一位三十来岁的黑瘦警察将侯卫东带到了堂屋，开始进行询问。

等到所有工作做完以后，天边已有一丝亮线。尖山村的妇女主任张罗了一大盆面条，十几个警察们就坐在院子稀里哗啦地吃着面条。半夜从被窝里爬起来，又忙了几个小时，这些警察们也着实累了。

曾家被抢的消息不胫而走，上百名尖山村的村民们就站在警戒线外面，探头探脑地看着屋子里面。上青林民风强悍，交通不便，村民普遍贫穷，很少有人流窜过来，因而刑事案件极少。这等入室抢劫杀人的案子，更是十年都没有发生过。

侯卫东失神地看着指指点点的村民，他满脑子都是曾宪刚和他老婆的音容笑貌。一位瘦高的便衣警察端着面碗走到侯卫东身边，道："你昨晚在这里吃饭，讲讲情况。"

侯卫东就将事情经过原原本本地复述了一遍。

瘦高个招了招手，将秦钢招到了身边，他肯定地道："从勘查的情况来看，这是一次有预谋的入室杀人案，性质十分恶劣，曾宪刚平时得罪什么人没有？"

秦钢满脸血丝，道："张局，曾宪刚是村委会主任，群众关系不错。我认为这就是一起抢劫杀人案，曾宪刚开了两个石场，最近赚了不少钱，还安了空调。"

瘦高个是公安局分管刑侦的张副局长，他把面碗放在地上，道："我的感觉就是抢劫杀人，这是案件的侦破方向，但愿曾宪刚不死，能提供更多的线索。"

问完材料，侯卫东就拖着疲惫的双腿，回到了乡政府小院。

乡政府小院子里站了一群人，看到侯卫东和高乡长回来，赶紧围了过来。池铭的老公田大刀开着石场，因此她很敏感地问道："疯子，情况如何？是怎么一回事？"侯卫东神情黯淡，道："公安局来人了，正在查案子。"

高长江看着院子里有许多场镇的居民，就道："大家都回去了，出了事，自然有公安局破案，你们就不要瞎猜了。”

“事情明摆着，棒儿客就是抢钱。”田秀影酸溜溜地道，“还是我们这些穷人好，没有人惦记，晚上还算安稳觉。钱这个东西，不是好东西。”

这是明显的幸灾乐祸，田秀影的大圆脸就如一只大绿头苍蝇，说不出的恶心。侯卫东心情恶劣，盯了她一眼，如果眼光可以变成苍蝇拍子，他一定会毫不犹豫地拍下去，将她打个稀烂。

池铭追到楼梯口，问道：“疯子，大刀和习昭勇怎么没有回来？”

侯卫东叮嘱道：“他们两个到派出所去了，这几天你也要小心一点，这伙人是来抢钱的，心狠手辣，要防着点。”

池铭紧张地道：“院子的门锁坏了，我赶紧找人修好。”

回到小房门，侯卫东把门关上，顺手还将房门反锁了。他在屋里转了几圈，脑海中始终摆脱不了曾宪刚屋里的惨景，血腥味似乎仍在空中飘浮。也不知呆坐了多久，侯卫东就从箱子里取出三本存折。这三本存折就是他经营石场的重要成果，如何保管这三张折子，难倒了侯卫东。

床下面显然不安全，箱子里更是强盗的目标，灯具里怕被引燃，桌子下面怕被老鼠叼走，遍寻房间的所有角落，竟然容不下三本薄薄的存折。想来想去，侯卫东决定在益杨买一套房子，将这些存折放在安有防盗门和防盗网的房间内。他还打算在装房子的时候，留一个暗格，专门来放存折。

惊魂稍定，习昭勇和田大刀就从青林派出所回到了小院子，高长江和侯卫东来到习昭勇家中。

习昭勇简短地说道：“刚才开了案情分析会，具体情况我就不说了。一句话，这一伙人是冲着石场老板来的。乡政府院子里，我、疯子、大刀都是目标。所以，秦所长吩咐我们提高警惕，不能再出事了。”

高长江是老青林了，他还是第一次见到这样惨烈的案子，道：“大家都要注意了，以后把规矩定好，晚上10点钟就关大门。还有，这幢房子底楼是办公室，二楼以上就是住家户，我们在二楼的入口焊一道铁门，这样就安全一些。”

侯卫东点头道：“高乡长这个方案好，焊铁门的钱，加固院子的钱，都由我来出。”

习昭勇又建议道:“在楼上喂一条狼狗,有人想撬门,狼狗就会示警。”他想起曾家被麻翻的狗,又道:“把狗放在二楼,有铁门拦着,强盗无法给狼狗喂药。”

商议了详尽方案,众人这才放下心来。

狡兔三窟

下午,侯卫东稍稍睡了一会儿,就坐了一辆货车,到益杨县医院去看望曾宪刚。

曾宪刚实在是命大,身中九刀,一只眼珠被砍爆,肠子也被刺成几段。但是,奇迹般地没有被刺中要害部位,最危险的一刀是擦着心脏刺进去的。

经过紧急抢救,曾宪刚从死亡线上被拉了回来。侯卫东去看他之时,他被包成了粽子,正在床上昏睡。曾宪刚的哥哥曾宪力是转业军人,在益杨供销社工作,他在医院照顾曾宪刚。

侯卫东离开之时,将曾宪力叫到一边:“我叫侯卫东,与曾宪刚合伙办了一个芬刚石场。我从石场提了一万块钱,你先拿着给他治病。这是我的手机号,有什么事情就联系我。”

曾宪力感慨地道:“办石场赚了几个钱,自已瞎了一只眼,又将弟妹的命丢了,真是不值得。”发完感慨,又问:“他这次被抢了多少钱?”

侯卫东摇头。

“他到底赚了多少钱?”

“不知道。”

离开医院,侯卫东心里堵得慌,一个人在益杨大街小巷转来转去。他突然很想找人倾诉,可是回想起来,生活了六年的益杨城,真正能倾诉的对象却寥寥无几。这一段时间他接触最多的是交通局的朱兵、刘维、梁必发等人,可是这几人是生意场上的朋友,并不适合将最软弱的一面暴露给他们。

他不禁感叹道:“朋友千千万,知音无一人。”

经过汽车站时,侯卫东突然想到了段英。在益杨城,真正能谈些知心话的,似乎就只有刘坤的女朋友段英。可是她现在是刘坤的女朋友,以前的暧昧都成了过去。

他就站在汽车站前的人行道，发着呆。忽然，背后有人拍了拍他的肩膀，侯卫东如触电一样转过身。

“侯卫东，怎么一个人站在这里？”

想曹操，曹操到，段英身穿一件紫色风衣，出现在身后。侯卫东看清楚是段英，道：“怎么神不知鬼不觉就到了身后，吓了我一跳。”一夜未眠，他眼睛满是血丝，胡子也长得飞快，看上去颇为憔悴。

段英关心地问道：“出什么事了，这么憔悴？”

侯卫东道：“走，找个地方，我请你吃饭。”

“到底出了什么事？”

“一言难尽，找个地方，我想找人说话。”

段英道：“现在才4点过，吃饭还早。我知道一个茶室，最安静，我请你喝茶。”

这是一个幽雅的茶楼，进了茶室，一个穿唐装的女孩子泡了一壶铁观音，就退了出去。背景音乐是隐约的古筝，古筝如风，慢慢地吹动着竹林。

品茶、听音乐，侯卫东将昨夜的案子给段英讲了。段英听得花容色变，手指捏得紧紧的。

“你也要注意，别让人盯上了。”

“放心，我们有了安全措施。”

侯卫东讲出了心里话，也就完全放松下来。他打量了一下段英，笑了笑。段英就摸了摸自己的脸，道：“我脸上脏吗，你笑什么笑？”

“我觉得你倒真是干记者的材料，我看了报纸上你写的文章，写得很好。”

段英兴致原本颇高，听了这话，反而没有笑脸，幽幽地道：“鞋子合不合脚，只有自己才知道。”

侯卫东便觉得她话中有话，道：“有心事吗？”

段英沉默了好一会儿，才道：“这事也不知道怎么说。我从绢纺厂调到报社，是刘叔叔帮的忙。我很感谢他，只是刘坤的妈妈整天把这事挂在嘴上，好像救世主一样，让人心烦。”更重要的一点，刘坤实在不是她心目中的理想爱人，这一点，她无法说出口。

侯卫东以前见过刘坤的父母，当时还给他们取了一个黑白双煞的绰号。如今段英到了刘家，想必与这白煞相处得不是很愉快。

“看来做人还是得靠自己，否则就会抬不起头来。”段英眼睛似乎有些湿润，道：“侯卫东，早知道开石场赚钱，我也不到报社来，就到上青林开一个石场。”

“开石场都是粗汉干的事情，你干不了这些事情。”

“啥事都是人做的，我不怕吃苦。”

这一壶茶喝了一个多小时，谈谈天，说说地，两人心情都好了不少。

分手以后，侯卫东按照老习惯，到沙州学院招待所住宿，办完手续，又没了睡意，便准备到学院去转一转。走了不远，就到了学院张贴栏。平时他不看这个张贴栏，今天却无意看了一眼，就见到了上面有一张“卖房启事”。

自从曾宪刚出事以后，侯卫东就想在益杨县买一套房子，平时进城就有落脚的地方，又可以存放重要物件。无意见看见卖房启事，他便走过去细看。

启事的最后一句话很特别：“此房价钱超出市场价，无承受能力者请勿造访。”

从启事来看，这是一套位于沙州学院西区的住房，西区风景很美很幽雅，很合侯卫东的胃口。特别是最后一句话，更增添了他的兴趣。记下门牌号，他又在学院里转了一圈，这才回到了招待所。

第二天一早，他就来到了西区临近湖边的一栋掩蔽在树林的小楼。敲开四楼大门，一个白头发的老人探出头来，道：“你找谁？”

老人是财会系刘教授，在学院很有些名气。侯卫东礼貌地道：“刘教授，我看到张贴栏的卖房启事，请问，这房子真的要卖吗？”

看到买房人这么年轻，刘教授道：“买房子吗？我这房子价钱可不低。”他又问道：“你认识我？”

“我是学院法政系毕业的，在益杨县青林镇政府工作，所以想买一套房子。”看着刘教授狐疑的目光，侯卫东又报上了系主任和一些任课老师的大名。

刘教授这才露出了笑容，道：“这可是好房子，我要给她找个好人家，所以问得详细些。”

“刘教授，我记得学校的房子大多数是福利分房，并不是商品房，这房子有房产证和土地证吗？”

刘教授挥了挥手，道：“进屋再说。”

屋子里乱七八糟的，最明显的是特征是书多，桌上、地上散落着许多大部头，还有一些家具也搬离了原位。侯卫东离开沙州学院以后，就很少在一家看到这么多书。青林镇唯一有书架的就是粟明副镇长，可是与刘教授相比，就是小巫见大巫。

刘教授进屋，拿出了房产证和土地证，道：“放心吧，这楼房是全产权房子。为什么是全产权房子，原因就有些复杂，我用不着多说了，一切以产权证为主，你先看一看。”

侯卫东接过房产证和土地证，仔细看了一遍，还给刘教授以后，道：“这房子多少钱？”

刘教授用两根指头比画着道：“十万，不讲价。”

侯卫东算了算，道：“房子只有八十个平方，每平方米就要超过一千块钱，这价钱放在沙州，也算是高价了。”

刘教授办事很认真，道：“这个价钱，自然有道理。”他带着侯卫东走到窗边，道：“这房子依山傍水，站在窗边可以看到湖水，朝西看，则是一片大林子。如果不是因为要回西安与家人团聚，我还真舍不得卖这房子。”

他强调道：“我觉得这房子值十万，卖便宜了，对不起老伙计。”

侯卫东心里着实喜欢这个房子，他四处看了看，痛快地道：“好，明天我取钱过来，把手续办了。”

刘教授高兴地道：“我还有两天才能办好托运，后天你过来，我们去办手续。”

就在侯卫东要出门之际，刘教授奇怪地问道：“看你年龄，毕业也没有几年，怎么有这么多钱？”

侯卫东微微一笑，道：“现在是商品经济，我家里有人在做生意，赚了些钱。”

第三天，侯卫东就带着钱来到了刘教授家里。此时房间已经搬运一空，打扫得干干净净。刘教授将侯卫东带到了阳台，阳台上有两个盆景，侯卫东也叫不出名字，只觉得特别苍劲。

刘教授指着盆景道：“这两个盆景是一对，叫做珠联璧合。我养了十年，它们不适应西安的气候，我特意留下来，希望你能好好养它们，夏天要多浇水。”

侯卫东道："我在青林镇政府工作，平时不会经常回来。"

刘教授笑道："这没有关系，我平时也经常出差，不在家的时候，就由郭教授帮着浇水。我们这两个阳台相距很近，他站在隔壁阳台，用长柄的水壶就能直接浇灌。"

侯卫东这才注意到，这栋楼与普通房子不一样。两家阳台的距离不足一米，从对面完全可以帮着浇水。

交代完细务，两人就准备去办理过户手续。出门之时，刘教授敲开了邻居的门。

"老郭，我这房子卖出去了。小侯是沙州学院法政系毕业的学生，他以后就住在你的隔壁了。"

郭教授个子不高，头发梳得很整齐，穿了一件运动装，显得很精神。他很感慨地道："老刘，在一起住了十年，真舍不得你，你什么时候走？"

刘教授道："天下没有不散的筵席，什么时候有空，就到西安来做客。还有，郭丫头办喜酒的时候，一定要通知我，如果不通知我，我就要打电话来骂你。"

两人就站在一起说些分手的话，侯卫东安静地站在一旁等着。从楼梯又下来一人，很有些气派，他老远就伸出手，然后紧紧地握着刘教授的手不放，有节奏地上下摆动了一会儿，道："刘教授，段院长昨天回来了，今天中午学院班子集体给您饯行，就在汇碧楼。"

来人是学院副院长济道林。

刘教授很感动，道："济院长，谢谢你了。"济道林笑道："刘教授，您别这样称呼，叫我小济吧。"

济道林曾是刘教授的学生，留校后迅速成了刘教授的领导，而且是很得人心的领导。刘教授感叹道："小济，学院和一般行政机关不一样，教授们才是最宝贵的财富。这几年你做得很好，房子、票子、位子都向我们这些倾斜。我其实不想走，却不得不走，只希望济院长继续保持这种做法，沙州学院的地位一定会迅速提高。"

他们几人谈了几句，侯卫东招呼道："济院长，你好。"虽然毕业已经两年，济道林还是一口就叫出了侯卫东的名字，道："侯卫东，你怎么在这儿？"

刘教授就道："侯卫东买了我的房子。"

这一栋楼，全是学院老师。当刘教授准备卖房子的时候，老师们还担心住进来不三不四的家庭。济道林见是侯卫东来买房子，便放下心来。

听说侯卫东曾是学院的优秀学生干部，郭教授更是放下心来，心道："既然是济道林认识的学生干部，料来也不错。"

办完了所有手续，侯卫东就拿到了房产证、国土证和钥匙。楼房打扫得很干净，设施也齐全，侯卫东一不做二不休，就在城里买了全套家具和电视、VCD、空调、冰箱等电器。半天时间，屋内又重新布置起来。

房款加上家具，花了十三万，益杨的这一个新家也就有模有样了。重新办理了水、电、气、闭路等手续以后，也就是功能齐全的小家。

在新家里，侯卫东亲自动手，在墙壁上取了两块砖头，做了一个暗格，专门存放存折、合同等贵重物品。暗格做好，恢复如初，居然看不出一点破绽，侯卫东为此得意了许久。

在侍弄新家的同时，侯卫东也天天朝医院跑。曾宪刚伤得极重，全靠他身体强壮，才熬了过来。在第三天的时候，曾宪刚终于睁开了他的独眼，得知妻子已死，眼睛也废了一只，他咬着床单痛哭一场，然后一整天未说话。出事那天，曾宪刚的儿子正好到外婆家去了，这才逃过一难。但他被家中的惨祸吓到，成天坐在医院角落，一声不响。

侯卫东第三次到医院之时，曾宪刚才稍稍恢复了正常。趁着病房无人之际，他第一次开口说话。

"疯子，我屋里还有十万块钱，放在墙壁里面，你帮我取过来，存在银行里。"他说了许久，才将具体位置给侯卫东说清楚，等到其哥哥曾宪力回来，他就转换了话题。

侯卫东知道钱对曾宪刚的重要性，也不多问，出了医院，便打了一个出租车，一路直奔上青林尖山村。到了曾宪刚家，他让出租车在公路上等着，然后直奔其家，从墙壁里取出十万现金，然后返回出租车。

到了益杨城，他连忙用曾宪刚的身份证，办了一个存折，又回到了医院。

看到存折，曾宪刚明显松了一口气，道："疯子，麻烦你将存折给我收好，出院的时候再拿给我。我又想起了一件事，在床下面还有两万，你取出来，一是帮我付医院的药费，二是张兰的丧事是父母帮着操办的，花的钱，也用这钱来付。"

"还有，我儿子一天都没有说话，你带着他散散心，我总觉得他神情不对头。”

侯卫东一一记下，又道：“芬刚石场生产很正常，你的石场只有先停下来。”

曾宪刚肺部中了一刀，说话就直喘气，道：“疯子，还要麻烦你，你能不能派林中川替我管一管石场？生产不能停下来。”

此时，益吴路已建设完成，上青林石场由于这两条路的建设而声名大振。益杨县重要工程都指定要上青林石头，因此石场生意并没有随着公路建设结束而萧条，仍然保持着良好的态势。曾宪刚流干了眼泪，为了儿子和父母，心中经过反复挣扎，仍然打定主意继续干石场。

两人正说着话，赵永胜和刘坤、蒋有财等人走进了病房，办公室唐树刚提着一些水果跟在后面。

赵永胜问了问伤情，就道：“曾主任，你就安心养伤，公安局正在全力破案，一定会将凶手揪出来。你有什么事情，可以给刘助理和蒋书记谈。”又对侯卫东道：“侯卫东，你现在仍然是上青林工作副组长，要配合派出所，搞好治安联防工作，消除治安隐患。刘坤在分管企业工作，有什么事情就直接给刘坤汇报。”

侯卫东点点头，道：“行。”

赵永胜走到曾宪刚身边，弯下腰，道：“曾主任，你安心养伤，要相信组织，相信公安。”

赵永胜等人在病房里待了半个小时，留下了两百元钱，就离开了病房。青林镇几位领导干部走了不久，侯卫东也就告辞而去。他租了一辆出租车，急急忙忙地又到了上青林尖山村，打开床板，见两万元钱仍然包在一条普通裤子中，便将悬着的心放了下来。取了钱，坐上出租车，他就朝着益杨城赶了过去。

看到了完好无损的两万元，曾宪刚睁着的一只眼睛就闭紧了。过了一会儿，他睁开独眼，道：“疯子，你是好兄弟，我一定会找机会报答你。”一夜之灾，让身强力壮的汉子变成了手无缚鸡之力的病人。在危难之际，合作伙伴侯卫东成了最值得他相信的人。

只是曾宪刚的儿子仍然倔强着不说话，侯卫东也没有办法，只能让外婆先将其带回家。

告别了曾宪刚，侯卫东买了最爱吃的宽面和一打鸡蛋，就回到了沙州学院的新家。吃了鸡蛋面，他开了台灯，让一圈光线照亮了乳白色的书桌，然后提了一个小水壶，就去给盆景浇花。

到了阳台上，面对着湖面点点星光，闻听着不远处树林的"簌簌"声响。远处音乐系钢琴断断续续的琴声，与上青林纯粹自然的景观相比较，多了些人文气息，也多了一些温暖。

第一次直面亲朋好友的非正常死亡，曾宪刚夫妻俩鲜血淋漓的情景，时刻漂浮在他的脑海中。办完了曾宪刚交办的两项重要工作，他心里暂时平安一些。

此时，他融入夜色之中，暂时忘掉了世间俗务。

隔壁灯光一亮，随后一个人影出现在灯光之中。这是一位年轻女性的身影，她穿着一身蓬松的睡衣，站在阳台上伸着懒腰。由于背对着灯光，侯卫东没有看清楚她的相貌，也就没有理她，自顾自地看着湖面星星点点的灯火。

阳台上的女子也在看着湖面，她无意中扭头看了一眼阳台，忽然看到隔壁阳台上有一个人影。这道人影出现得如此突兀，让她禁不住尖叫了一声，就朝屋内跑去。

侯卫东听到这一声惊呼，也意识到自己将隔壁的女子吓着了。他没有继续吓人，转身走回了客厅，打开电视，随意看了一会儿，这时电视台都在上映一部连续剧《宰相刘罗锅》。他躺在沙发上，看着刘罗锅与和珅的恩恩怨怨。

忽然间，他想起一件事情，组织部郭兰曾经说过，她的父母是沙州学院的，而隔壁就是郭教授。难道，刚才尖叫的人是郭兰？

正在想着这事，大门响起了敲门声。

侯卫东是第一天搬进新房子，除了小佳以外，还没有通知其他人。他猜想："肯定是隔壁受惊吓的女子，说不定就是郭兰。"他打开门，就见到短发美女郭兰正站在门外。

"侯卫东，吓了我一跳。"郭兰已经换下了睡衣，穿了一身运动服，出现在侯卫东眼前。

"郭兰，刚才把你吓着了？"

郭兰站在门口，嗔怪道："怎么不开灯？站在阳台上玩深沉，真是吓了我一跳。"进了屋，郭兰好奇地四处打量了一番，道："刚才听爸爸讲，隔壁搬来了一个年轻人，是沙州学院法政系毕业的，在青林镇工作，我猜就是你。"

晚上郭兰在外吃了饭，回到家时，父亲正在书房看书，而母亲正在专心看电视。她招呼一声就去洗澡了，然后来到阳台上晾衣服，猛然间就见到了阳台另一边的黑影，她吓得飞也似的逃回了房间，这才知道来了新邻居。

见满屋都是益杨顶级的电器，郭兰禁不住夸了一句："你还真有钱。"心里直纳闷："侯卫东工作不到两年，怎么会这样有钱？莫非其中有猫腻？"

她有意无意地问道："从党校毕业这么久了，工作调整没有？"

"都说党校毕业要升官，我估计是被组织部遗忘了。两年时间，还和报到时一样，我还在上青林与天斗，其乐无穷。"侯卫东自我调侃了两句，顺手倒了一杯热茶，递给郭兰，道："不说这些，这是益杨今年的明前茶。我这茶是顶级的，都是茶农送给我的，欢迎品尝。"

郭兰吹了吹水汽，喝了一口，就赞道："好香的茶。"然后解释道："组织部的培训很多，党校的各种班也多，参加培训班，并不是表示要升官，还要等待机遇。"

两人聊了几句，郭兰告辞的时候，侯卫东从茶柜里取过一个茶盒，道："这是青林的明前茶，一点农药也没有，送给郭教授。"

郭兰也没有推辞，道："我爸爸就好这一口，谢谢了。"临出门之时，她道："以后站在阳台上，把灯打开，黑乎乎的怪吓人。"

祸及池鱼

"亲戚或余悲，他人亦已歌。死去何所道，托体同山阿。"一个月的时间，已经让上青林的血迹变淡。

曾宪刚家中的惨案，如一块石头投入了平静池塘，激起了一圈又一圈的涟漪，却很快就归于了平静。只有那一块落水的石头，永远压在了亲人们心口上，沉甸甸地潜伏着。

侯卫东在山上开着石场，日子忙碌而平静。他万万没有想到，检察院的人会找上自己。

1995年11月7日中午，电视里正在播放《宰相刘罗锅》。侯卫东被刘罗锅吸引了，尽管已经是看第二遍了。看得正入迷，手机突然响了起来，派出所秦钢的声音很严肃急切：“侯卫东，检察院马上要来找你，你要有心理准备！”

侯卫东吃了一惊，道：“检察院找我有什么事情？”

“他们没有说，只是找到派出所，让我们带路，听口气似乎是找你调查情况，估计是县里的哪一位官员东窗事发了。张辉带着他们上来，一个小时就要到，你在山上开着石场，躲是躲不掉的，还是要想好处理办法。”

秦钢又叮嘱道：“我给你打这个电话，是违背纪律的，你要保密，把手机放好。”

侯卫东冷静地回想着自己的行为，若是县里官员东窗事发，肯定就是交通局的事情，他暗自庆幸自己的谨慎。

曾宪刚事件以后，他在益杨县里建了一个窝点，将涉及交通局的所有重要物件放在那个小窝。在青林山上就只有两万元钱现金、执照、税费手续等物。而沙州学院的房子是用石场一个老村民的身份证办理的转户手续，检察院很难查到这个房子。即使找到了沙州学院的房子，也很难找到墙壁上的暗格。

侯卫东连忙给朱兵打了一个电话，谢天谢地，朱兵在第一时间接通了电话。

“我是侯卫东，检察院马上要来找我，听说某个官员被抓了。”

朱兵同样吃了一惊，道：“我刚从沙州回来，不清楚情况，你千万不要乱说话。我马上给曾局长汇报此事，手机不要让他们发现了。”

“这手机是没有用身份证那种，他们查不出是谁打的电话。”

过了一会儿，朱兵回了电话：“检察院查高建，估计醉翁之意不在酒，你要做好思想准备。”

交代了几句关键的话，侯卫东将手机关机，藏到后院围墙的一个很隐秘的小洞里，用一块烂石头堵住。这个小洞是他以前无所事事时发现的，现在派上了大用场。

办完这些事情以后，侯卫东心里有底了。当张辉他们带着两男一女敲响房门以后，他一脸平静。

“我们是益杨县检察院的，需要你配合工作。”带队的人是四十来岁的男同志，他长得很是饱满，如泡了水的豌豆。

侯卫东心里有了准备，态度不卑不亢，道：“请出示工作证。”

张辉介绍道："这是检察院的唐科长。"

侯卫东仍然道："请出示证件。"

唐小伟出来办事，很少遇到主动要查看工作证的。他从上衣口袋取出工作证，在侯卫东眼前亮了一下，道："看清楚了，这是工作证。"语气中就带着不快。

侯卫东手没有缩回去，道："我是青林镇政府工作人员，是中华人民共和国公民。检察院办案子，我有权利查看证件。"

唐小伟鼓着眼睛瞪着侯卫东，他没有想到一个乡镇小干部如此强硬，犹豫了一下，把工作证递给了侯卫东。

工作证显示，这是货真价实的检察院人员。

侯卫东彬彬有礼地道："请坐吧，我给你们倒水。"

唐小伟道："不必了，请跟我们到检察院去一趟，有一些事情需要问你。你把箱子、桌子全部打开，我们要检查。"

侯卫东再次伸出手，道："要搜查房间，这是你们的权利，但是请出示搜查证。如果没有，我将请工作组组长高乡长、居委会主任以及相关工作人员到场，他们将是我的证人，我有权利向沙州市人民检察院反映益杨检察院执法人员带头违法的行为。"

唐小伟看了张辉一眼，张辉平时也经常与侯卫东吃吃喝喝，此时就把脸扭到一边，不理会唐小伟。

检察院年轻男子正准备阻拦走到门口的侯卫东，侯卫东瞪了他一眼，道："我不会跑，只是喊几个证人过来。"

唐小伟知道啃着硬骨头了，他趁着侯卫东走出房门之际，悄悄问张辉，道："侯卫东是什么人？"

张辉道："刚才忘记给你们说了，他是沙州学院法政系毕业的，很多同学都在沙州市政法系统工作。"

等到习昭勇、高长江、杨新春、李勇等人来到了房间，唐小伟也就不敢强行搜查，暗道："这次真是大意了，应该把搜查证开来。"他是老检察官，办案经验丰富，手续不全，态度变得很温和，对高长江解释道："县里有一个案子涉及侯卫东，需要他回去协助调查。"

检察院办案子，工作组没有理由阻拦。

侯卫东慢慢地走回了房间，关了所有电源，细心地锁上房门，这才坐上了检察院开来的警车。上了车，唐小伟坐在副驾驶的位置，侯卫东坐在后排中间位置，一男一女两个检察官就分坐两边，而派出所民警张辉没有上车，跟着刁昭勇上了楼。

到了独石村村部，那位女检察官随意地问道："侯卫东，沙益路和益吴路是你供应碎石？"

侯卫东回答得极为爽快，道："不是，我是工作组副组长，只是在里面帮忙，为乡镇企业出谋划策。"

唐小伟回过头来，道："你把自己说得这么干净？狗背弯石场到底是怎么一回事，大家心知肚明。"

侯卫东毫不示弱，道："这事很简单，可以到工商局去查营业执照，看谁是老板，也可以到狗背弯现场去查探，看谁在管理石场，这些事情很清楚。"

唐小伟气势汹汹地道："既然检察院找到了你，就肯定有依据。你不要鸭子死了——嘴壳子硬，到时有你哭的时候。"

车上，侯卫东反复思考他可能存在的问题，顶破天就是行贿，而且他基本上没有具体经手，都是由曾宪刚经办这些事情，而曾宪刚还在医院躺着。

唐小伟又换了口气，语重心长地道："给你点时间，好好想一想，有没有做过什么违法的事情。到了检察院，要给组织老老实实地交代出来。"

侯卫东知道自己的事情不大，只要能坚持住，就不会有事，暗自为自己打气道："人死卵朝天，不死万万年，怕个屌！"到了检察院，第一件事情就是交出随身物品，连皮带也被抽了出来。随后发给侯卫东一根短绳子，用来捆裤子。年轻的男性检察官就将侯卫东带到了一间小房子里，小房子里空空荡荡，很冷。

唐小伟随即找到了副检察长商游，道："侯卫东是沙州学院法政系毕业的，懂点法律。我本来准备搜查房子，他让我们出示搜查证，还叫来了好几个人来作证。我没有搜查，只是将他的房子锁了。"

商游五十来岁，人长得特别瘦。他皱着眉头道："从现在掌握的情况看，上青林石场以侯卫东为首，与交通局打交道主要是他。按常理来说能从他这里打开一个缺口，如能在他房间里找出证据，事情就好办了。"

开了搜查令，唐小伟便带着人，再次前往上青林。

第十章
在全县官员瞠目结舌中升官

检察院

在交通局办公室，曾昭强把朱兵叫到办公室，阴沉着脸。

朱兵愤怒地道：“有些人为了当官，无所不为，太可耻了，我认为他们是想从高建那里打开缺口。”

曾昭强是交通局长，在今年县乡同时换届中，是副县长的热门候选人。另一位热门人物是农委蒋守文主任，而蒋守文与检察院金院长是郎舅关系。

“高建这人手伸得太长，这一次是咎由自取，应该给他一点教训。”

曾昭强从内心深处对这个财务科长并不满意，可是高建是沙州市交通局副局长刘林义的心腹。刘林义是益杨县前任交通局长，出任副县长以后，又调任沙州交通局副局长。由于这一层关系，曾昭强就一直没有换掉高建。也由于这一层关系，曾昭强很多事情都绕开了高建，没有把柄落在高建手中。

“不知侯卫东这人靠不靠谱，如果他顶不住了，乱咬一气，还有些麻烦。”曾昭强这是指朱富贵石场的事情。

“侯卫东办事很机灵，提前用手机报了信。我认为他靠得住，现在得想办法把他捞出来。”朱兵说到这里，灵机一动，道，“侯卫东在上青林群众基础很好，威信极高，可以用群众的名义找到沙州人大主任高志远，请他出面。”

曾昭强点点头，“你去办这事，我去做其他领导的工作。”

在益杨县检察院，侯卫东被关到了冷清的小房子里，没有人理睬他。他不知道外面的情况，孤坐着思考对策。

侯卫东学法律出身，知道自己顶了天也就是一个行贿罪，而且能认定的数额很小。这一次检察院将自己请来，项庄舞剑，意在沛公，肯定不是针对自己，基于这个判断，他底气渐渐足了。

小房子极为冷清，侯卫东靠着墙坐在地上，冷且饿，迷迷糊糊打了一会儿盹，只觉过了许久。忽听房门哗地开了，一人道：“跟我走。”

到了一个不太标准的审讯室，开着一盏大台灯。侯卫东坐下之时，大台灯的强光直接射在他的脸上，刺得他睁不开眼睛。在强光照耀之下，侯卫东如被褪了毛的猪一样，暴露在杀猪匠的眼中。在台灯后面，由于光线的原因，则是一片黑暗。猎人，总是在黑暗处，凝视着他的猎物。静坐了十来分钟，侯卫东已是大汗淋漓。台灯后面才传出来一个声音：“侯卫东，你想好没有？”

“我是来配合你们工作，你们不问，我怎么知道应该想什么？”

台灯后面坐着商游副检察长和唐小伟。商游紧紧盯着侯卫东，从经验来看，侯卫东肯定和交通局财务科高建有金钱上的来往，因此他心里并不是太担心。

唐小伟道：“我提醒一句，1995年交通局财务科打了上百万在你的账上。4月，你曾经在益杨宾馆住过一晚，我就提醒这么多。坦白从宽、抗拒从严，这个政策你是了解的。你不说，不等于别人不说，年纪轻轻的，要珍惜大好前程。”

侯卫东假装糊涂，道：“我的账上没有钱，你凭什么说打到了我的账上？”在刘光芬的要求下，上青林石场凡是要写名字的地方，全是刘光芬的名字，账户也是以刘光芬名义所开。侯卫东的账户上就只有工资，刘光芬为了帮助侯卫东，每月还要到上青林来一次。

商游和唐小伟轮番上阵，意图从侯卫东身上打开突破口。最后，侯卫东一概只回答一句话：“头昏，记不清了。”

到了早上6点，侯卫东仍然还是这话，让商、唐两人无可奈何。唐小伟气得火冒三丈，忍不住取过一本厚书，垫在侯卫东后背，狠狠地打了几拳。他相貌虽然类似于泡水豌豆，出手却不含糊，打得侯卫东眼冒金花。

等他打完了，侯卫东道："我国法律严禁刑讯逼供，我要向岭西、沙州检察院和人大投诉，要向新闻媒体揭露。"唐小伟又要冲过去一顿拳脚，商游赶紧拦住了，侯卫东忍住没有再说话。

大约在早上7点，商、唐两人回家睡觉，就留下另外一批人来继续提问。他们的目的已经很明确，就是要查出侯卫东与交通局的金钱交易。

侯卫东闭着眼睛，只说了六个字："头昏，记不清了。"

第二天下午，吃饱喝足的商、唐又来到了审讯室。侯卫东已经24小时没有睡觉和吃饭，耳朵里全是询问声。

晚上12点，商、唐两人失望地走了出来。

商游是军人出身，从事检察工作已有十来年，很少看到这样硬气的人，道："看来要从侯卫东身上打开缺口很难，他还真是个人物。"

唐小伟狠狠地道："再审他24小时，就算是铁人也受不了。"

商游道："侯卫东说得没有错，交通局的钱全部是打到侯卫东母亲刘光芬账上，他搞的是擦边球。"

唐小伟道："与高建接触的人就是侯卫东，刘光芬不过是幌子。"

此时，交通局高建顶不住了，如流水一样把自己的事情全部交代了出来，牵出不少人，不过没有涉及曾昭强和朱兵。

商游不愿意把事情闹得太大，道："据高建交代，上青林石场送钱的是一名叫做曾宪刚的人。曾宪刚是村委会主任，受了重伤住在医院里。侯卫东只是请他喝酒吃饭，此事我觉得没有多大意思。我回去睡觉了，你利用高建的口供再审一会儿。"

就在侯卫东苦苦支撑的时候，曾昭强找到了沙州市的领导，暗中做了工作，很快就有电话打到了县检察院。与此同时，上青林村民代表在秦大江的组织下，弄了一个万人签名，送到了沙州市人大主任高志远家里。

在多重压力之下，检察院就停止了对侯卫东的审讯。侯卫东行贿一事证据不足，没有能够立案，也就没有案底。

交通局财务科长高建家中搜出了一百二十万的巨额财产，他在检察院就没有能撑住，吐了个干干净净，已被刑事拘留，彻底完蛋。

走出检察院的那一天，侯卫东胡子冒出老长，他抬头看了一眼冬日难得一见的太阳，整个人都快软了下去。

虽然侯卫东的父兄都在公安机关工作，可是平时在家见到他们，体会的都是人民民主专政民主的一面。而检察院的经历，让侯卫东体验到人民民主专政的专政面。专政的铁拳，让侯卫东背心隐隐发痛。

当他走出检察院时，一辆桑塔纳就滑到了他的身边，梁必发坐在副驾驶位置，摇下车窗，道："疯子，上车。"

侯卫东上了车，便将头靠在后背上，闭目养神。梁必发扔了一支烟给他，正准备给他点火，回头之时，侯卫东已经沉入了梦乡。

一觉醒来，侯卫东坐在床上愣了半天，没有搞清楚是在哪里。这一路他都在做梦，梦中，总觉得天空中有一个太阳，直直地刺向了他的身体。

站在窗子边，看到了一个风景优美的湖。湖面并不大，水特别清洌，两岸绿树如荫，侯卫东深吸两口气，连心肺都清爽了下来。

侯卫东慢慢地将检察院的事情理了一遍，检察院之行，是对自己意志力的考验。虽然几次都到了崩溃的边缘，却最终扛住了检察院的疲劳战术。这说明，自己有一颗坚强的心，为此他很满意。

走到客厅，就看到两个人在喝茶，梁必发和一位漂亮的年轻女子。

"疯子，你狗日的终于醒过来了，你知道你睡了多久？整整18个小时！"

侯卫东闷头闷脑地道："今天是几号？"

"11号。"

侯卫东是7号被带到检察院，转眼就过了四天。他使劲揉了揉太阳穴，道："他妈的，检察院真是整死人不填命，有几次真的要崩溃了。"

梁必发拍着侯卫东的肩膀道："我没有看走眼，疯子，你这个朋友我交定了。"对于这种在检察院能够死咬着不松口的朋友，梁必发是发自真心地佩服。

侯卫东被带到检察院以后就与外界隔绝，所以，对整个事态的发展并不了解，只是由于有一个不认识的女子在面前，他没有多问。

"我给你介绍一个好朋友，这是沙州道路工程公司的李晶，李总。"

李晶伸出纤纤玉手，道："好几次听到梁大哥说起你，我是沙州道路工程公司的李晶。哪里是什么老总，只是为了好听，挂了一个副总的名字，其实就是一个打工仔。"

梁必发笑道："侯卫东，今天你要好好和李总沟通。据最新最绝密的消息，岭西省要在1996年开始修建岭沙高速公路。如果不出所料，这事就要由沙州道路工程公司来做。高速公路肯定要从益杨通过，这可是一个大商机。”

侯卫东刚刚脱离了人民专政的铁拳，心思还没有转到做生意上，勉强笑了笑，道：“还请李总多关照。”

李晶道：“上青林石场是益杨至沙州最好的石场，到时需要侯总多多提供支持。”

说了几句话，侯卫东慢慢地恢复了元气，道：“这是什么地方？我饿得慌，弄点稀饭或是面条。”

李晶笑道：“这是沙州城外的汉湖，沙道司的产业，我已做了安排，你就在这里好好休养几天。”

侯卫东心道：“看来，被检察院弄了一回，曾昭强彻底接纳了自己，坏事从某种程度来说，也算是一种好事。”

李晶很有眼色，知道侯卫东与梁必发有话要说，道：“你们先聊一聊，我到厨房去看一看。曾局长特地安排，要弄几样有特色的菜品。”

李晶的背影随着高跟鞋的叮当声远去，她的腰身收得极细，束了一根腰带，虽然是秋天，仍然显出了窈窕身材。若是论性感，有人是饱满的性感，有人是委婉的性感，还有的就是骨子里的性感，李晶显然是性感到骨子里面了。

“财务科高建被抓了，熬了一天，全招了。”梁必发摇着头道，“高建这回完蛋了。”

“牵出了哪些人？”

“这也不太清楚，局里只牵出了他和纪检组长，纪检组长是原来的工程科科长，其他人没事。曾局为了你的事情，去找了县领导，要不然你可能还得多住几天。你在上青林的朋友们也不错，搞了一个万人大签名，跑去找了沙州人大的高志远。”

过了十来分钟，一位穿黑色套服的女服务员，端上来一个盘子，里面是两个炒菜，一份汤，还有一盆米饭。李晶跟在后面，道：“酸萝卜鸭子汤，小炒肉丝，炝菜小白菜，你尝尝，都是汉湖的拿手菜。”

正如李晶所言，菜名虽然平常，所用材料无一不是精挑细选，味道也极为地道。侯卫东埋头苦干，将整盆米饭和三份菜全部消灭掉，看得李晶捂着嘴直笑。

“卫东，我这里有温泉，曾局还有一会儿才来，我建议你去泡一会儿，解除疲劳，恢复体力。”得到同意后，李晶对身边的服务员道：“将这位先生带到三号楼。”三号楼是汉湖的贵宾楼，专门接待重要客人。侯卫东原本是不够资格进来洗浴，只是曾昭强特意交代，侯卫东才能享受到曾昭强等人一样的待遇。

侯卫东跟着服务员就去了三号楼，三号楼外表朴素，内装做得极好。到了会客室，一位长相甜美的女子迎了过来，温柔地道："欢迎先生光临。"她弯了弯腰，就在前面带路，上了楼，又拐了一个弯，将侯卫东带到了一个极为幽静的地方。她一边走，一边取下对讲机，道："二号，到黄山松。"到了门口，做了一个请进的姿势，自己转身离开。

进了一个宽大的房间，里面一应俱全，已有一位个子高挑的女子等候其中。她给侯卫东泡了一杯茶，道："这是益杨上青林的明前茶，名气虽然不大，却是货真价实的好茶。"侯卫东喝了一口，不禁点了点头。这确实是上青林最好的明前茶，而且全是一叶明前茶。

这个地方为客人考虑得极为周到。

侯卫东赤身裸体进入了圆形的大池子，他靠在池边，随手就可以拿到饮料、酒或是茶水。那高挑女子将各项准备工作做好，就慢慢地将外衣脱了下来。在侯卫东一丝惊异中，全身也脱得精光，她表情自然，抬腿就进了池子里。

侯卫东顿时就起了反应，不过有了检察院的经历，他不愿意在曾昭强眼皮下办这种事，道："我很累，只想放松，其他事情不做。你穿上内裤，我鼻血要流出来了。"

女孩听他说得幽默，笑了起来，道："那你先泡一会儿，等会儿我再帮你搓背。"

女子说话语气没有任何淫荡的气息，如两夫妻在家里搓澡一样。侯卫东在心里道："我操，这个汉湖，当真是不简单。"

泡了一个多小时，很舒服。

侯卫东起身之时，那女子跟着起来，拿了一张大毛巾，细细地为侯卫东擦洗了一遍，赞道："先生的皮肤真好，漂亮的古铜色，肯定是经常晒日光浴。"侯卫东微笑不语，心道："鬼个日光浴，石场的工人们都是这个肤色。"

女子服务很周到，她发现侯卫东内衣有些脏，就从衣柜里取过一套内衣，道："这里专门为客人准备了内衣，需不需要更换？"

侯卫东洗得清爽，穿得干净，一扫从检察院出来的晦气。回到前厅，曾昭强、朱兵、梁必发和李晶正在打麻将。

曾昭强道："我和卫东先说两句话，你们等一会儿。"两人来到了花园的角落。

"高建自作孽，这一次，不死也要脱层皮。你这朋友值得交，这几年交通大建设，石场生意好做，你抓住机会好好经营，多赚些钱。有了钱，你想做点什么都容易，这个道理你慢慢体会。"

回到了益杨县城，曾昭强道："送你回青林？"

侯卫东道："曾局，不用管我，我还要办些事情。"

"年轻人的事我不管，交通局要集资建房，多修了几间。你若要，按交通局内部职工价卖给你。"

"那当然好，谢谢曾局关心。"

"自家人，不要客气，这事你找朱局去办。"

回到了沙州学院的房间，关闭房门，侯卫东没有开灯，在电话位置给小佳打了一个电话。

小佳很生气："你干什么去了？好几天都没有打电话。"侯卫江略略迟疑了一下，还是讲了实话，道："交通局财务科长高建贪污受贿，害得我受了拖累，到检察院去说明情况。"

为了不让小佳担心，侯卫东对事实经过做了小小的处理，诸如"检察院的疲劳战术、唐小伟背后的黑拳"这些情节都省略了。尽管听到的是简化版的经过，小佳还是担心得紧，在电话另一头千叮咛万嘱咐。

换届选举

上青林芬刚石场和狗背弯石场建起之后，侯卫东一门心思赚钱，将仕途之事基本淡忘了。近期发生在曾宪刚和自己身上的两件事情，让他从肉体到心灵都认识到："在益杨这种偏僻小镇，如果没有当官，就算赚了钱，也容易受到各种势力骚扰侵犯。这种势力可能是黑社会，也有可能是政府各个部门。"

刘坤的到来，又给他这种微妙的心理增加了催化剂。

侯卫东痛下决心，今后要两条腿走路，一条腿是借用母亲的名义开石场赚钱，充实自己的腰包；另一条是进入以官场为主导的上层社会。

他有了思路，却没有具体的操作步骤。

为了答谢上青林诸人为自己奔走呼喊，侯卫东在基金会旁边的无名馆子摆了一桌。开席之时，他举着酒杯深情地道："俗话说患难见真情，如果没有各位鼎力相助，我现在可能还在检察院，为了表示感谢，我先饮为敬。"

秦大江高兴地道："我把万人签名送给高志远主任以后，他当场给县委书记祝焱打了电话。这位老领导真不错，以后逢年过节，我们上青林都要去拜访他老人家。"

习昭勇与侯卫东情况相似，既是公务人员又开有石场，问道："检察院找你究竟是为了什么事情？"

"纯粹是城门失火，殃及池鱼。交通局财务科科长高建犯了事，检察院在查账时发现上青林石场进出的现金不少，断定我有问题。高建已经被刑事拘留了，看样子得进监狱。"

习昭勇为了勾兑高建，总共花了五千块。只是由于送的现钱太少，高建根本没有记在心上，连习昭勇的名字都没有提。

此时，听说高建落马，习昭勇不禁拍手称快，道："高建心太黑，迟早要翻船，没有想到报应来得这么快。"

秦大江道："你别这么高兴，换了个财务科长，还得重新勾兑，说不定更麻烦。"

有秦大江在场，酒场通常会变成战场。秦大江喝高以后，拉着侯卫东痛说了革命史，然后高声地道："马上就要换届选举了，疯子想不想当官？只要你愿意，我们哥们几个有办法把你弄上去。"

侯卫东在检察院领教过人民专政的力量，不想再惹麻烦，看到其他人皆醉得不行，就拉着秦大江来到了院外，道："这事违背选举法，不能乱说。"

秦大江酒醉心里明白，唾液四射地道："乡镇人大换届选举开大会的时候，代表一人提议十人附议，就可以提出正式候选人。到时由我来提议，保证让你成为正式候选人。"

侯卫东怦然心动，他是学法律出身，知道操纵选举是违法之事，便笑道："我不管此事，大哥怎么做是大哥的自由，我只管得住自己，管不住别人。"

秦大江听得很明白，一阵哈哈大笑，啥也没再多说。

秦大江为人粗中见细，活动能力很强，很多村干部服他。那天醉话以后，侯卫东便静观事态发展。

12月初，曾宪刚出了院，他为了掩饰假眼，戴了一幅平光眼镜。粗大的汉子初次戴上眼镜，看上去颇不协调。

侯卫东将存折和现金交给了他。

“这次我遭了难，疯子帮了大忙。”

“兄弟之间，说这些干什么？”

曾宪刚瞪着那只真眼，一只手放在胸口，道：“我不说了，都记在心里。”

三个村的干部闻讯而来，支书唐桂元特意杀了一头猪，买了几挂大鞭炮，轰轰烈烈地在曾宪刚院子里放了一场。喝完酒，妇女主任带人把屋里打扫了一遍，大家这才离开。

曾宪刚重回自己的家，却恍如隔世。妻子的身影似乎还在屋里晃来荡去，厨房里甚至还飘来了火锅鱼的香味。他怕闻到这个味道，在院子里蹲了许久。

第二天，侯卫东再到曾家之时，曾宪刚正在指挥众人加高围墙，见到了侯卫东，道：“原来地围墙只有一米多高，轻轻一撑能过来，我准备把围墙修到三米五，上面再插些碎玻璃。”

院子里还挂着一只被剥了皮的狗，鲜血淋漓，惨不忍睹。曾宪刚愤怒地道：“这条狗没有用，如果它叫两声，我就不会吃大亏，狗日的，白养了它。”

晚上，来帮忙的人都围坐在一起吃狗肉。按照上青林规矩，第一杯酒要大家一起喝，随后才互相敬酒。

曾宪刚把酒杯捂着，道：“我戒酒了，从今往后，我再也不喝酒了。”他满脸懊悔地道：“那一天晚上如果不喝酒，也不至于睡得死沉。只要我当时醒着，那几个小子根本进不了屋，今后我再沾半滴酒，就是乌龟王八蛋。”

曾宪刚是主人，他不喝酒，这顿酒没有更多的兴致，狗肉被吃光以后，大家散去。

侯卫东留了下来，见曾宪刚情绪还算正常，讲了讲这一段时间芬刚石场和曾家石场的账目。曾宪刚兴致也不大，敷衍着听完，问道：“疯子，账目问题先不说，听说检察院找了你的麻烦，被关了两天？”

“有这事，前一段时间你在住院，没有给你说。”

曾宪刚阴着脸，道：“疯子，你现在光想赚钱是不行的，你还是应该走仕途这条路。马上要换届选举了，你有没有想法？”

侯卫东试探着道：“我不是候选人，能有什么办法？”

“你为上青林做了这么大贡献，怎么没办法？没办法大伙儿可以替你想办法，办法都是人想出来的。干了好事的就应该当官，这他妈的不是天经地义的事吗？”

侯卫东道：“反正这事我不管，你们想怎么办就怎么办，我不参加不配合。”

曾宪刚明白了侯卫东的心思，道：“上青林修路，疯子功劳最大，如果有人提出你的名字，绝对一呼百应，这一点我打包票。”

转眼间就到了换届选举的日子，秦大江不声不响地做着工作。他当了多年的支部书记，很有些工作方法，并不直接拉票，只是逮着机会就讲侯卫东在上青林公路中所做出贡献。

曾宪刚则是守株待兔。这一段时间，陆续有亲朋好友到家里看望他，他就从修公路开始，一直讲到受伤住院期间的种种小事，讲得细致入微，甚是动情。

在青林镇里，选举工作按正常程序推进着。

秦飞跃离开青林镇以后，赵永胜成了青林镇的绝对权威。这就让他的警惕下降很多，当宣传部刘军打电话询问儿子刘坤选举之事时，他在电话里打了包票。

1995年12月中旬，公布了选举方案以及候选人名单：镇长实行等额选举，候选人是粟明；副镇长实行差额选举，候选人四选三，副镇长候选人有钟端华、刘坤、唐树刚和李辉。

武装部长钟端华群众基础好，没有多大问题；

镇长助理刘坤是县府办下来的，是这次选举的重点确保对象；

唐树刚原是党政办主任，这次能进入内定名单，纯属运气好。

青林镇政府的领导职数一直是一正二副，这次选举前才增加了部分乡镇的领导职数。青林镇政府的领导职数就变成了一正三副，唐树刚幸运地被列入了副镇长候选人。计生办的李辉是一般工作人员，资历一般，能力一般，表现一般，是用来做差额。

1995年12月19日，青林镇人代会正式召开。由于有选举任务，镇里特别重视这一次人代会，专门租用了两个客车。一辆客车到上青林接镇人大代表，一辆客车到下青林各村接镇人大代表。

侯卫东不是人大代表，没有资格参会。他起床之后，到尖山村看了公路现场，然后来到狗背弯石场，站在高高的采石台上，他琢磨着："从反馈的情况来看，自己被选上的可能性比较大。也不知哪一个倒霉鬼会被选下来，是钟端华、刘坤还是唐树刚？"

中午1点，他在石场同工人们一起吃午饭。吃完饭，他回到家中，脱掉衣服，钻进厚实的铺盖，万事不想，只管睡觉。

2点钟，手机猛地响了起来，侯卫东以为是选举之事，一把抓过了手机，结果却是秦飞跃的电话。秦飞跃高兴地道："卫东，开发区正式成立了，你有没有兴趣过来？过来以后，先安排你负责国土方面的工作。"

侯卫东满口答应："秦主任，我愿意到开发区工作。"

镇人代会开始以后，镇党委书记赵永胜胸有成竹，放心地让党委副书记蒋有财和人大副主席肖卫国去办具体之事，他则稳坐钓鱼台。因此，当人大副主席肖卫国紧张地出现在他面前之时，他开了一句玩笑："肖主席，什么事让你如此着急？每临大事有静气，这可是我们青林镇的座右铭啊。"

肖卫国一脸沉重地道："第三代表小组推出了新的副镇长候选人。"

"是谁提出来的？提的是谁？"赵永胜有点吃惊，不过并没有太在意。

"独石村代表严国歌提议将侯卫东列为副镇长候选人。曾宪刚、秦大江等十二人附议，依照选举法规定，提议有效。"

侯卫东虽然没有一官半职，但是上青林公路顺利建成以后，他在上青林的名声如日中天。这一次被检察院请了进去，上青林村民还搞了一个万人签名，由此可见一斑。

得知侯卫东被提为候选人，赵永胜顿时认识到问题的严重性，一下就站了起来，道："严国歌是谁？我没有听说过此人。能不能撤销提议？"

肖卫国为难地道："严国歌是独石村的代表，从去年开始就长期住在沙州女儿家里。这白纸黑字写了上来的提议，撤销是违法的。"

附议的十二人都是上青林村干部，这让赵永胜意识到情况不妙。他脑筋急转，道："我找曾宪刚和秦大江谈话，你找严国歌和杨柄刚谈话。其他的人，分别由蒋有财和宁勇找人去谈，务必让各村村干部以大局为重，以青林镇的发展为重，将组织上确定的候选人选上去。”

赵永胜把蒋有财、宁勇、肖卫国等人找来商量以后，分别找村干部谈话。秦大江被叫到了书记办公室，关上门以后，赵永胜满脸寒霜，道：“秦大江，你搞什么名堂？严国歌这种不听招呼的人，你是怎么将他推荐上来的？”

秦大江一脸苦相：“以前选代表的时候，严国歌还没有长反骨，谁知道他突然搞袭击？”

“候选人是组织上定的，难道你想跟益杨县委、政府唱对台戏？你为什么要签字附议？”

“严国歌是当着众人的面征求我的意见，我就顺便签了一个名字。”

赵永胜怒道：“好一个顺便！这个字签下去，如果选举出了意外，我唯你是问。”

秦大江苦着脸，道：“我们代表小组都是上青林的人。如果我不签字，这些代表将如何看我？让我以后如何与侯卫东相处？他是驻村干部，专门管我们这些村干部的。”

“你是老支书了，一定要有组织原则，等一会儿给代表说，不能选侯卫东，一定要把组织的人选进去。”赵永胜使了缓兵计：“今年镇里要招些临时人员，你的儿子秦敢年龄合适，你让他回来当临时聘干，到时有机会可以转正。”

秦大江拍着胸脯道：“你放心，我虽然签了字，但是投票的时候，我一定能贯彻组织意图，受党教育这么多年，这点觉悟我还是有。”

紧接着，赵永胜又与曾宪刚谈话，谈话情况与秦大江相差不大。

与秦大江和曾宪刚谈了话，赵永胜心中的不安感更加强烈了，他召集了机关的人大代表开会，再次重申了组织纪律，要求必须实现组织意图，将组织部内定的三个候选人选上去。

他又将选举可能出现异常的情况向县里作了汇报。县里高度重视，组织部柳明杨部长亲自来到了青林镇，分别召开了人大代表中的党员会、人大代表中的机关干部会，并将下午的选举延期到了第二天。

赵永胜是党委书记兼任镇人大主席团主席，对选举负有主要责任。他心里着急，把最听话的副书记蒋有财叫到办公室，道：“明天会场实行实名制，你把每位代表的名字全部贴在椅子上。而且，我们要把代表的座位全部打乱，不能让一个村的代表坐在一起，尽量让镇机关的代表和村里的代表混合坐在一起，起到监视作用。”

蒋有财是青林镇党委副书记，不管是党委的选举还是人大选举，历来都是由他来操作。而人大副主任肖卫国相当于他的助手，蒋有财与赵永胜紧急商量后，与肖卫国一起带着人连夜写了名字，并把座位重新调整。当所有事情准备完毕，雄鸡一唱天下白，蒋有财这才在办公室眯了一会儿。

上午9点钟，正式投票开始了。

刘坤是镇长助理，列席参加了镇人代会。在会场之时，他不停地向认识和不认识的人大代表散烟，脸如鲜花一般怒放。

开始公布票数的时候，这唱票声是典型的青林口音，既土又尖，此时却显得格外威严。

以前是四个候选人，只需要选掉一个候选人，如今变成了五个候选人，选三个副镇长，也就意味着将要淘汰两人。

李辉的票数明显低于前四人，铁定要被淘汰。而钟端华、刘坤、唐树刚三人的票数咬得极紧，名次轮番上升。至于侯卫东则一骑绝尘，票数远远高于其他代表。

投票结果公布，实到九十八名镇人大代表，李辉得票十九，倒数第一，刘坤得票四十八，倒数第二，侯卫东得票九十，正数第一名。

刘坤坐在下边，心里怦怦乱跳，紧扣着发白的手指。每当听到侯卫东的名字就如被铁锤打在胸口，选举结果出来，他被打了几十铁锤，脑袋轰响成一片，处于空白状态，半天才明白：“我落选了。”

他微张着嘴，目光寻找着赵永胜。

赵永胜脸色极为难看，紧紧盯着选举结果，随后就沉着脸走出了会场。镇委副书记蒋有财和人大副主席肖卫国亦悄悄溜出了会场。

书记办公室里，赵永胜铁青着脸，盯着副书记蒋有财。蒋有财性格本来就软弱，此时慌了神，结结巴巴地道：“赵书记，这事就是上青林几个村干部搞的鬼。”

赵永胜打断道：“现在说这些有什么用？赶快想补救措施，你赶紧把纪委的同志带上，去查有没有贿选。”又对人大副主席肖天国道：“老肖，你把今天选举的情况，形成一份完整的书面材料，向县里报告。”两人领命而去，赵永胜咬了咬牙，拨通了组织部柳部长的办公室电话。

柳明杨此时正在生气，他已接到了一个电话，南部阳河镇传来了不好的消息，有一位组织上内定的候选人被选掉了？再听到赵永胜的汇报，他顿时火冒三丈，道："这次选举你是怎么组织的，出了这种事，说明你驾驭全局的能力有问题，青林镇党委战斗力有问题！"训斥了一顿以后，柳明杨缓和了一下口气，道："有没有代表或者群众反映异常情况？如果有，要立刻采取措施。"

赵永胜小心地回答道："已经成立了一个调查小组，以蒋有财副书记为组长，就选举中出现的问题进行彻底调查。"

柳明杨不容置疑地道："此事宜快，调查要扎实，如果有问题，材料要做扎实。还有，就由你来亲自当组长，我随时都要听取调查结果。"

放下电话，赵永胜靠在椅子上，思考着对应之策。若说侯卫东没有做工作，打死他也不相信，此事重大，他决定亲自出马。

当严国歌来到了办公室，赵永胜尽量露出笑脸，扔了一支烟给他，道："老严现在享福了，住在沙州女儿家。"

严国歌憨厚地笑道："女儿在沙州做批发生意，没有人带小孩，我就和孩子妈一起帮他们带孩子。"

聊了几句家常，赵永胜冷不丁地问道："是谁让你提侯卫东为候选人的？"

严国歌老老实实地道："是我女儿。以前她每次回家，都要先坐车到下青林，然后走路上山，现在客车可以坐到家门口。所以她对我说，侯卫东这样的干部，一心为老百姓办实事，就要选起来当领导。"

按照秦大江的计划，他安排望日村另一位铁哥们来提议侯卫东为副镇长候选人。岂知本村代表严国歌却抢先一步发出了提议，这是瞌睡之时遇到了枕头，秦大江喜出望外，立刻响应了他的提议。

赵永胜问了好几个问题，严国歌一板一眼答得清楚明白。最后，赵永胜挥了挥手，道："你走吧，回沙州女儿家去享清福。"

青林镇选举轰轰烈烈之际，侯卫东则在青林山上喝着茶，看着又臭又长的电视连续剧。选举结果刚出来，办公室快嘴杨凤第一个将电话打了进来："侯大学，不，应该是侯镇长了，为了选举的事情，赵书记很生气，估计很快就要找你谈话。"

调查组的行动很迅速，镇人代会刚刚结束，副书记蒋有财、纪委副书记宁勇就带着三个人，坐车直奔上青林。他们从独石村入手，把妇女主任、民兵连长和各社社长等村干部一个一个找起来谈话，寻找着侯卫东操纵选举的蛛丝马迹。

人大副主席肖卫国则带着另一个组，找上青林的人大代表谈话。

县组织部、人大和民政局相关同志组成的调查组也来到了青林镇，他们将侯卫东通知到了镇里，对其单独谈话。

走进了镇纪委办公室，五个表情严肃的人都盯着他。

蒋有财面无表情地道："今天请你到镇里来了解选举中的情况，你要把知道的事，实事求是地向组织汇报。"

侯卫东道："我不明白蒋书记是什么意思。"

蒋有财火气比平时大了许多，道："天知、地知、你知、我知，你别在这里装无辜！"

这次选举，是秦大江和曾宪刚两人在主动为侯卫东做工作。侯卫东从来没有参加过他们两人的活动，心里很坦然。同时，他在青林镇工作以来多次受到不公正对待，这让他心中有不平之气，因此语言上并不客气，道："既然蒋书记知道什么事，说出来我听听，如果你说不出，就别谈什么天知、地知、你知、我知。"

县纪委副书记李德超缓和了口气，先问了问从哪里毕业、在青林镇工作几年等问题，话锋一转，道："下面，我代表组织跟你做一次谈话，谈话是要做记录的，你是共产党员，要对组织忠诚，希望你实事求是地回答问题。"

侯卫东很平静，道："我不会也没有必要说谎，有什么问题，请直截了当地提问。"

"你跟严国歌谈起过选举的事情没有？"

"我不认识严国歌代表。"

"严国歌是上青林的镇代表，你怎么会不认识？"

"我才到上青林工作一年多时间，上青林七千多人，不认识的人太多了。"

李德超问了十几个问题，侯卫东回答得简单干脆，绝不拖泥带水。

调查工作持续了三天，一无所获。青林镇的换届选举出现的问题，益杨县委高度重视，赵林副书记代表县委亲赴青林镇，找多位干部谈了话，谈话的最后一人是镇党委书记赵永胜。

等到赵永胜汇报结束，赵林道："按你的说法，这一次换届选举没有实现组织意图，纯粹是意外原因造成的？"

赵永胜对侯卫东一肚子鬼火，现在却只能给他唱赞歌："侯卫东是

1993年益杨县委县政府向社会公招的十名干部之一。到了青林镇政府以后，他先是担任青林政府驻上青林工作组副组长职务，后来又担任上青林公路建设领导小组办公室主任职务，他参加了上青林公路建设，在村社干部中很有威信。”

向社会公招的十名干部，正是赵林的杰作。听说跳票者是公招干部之一，他灵光一闪，突然想起了1993年在人事局办公室遇到的年轻人。他翻了翻县纪委的调查结论，道：“既然选举符合程序，没有人为操纵，青林镇选举结果就合法，我们必须承认这个结果。”

赵林用犀利的目光看着赵永胜，严肃地道：“青林镇党委在换届选举中存在两个问题，一是没有做好调查工作，摸底不清，导致没有预见性，这才会出现这种局面；第二说明青林党委驾驭复杂局面的能力还有待提高，你是老领导了，在选举中发生这种事，实在不应该。

“侯卫东既然在群众中享有威信，又是正牌子大学生，这种人才在镇里没有得到重用，更没有向组织部门推荐，这里存在识人不明的问题。”

赵永胜面红耳赤地承认错误：“这是一次深刻教训，我要向县委做检查。”

“刘坤在青林镇表现究竟如何？”

赵永胜汗水打湿了后背，道：“侯卫东和刘坤都是很优秀的年轻干部。刘坤同志来到了青林镇以后，工作努力，很快进入了角色，是一个优秀的年轻干部。只是刘坤同志到青林镇的时间还不长，村里同志不熟悉他，所以落选了，我要负主要责任。”

赵林从青林镇回到县委，立刻将调查情况向祝焱作了汇报。

当天的县委常委会，赵林在会上提出了自己的看法：“青林镇这一次选举，没有实现组织意图，镇党委必须承担相应责任，建议将分管党群的蒋有财副书记免职，调离青林镇。人大副主席肖卫国就地免职。刘坤同志在选举中落选，属于意外，鉴于各镇班子基本配齐，建议由刘坤同志担任青林镇党委副书记职务。”

落选干部一般是异地安排，但是这只是一般情况，赵林提出就地安排刘坤的建议以后，众常委的目光有意无意集中在刘军和柳明杨脸上。他们没有提出反对意见。县委常委会原则上同意了赵林副书记的意见。

会后，柳明杨找到了县委书记祝焱，汇报道：“祝书记，党管干部是我党的重要原则，两个镇选举出现的风波，我心里很不安，说明了有的基层党组织涣散，有的基层组织在商品经济中异化。如果不严肃处理青林换届选举事件，极有可能助长这股歪风，下一次换届或许就难以收拾，说不定还要出更多的怪事。”

祝焱不动声色地道：“对青林镇问题的处置方案有意见，常委会上应该提出来，你的具体意见是什么？”

柳明杨坐得笔直，道：“我认为应该严肃处理侯卫东，否则以后选举将后患无穷。”

“我看了关于侯卫东的材料，这个年轻同志以普通干部身份促成了上青林公路的修建，很了不起。既然他没有贿选等违法行为，我认为要给他一个机会，让他在工作中得到锻炼，是驴子是马，拉出来遛遛就知道了。”

县委书记一锤定音，侯卫东和刘坤分别成为全县最年轻的副镇长和党委副书记。当正式任命出来以后，侯卫东独自一人沿着小道上山。上青林山上吹着大风，森林发出海的呼啸声，回荡在侯卫东耳中。

《侯卫东官场笔记2》精彩预告：

侯卫东当上副镇长后，立刻陷入了新的困境。

领导要么是出于考验，要么是出于信任，要么是出于刁难，往往把最棘手的工作放到他面前。先是挑战农村千年传统的殡葬改革，接着是整顿牵扯多方利益的基金会，一次比一次艰巨，一次比一次难搞；而侯卫东的官场视野及谋略亦愈发成熟老道，总是在极短的时间内，出色地完成了领导交给他的“不可能完成的任务”。

当一个微妙的时机到来，他被县委书记注意到了，由此晋升到官场的另一个更高的阶层，开始了新的工作与生活。那里又是别样一番天地……

读客®知识小说文库

读 小 说 · 学 知 识

什么是读客知识小说？

畅销全国的读客知识小说文库，每部小说都在精彩的故事中，融合了丰富系统的人文知识；让您每一次充满乐趣的阅读，都成为汲取知识的智慧之旅：

◎ 关于西藏宗教、文化、地理的百科全书式小说《藏地密码》

◎ 讲述中国社会底层结构变迁的黑道小说《东北往事：黑道风云20年》

◎ 向中国3亿草根青年传授最笨发财之道的自传体小说《全中国最穷的小伙子发财日记》

◎ ……

每个系列，都是人文知识丰富、销量过百万册的超级畅销小说。翻开读客知识小说文库的每本书，您都将在感受小说无穷魅力的同时，轻松获取某一方面的系统知识，增强自己对这个世界的理解，成为一个学识渊博的人。

读小说，学知识，锁定读客知识小说文库。

《藏地密码》系列

一部关于西藏的百科全书式小说
了解西藏，必读《藏地密码》！

从来没有一本小说，能像《藏地密码》这样，奇迹般地赢得专家、学者、名人、书店、媒体、全球最知名的出版机构以及成千上万普通读者的狂热追捧，《藏地密码》是当下中国数千万“西藏迷”了解西藏的首选读本，也是当下最畅销的华语小说，目前销量已达到惊人的300多万册。

《藏地密码》被广大读者誉为“一部关于西藏的百科全书式小说”。

翻开《藏地密码》，犹如进入一幅从未展开过的西藏千年隐秘历史画卷……从横穿可可西里到深入喜马拉雅雪山深处，从藏獒“紫麒麟传说”到灵獒“海蓝兽传奇”，从宁玛古经秘闻到格萨尔王史诗，从公元838年西藏最黑暗时期的“朗达玛禁佛”到1938年和1943年希特勒两次派人进藏之谜……跟随《藏地密码》的脚步，您将穿越西藏深不可测的千年历史迷雾，看尽西藏绵延万里的雪域高原风光，走遍西藏每一个传说中永不可抵达的神奇秘境。

从《藏地密码》中，您还可以了解到不可思议的古格地下倒悬空寺、西藏极乐之地香格里拉，以及西藏历史上突然消失的无尽佛教珍宝去向之谜……雪山、圣湖、墨脱、象雄、布达拉宫、密修苦僧、传唱艺人、帕巴拉神庙、古藏仪式、千年兽战、神秘戈巴族、死亡西风带……一切都如此神秘、神奇、神圣。通过《藏地密码》，您将与西藏这一千年来所有最最最隐秘的故事和传说逐一相遇。

《东北往事：黑道风云20年》系列

一部由亲历者向您讲述的真实黑道故事

作者孔二狗，自小成长在一个充满血腥与杀戮的环境中；犹如来自黑道社会内部的深喉，他向我们讲述了1986年至今20余年来，北方某市黑道组织触目惊心的发展历程。全书情节真实、跌宕起伏，刻画了近百个性格鲜明的黑道人物，描述他们活得怪诞、死得荒唐的悲喜人生，让读者近距离观察到一个令人震颤、黑暗而暴力的非法阶层，亲历一种极端凶险、乖戾的病态生存方式。

从八十年代古典流氓的街头火拼，到九十年代拜金流氓的金钱战争，再到如今的官商勾结，整个流氓组织的演变过程，光怪陆离、惊心动魄。经过20年的血腥洗礼，多少活泼泼的生命灰飞烟灭之后，剩下的个体与团伙，最终演化成真正具有黑社会性质的可怕犯罪组织……

这部小说一出版，就轰动了整个华语世界，引起广泛的评论和赞扬，被成千上万的忠实读者痴迷追读。上市以来，连续28周排名各大图书畅销榜，目前累计销量已突破100万册，孔二狗掀起的阅读狂潮，让任何人都难以抗拒。

翻开本书，带你直击黑道病态生存现状。

《全中国最穷的小伙子发财日记》

草根创业圣经

一部向中国3亿草根青年传授最笨发财之道的自传体小说

这是一部自传体小说，也是一本向年轻人传授发财之道的教科书。

2005年，作者老康三十而立，带着老婆，拖着儿子；没有存款，没有房子；读的是烂学校、破专业，一无所长；毕业后混了多年，稀里糊涂，不幸下岗；因为混得差，朋友都断了联系；举目望去，走投无路；看见老婆就内疚，丈母娘面前更是抬不起头；一家三口，低声下气，长期在丈母娘家“蜗居”；远在农村的老父母，还以为他在城里混得不错，他只好一直逃避……他不是没有理想，而是什么都不敢想。

有一天，这个无权无势又年轻的迷茫青年，静坐在书桌前，开始全面分析自己糟糕的人生。他决定从身边着手，去寻找最小最近的机会，老老实实，深入一行；就在那些看似渺茫可笑的机会背后，老康一次次抓到了实实在在的金钱，并从中悟到朴实的生财之道；他做的事，都没有难度；他遇到的机会，是我们天天都碰到的机会；他靠最平庸的方式，日积月累，越做越大。就这样，经过3年坚持，老康最终成为年入百万的富翁。

老康成功的奇特之处，在于他做的事没有任何奇特之处。

从老康身上，你将学会那些白手起家的百万富翁都有的“特异功能”，从日常生活中认出遍地发财机会。

一旦你拥有这种“特异功能”，发财好比例行公事！

读客®公务员读史

读 历 史 · 就 更 懂 官 场

什么是读客“公务员读史”丛书？

中国官场，自古如一。你今天碰到的难题，大秦宰相李斯也碰到过；你昨天遇到的麻烦，晚清名臣曾国藩也遇到过；他们是怎么一一化解的？

在中国公务员群体中广泛流传的读客“公务员读史”丛书，讲述历代帝王将相跌宕起伏的传奇命运，重走他们飞黄腾达的仕途之路，收获他们老谋深算的官场智慧与技巧，常常让人在不经意间，茅塞顿开，于纷繁复杂的官场万象中，认出规律、方法和道路来。

读客“公务员读史”丛书 首批推出“晚清三大名臣发迹史”系列

◎《曾国藩发迹史》：大清第一名臣曾国藩，十年连升九级的官场秘诀。

◎《李鸿章发迹史》：晚清重臣李鸿章，争议不止升官不断的仕途之路。

◎《左宗棠发迹史》：四十岁初入官场，二十年内官至极品的升迁之道。

认准读客“公务员读史”丛书——读历史，就更懂官场！

读客“公务员读史”丛书
首批推出“晚清三大名臣发迹史”系列

《曾国藩发迹史》：大清第一名臣曾国藩，十年连升九级的官场秘诀

在调查大清国库亏空真相时，曾国藩为防范对手的恶言诽谤，当众脱光衣服，光着屁股，赤身裸体走进银库清点现银，用了三天三夜的时间，将所有库银清点一遍，终于发现了被隐瞒多年的惊人秘密！

在等级森严、钩心斗角的官场，意识到“与多疑之人共事，事必不成；与好利之徒共事，己必受累”的曾国藩，始终站在能决定自己命运的最高领导的角度思考问题，无论外界如何评价，他都坚守这个原则，在保持自己仕途名声的同时，通过无可争议的政绩，获得上级的支持与晋升的资本。

读完本书您会发现，中国官场的规则和潜规则自古一脉相承，曾国藩的升官之路，就是一部活生生的官场教科书，他的诸多经历和经验，放到今天，依然会准确灵验。

《李鸿章发迹史》：揭开晚清名臣李鸿章，争议不止升官不断的仕途之路

当恩师曾国藩固执己见时，李鸿章极其苦恼，他意识到危险正在逼近，但自己的意见却不被重视。为了避免引火烧身，又不得罪恩师，他谎称母亲生病，及时离开了是非之地……

李鸿章初入官场时，年仅25岁，居京期间，他做事干净利落，总能照顾到多方面利益，不久便崭露头角。后来太平军起，他被奏调回到老家安徽帮办团练，因为无权无兵无饷，更缺乏实战经验，几年时间，渐渐陷于困境。

听说曾国藩在湖南与太平军的作战中屡次获胜，他马上意识到自己的机会来了，转而投奔曾国藩湘军大营，并且很快获得机会，风头再起。

对功名利禄情有独钟的李鸿章，遇事坚忍异常，从未小挫即退，为了稳住手中的权力，他从来都是能报喜时绝不报忧，总是想办法让自己和好消息连在一起，并由此深受上司好感和信任。拥有实权后，他将官场中的众多同乡，荐为重要官员，彼此间结成荣辱与共的紧密关系。在晚清政治舞台上纵横捭阖四十年间，他一步一步，登上权力巅峰……翻开本书，您将了解到，李鸿章争议不止但升官不断的真正原因。

《左宗棠发迹史》：左宗棠四十岁初入官场，二十年内官至极品的升迁之道

一生声称不擅长送礼的左宗棠，其实是一个送礼高手。担任陕甘总督时，他将西周时期的青铜器大盂鼎，千里迢迢运到京城，送给了在关键时刻帮过自己的官员潘祖荫，喜欢古玩字画的潘祖荫收到礼物后，高兴得伸出舌头去舔大盂鼎；在潘祖荫的点拨下，左宗棠又将厚厚的银票，送给手握大权的王公大臣；几天后，好消息传来，左宗棠被朝廷破格加恩，可在紫禁城骑马……

生性狂傲的左宗棠，初入官场已经四十岁。他意识到，“人在官场，起步晚没有关系，关键是要能抓住机会”。为充分展现才能，他不计毁誉，经常与人撕破脸皮，大吵大闹；居人之下的八年幕僚生活，不仅让他看透官场冷暖规则，也深刻领悟到官场的金科玉律。

左宗棠总能敏锐地抓住各种机会，一次又一次为上属解决难题，数年后，终被推荐，当上巡抚官及二品，从幕后走到前台。随后的南征北战中，左宗棠凭着自己的实力，屡建奇功，被朝廷重用。随着官位越来越高，他的脾气却越来越小，成为无法被人取代的重臣……通过本书，您将全面了解到，大器晚成的左宗棠最终位极人臣的升迁之道。